KU-351-073

москва
2017

евгений
гришковец

ЛЕТО – ЛЕТО
И ДРУГИЕ
ВРЕМЕНА
ГОДА

москва
2017

УДК 821.161.1-94
ББК 84(2Рос=Рус)6-44
Г85

Литературный редактор *Ольга Ярикова*

Художник *Серж Савостьянов*

Гришковец, Евгений.

Г85   ЛЕТО — ЛЕТО и другие времена года / Евгений Гришковец. — Москва : Издательство «Э», 2017. — 512 с. — (Гришковец Евгений. Современная проза).

ISBN 978-5-699-93499-7

Дневниковые книги Гришковца основаны на блоге, который Евгений ведёт в интернете. Зачем тогда покупать книгу? Остановиться, листая бумажные страницы, намного проще. Книга даёт возможность управления временем. Прошедшим временем. Скорость жизни сейчас такова, что не успеваешь толком прочувствовать, что-то пролистываешь, что-то оставляешь на потом, что-то стараешься не замечать. В этой книге — возможность заново посмотреть на прошедшие два года. Рассмотреть что-то, что не получилось рассмотреть сразу, удивиться тому, сколько событий они вместили, может как-то иначе расставить акценты. Чуть-чуть замедлиться.

УДК 821.161.1-94
ББК 84(2Рос=Рус)6-44

© Евгений Гришковец, 2017
© Серж Савостьянов, обложка, 2017
© ООО «Издательство «Э», 2017

ISBN 978-5-699-93499-7

2014

26 мая

Хочу поделиться своими очень поверхностными, но яркими впечатлениями о Ташкенте.

Этой поездки я ждал и старался ничего себе не фантазировать, чтобы не было никакого уровня ожиданий и не случилось разочарований. К тому же я и не знал, что мне фантазировать, в каком направлении запускать фантазию. Город детства и юности моего любимого коллеги и друга Игоря Золотовицкого, который всегда говорил и говорит о родном Ташкенте с восторгом и нежностью, город, в котором родились и выросли многие мои знакомые... Это всё весьма образованные и яркие люди, которые по массе причин продолжили свою жизнь не в Ташкенте, очень скучают по городу детства и не хотят туда ехать, опасаясь крушения дорогого им образа. Город, о котором я слышал много самых тёплых и сладких историй. Город притягательный, желанный и аппетитный... совершенно не сочетался с тем городом, откуда ежедневно прилетают и прилетают тысячи людей, которым мы не рады и которые не рады нам... Люди, которые едут в непонятное им пространство заниматься тяжёлой, чаще всего грязной работой и жить в нечеловеческих условиях.

Так что летел я, стараясь не думать о том, что меня ждёт, а думать о том, кто меня там встретит... Я только приказал себе не ждать ничего особо экзотического и быть настроенным открыто и дружелюбно.

Летел из Калининграда в Ташкент «Узбекскими авиалиниями». Самолёт был довольно новый, чистый, стюардессы русские, пилоты, судя по фамилиям, — тоже. В Ташкент летело немного людей, а вот из Ташкента, стюардессы сказали, борт был полон.

Экзотика началась с объявления. В самолёте объявили стандартное: что курение запрещено в течение всего полёта, а также запрещено употребление и жевание насвая. На английский объявление не переводили. Я заинтересовался, и весёлая стюардесса объяснила, обратившись почему-то на «ты»: «Ты не знаешь насвая? Это типа табака. Они его жуют или сосут». Я поинтересовался, чем это может помешать полёту.

«Так они его плюют на пол. Где сидят, там и плюют. А если им это запрещаешь, они плюют его в туалете в рукомойник. И рукомойник забивается».

Лёту было четыре с половиной часа. Последний час я смотрел в иллюминатор. И всё время видел под собой коричневое пространство. Видимо, невысокие горы, без зелени и, наверное, без людей. Снежных вершин тоже не было.

Паспортный контроль прошёл быстро. Я знал, что меня должен встречать замечательный узбекский актёр Шухрат Иргашев. Игорь Золотовицкий попросил его встретить меня и позаботиться.

Чемодан я ждал час сорок. Все уже так или иначе получили багаж, и я остался один в небольшом помещении, вместе с пограничником. Никто не проявлял обеспокоенности, кроме меня. Маленького роста, очень смуглый пограничник с большим интересом смотрел фильм. В итоге мы посмотрели его вместе практически до конца.

В фильме пять или шесть американских спецназовцев беспрерывно убивали афганских моджахедов. Американцы тоже гибли, но моджахедов они крошили десятками. Я знаю, что многие моджахеды — этнические узбеки, но ташкентский пограничник смотрел фильм с удовольствием.

Через час ожидания я взбеленился и обратился к пограничнику с просьбой выяснить судьбу моего чемодана. И тут понял, понял сразу, что узбек в форме и фуражке — совсем не тот узбек, который готовит плов или наливает вам чай. Я вспомнил своих сослуживцев-узбеков, которые, получив хотя бы одну лычку на погоны, изменялись до неузнаваемости и становились, в сущности, страшными людьми...

Узбекский пограничник сказал: «Чё тебе нада?! Я тебе паспорт хорошо проверил?! Ну и сиди спокойно!»

Таможенник порекомендовал позвонить по местному стационарному телефону и узнать про чемодан. Я позвонил. Мне ответил молодой женский голос. Девушка-диспетчер что-то лепетала, и когда я спросил напрямую: «Вы что, мой чемодан потеряли?» — получил гениальный ответ: «Нет, что вы! Мы его ищем».

Это был единственный неприятный эпизод моей поездки. Получив чемодан почти через два часа после прилёта, я вышел на знойный и ароматный воздух, меня встретил чудесный человек, народный артист Узбекистана Шухрат Иргашев, и мы поехали в город...

Я специально не ел в самолёте, потому что хотел вкусно поесть на месте. Про Ташкент все без исключения говорят, что в мире мало более вкусных городов. Разумеется, я хотел плова, но выяснилось, что вечером поесть плова не так уж просто, точнее, почти невозможно, потому что плов — не вечерняя еда. Мало того, я узнал, что плов — утренняя еда. Мне объяснили, что до недавних времён плов начинали есть на рассвете, то есть летом — с четырёх часов утра. Не так давно это законодательно запретили, и теперь плов в общественных местах едят не раньше семи... А потом на работу. Плохо себе представляю работу после плова, но узбекам как авторам плова виднее. (Хотя узбеки утверждают, что плов придумали в восточном походе в армии Александра Македонского.)

Но для меня вечером плов приготовили, и я понял, что надо поаккуратнее с высказыванием желаний, потому что их будут моментально и неукоснительно исполнять или пытаться исполнить.

Мой первый в Ташкенте плов был прекрасен! Я понял, что прежде и не ел плова. Тот плов был, как мне сказали, чайханский, то есть самый простой, без изюма, гороха и чего-либо ещё. Только баранина, рис, жёлтая морковь и специи. Очень подозреваю, что в плов добавляют что-то, что на плов подсаживает. Потому что оставшиеся дни, при всём многообразии выбора, я хотел именно плова, а после того как улетел из Ташкента, у меня случилось что-то вроде пловной ломки. В Иркутске и Чите то, что выдавали за плов, таковым не являлось, а ничего другого я некоторое время не желал.

Не буду рассказывать про их гостеприимство, культуру застолья и трапезы, невообразимое разнообразие всякой еды, от супа до сладостей. Не буду рассказывать о своих впечатлениях от рынка, к тому же Шухрат всё время говорил, что рынок уже не тот, город не тот, всё не то... Не буду также воспроизводить яркую галерею типажей и образов людей, которых довелось там увидеть. Не буду рассказывать про забавную, наивную и очень провинциальную ночную жизнь молодёжного Ташкента... Это надо видеть самому. Гарантирую, что всё понравится. И также гарантирую, что нам там рады. Вот только напоминаю, что узбек в форме и погонах — это особый узбек, даже по отношению к другим узбекам...

У меня была творческая встреча в легендарном театре «Ильхом». Про «Ильхом» я слышал давно. Те, кто бывал в Ташкенте и бывал в этом театре, гордились. В 90-е годы «Ильхом» был легендой независимого студийного театра. Я, конечно же, хотел побывать на его сцене. Счастлив, что побывал. Рад, что удалось немного помочь коллегам: билеты они продали все и быстро. От гонорара я отказался. Во-первых, творческая встреча — это не спектакль, а во-вторых, я приехал в Ташкент для радости и отдыха.

Люди собрались очень хорошие, разного возраста, разных национальностей. Я пока совсем не разбираюсь в ташкентской специфике и не могу понять по лицам и акценту, кто со мной говорит...

Я прочитал добрую половину спектакля «Прощание с бумагой», который мне не удастся привезти в Ташкент. Почитал новые маленькие тексты, ответил на вопросы. А вопросов было много, и всё хорошие: не формальные, а подлинные и глубокие.

Теперь очень хочу приехать в Ташкент с полноценным спектаклем, правда, декорации привезти не получится, но у меня есть и лёгкие в этом смысле спектакли. Хочу встретиться с более широкой ташкентской публикой и своей команде показать Ташкент.

Мне молодой узбек задал вопрос: ощущаю ли я себя русским в некоем русском пространстве, находясь в Ташкенте, разговаривая на русском языке. В его вопросе и интонации был определённый намёк на имперское сознание. Я ответил, что я не то что ощущаю, а я знаю, что я русский в столице Узбекистана. Но туристом я здесь себя не чувствую и не почувствую. По этой причине, в отличие от массы европейцев и американцев, которые приезжают в Ташкент, Бухару и Самарканд и беспрерывно фотографируют всё подряд, от ишака до минаретов, я здесь фотографировать не хочу, потому что фотография ничего не передаст, да и я здесь хоть и в первый, но определённо не в последний раз. Я нахожусь не на чужой земле, в другой, но не чуждой культуре, и хоть я здесь не дома, а в гостях, в гости ходят не туристы, а друзья.

В Ташкенте прекрасно отпраздновали 9 Мая. Не пафосно, но как-то хорошо и правильно. Был красивый салют, много людей гуляли, очень щедро накрыли столы для ветеранов и пожилых людей. Много молодых людей ходили с георгиевскими ленточками. Также видел молодых людей с медалями: за какие-то узбекские заслуги, но на праздник они их надели. Праздник я в Ташкенте почувствовал.

Вообще в Ташкент на майские приехало много люда из России. Видел инфернальное зрелище: 10 мая, утром, в лобби гостиницы наблюдал за соседними столиками Сергея Шнурова и Стаса Михайлова. Они не были в одной компании, не общались, но видеть их в одном помещении забавно. Хотя... Есть люди, которые Михайлова и Шнура поют в караоке через запятую.

Спросил Сергея, зачем он здесь. Он сказал, что предпринял путешествие с женой по Казахстану и Узбекистану. Со Стасом я не знаком и не намерен. Но цель его присутствия была понятна по большим афишам, которыми был увешан весь город. Надо отдать должное ташкентцам: на концерт было куплено меньше половины билетов, я поинтересовался.

Улетел из Ташкента в Иркутск с таким количеством вопросов к этому городу, этому пространству и к самому себе!.. Много всего всколыхнулось во мне в Ташкенте. Всколыхнулись отголоски прежних лет, я вспомнил и остро почувствовал своё прежнее ощущение мироустройства и миропорядка, в котором Ташкент был частью большой, доступной и родной страны... Я непременно и как можно скорее хочу снова туда. И только когда снова побываю, смогу лучше написать о Ташкенте и, даст бог, других узбекских городах.

Из знойного Ташкента прилетел в заснеженный Иркутск. На пограничном контроле злющая девица в погонах, листая мой паспорт, спросила: «С какой целью вы были в марте в Грузии?» Занятный вопрос, заданный человеку, прилетевшему в мае из Ташкента в Иркутск.

28 мая

Сегодня ходил с сыном на «Годзиллу». Сам про себя тихонечко много смеялся, Саша смотрел серьёзно. Собственно, фильм адресован людям не старше тринадцати, а также тем, кто своих детей готов на такой фильм сопроводить и с большим удовольствием наблюдать не за смешным Годзиллой, а за собственным чадом, относящимся к Годзилле серьёзно.

Смотрел на то, с каким удовольствием американские кинематографисты разрушают свои города. В этот раз эффектно разрушили Сан-Франциско. Красиво рушатся небоскрёбы, красиво ломаются огромные вантовые мосты — и как же некрасиво в новостях разрушаются частные домишки или школьные здания из силикатного кирпича в Донецке и Донецкой области.

Как красиво — и всё красивее — разрушают в кино американцы свои мегаполисы и как некрасиво они же разрушают другие страны...

Утром вылетаю в Москву, вечером там концерт с «Мгзавреби». Опять будем много говорить с грузинами об Украине. У Гиги жена родом из Донецка, тёща там живёт. Поговорим — и пойдём играть концерт. Два часа музыки, дружбы и любви.

31 мая у меня спектакль в Оренбурге. Был в этом городе только однажды, впечатление осталось несколько размытое и невнятное. Что-то там случилось неприятное, но сейчас уже не помню. Очень хочу в этот раз многое уточнить и исправить впечатление. После Оренбурга будут знакомые поволжские города. Так начнётся моё лето.

Ещё хотел сказать немножко о Китае, который меня потряс. Не восхитил, не напугал, не разочаровал, а именно потряс. И хоть в Китай я вошёл как в бездонный океан, даже не по щиколотку, а, можно сказать, коснулся его поверхности пальцем, но взбудоражен я серьёзно. Всё для меня оказалось неожиданным. Я провёл около семи часов в приграничном городе Хэйхэ. Город настолько приграничный, что его хорошо видно с нашей стороны даже невооружённым глазом. Стоишь на берегу Амура и смотришь на Китай. А у них на самом берегу большой парк аттракционов со здоровенным колесом обозрения. Крутится колесо, смотрят на нас китайцы сверху вниз, из люлек...

Расстояние между нами — неширокая река Амур. Расстояние между нашими культурами, представлениями о мире, ощущение земли, на которой живём, — бесконечно.

Я много раз видел китайцев в Хабаровске и Владивостоке. Видел на рынках, на стройках, в гостиницах, видел совсем небогатых и тех, кто дорого одет. Видел китайцев в Париже, атакующих дорогие магазины. Правда, мне тут же говорили, что эти китайцы не с материка, а с Тайваня.

Я всегда знал, что китайское — плохое, дешёвое и некачественное. Похожее на настоящее, но фальшивка. Сделано в Китае — значит сделано не очень.

С самого детства я боялся китайцев, которых к тому моменту не видел, но в Кемерово частенько можно было слышать, что Китай рядом и что до нас доберутся если не в первую очередь, то скоро. Я всегда знал, что китайцев очень и очень много. Китай тогда был страшным, тёмным, обязательно голодным и обязательно опасным. Анекдотов про китайскую бедность и многолюдность было множество...

Представления о Китае менялись вместе со мной, но какие-то были с самого детства. В детстве никаких представлений о Новой Зеландии, Австралии или Канаде у меня не было. О Португалии не было. О Дании и Голландии не было, а о Китае были. И вот все накопленные за всю жизнь представления о Китае, от страшной, голодной, густонаселённой и нищей страны до площади Тяньаньмэнь, а потом — до экономического чуда и первой экономики мира... Всё это оказалось совсем не похоже на то, что я там встретил, точнее, на то, что там встретило меня...

Напомню, я побывал совсем немного в небольшом, по меркам Китая, городишке на периферии этой великой страны.

Та еда, которую мы едим у себя или в Европе как китайскую, не имеет ничего общего с тем, как и что едят сами китайцы. Я поел там два раза совсем в нетуристических местах. В первый раз я был в шоке и восторге от вкуса, разнообразия и даже ощущения насыщения едой. А второй раз я, скажем, был озадачен тем, что было предложено. Не буду описывать ни еду, ни способы её подачи, а также употребления. Одно могу сказать: еда для китайцев дело невероятно серьёзное, и культура еды потрясает воображение. Такой безупречной чистоты и во всех смыслах недешёвого оснащения заведений, где едят китайцы средней руки, я мало где видел в мире. Конечно, я не бывал в бедных или нищих районах, которые, конечно же, есть, но я был во вполне средних заведениях.

Два часа я провёл в бане, не туристической, а в той, куда ходят китайцы. Как я понял, ходят часто и нередко семьями. Такого я вообще нигде и никогда не видел, и это тоже большая и давняя культура. По сравнению с самыми дорогими банями, какие я видел в России у провинциальных олигархов, китайская общественная баня просто Версаль, в котором всё продумано, всё имеет смысл и всё очень хорошо.

Город Хэйхэ не красивый и не некрасивый, в нём об архитектуре говорить не приходится. Ясно, что город построен быстро, по российским меркам моментально: меньше чем за тридцать лет. Построен не особенно основательно и с лёгким отношением к самому явлению города. Не на века. Не тщательно. Однако за внешним невыразительным фасадом может скрываться весьма глубокое и насыщенное содержание. А в этом содержании всё понамешано...

Как же у них там всё понамешано! В одном помещении, которое, кажется, высечено из цельного куска мрамора, может соседствовать космической красоты ваза, тончайшая, полупрозрачная, нефритовая статуэтка, удивительной красоты вырезанная из дерева рыба и нелепейший, дурацкий и пахнущий линолеумом диван. При этом на красивой мраморной стене может висеть дикий календарь, будто купленный в Египте или на рынке в Анапе. Много чего-то пластмассового, блестящего, дурацкого. Что-нибудь смешнее китайской рекламы и афиш китайских боевиков сложно найти.

Их бытовые представления о красоте, о европейском и американском так наивны, смешны, нелепы и часто безобразны, что диву даёшься! И в такие моменты нужно самому себе говорить, что их сознание совсем иное, но это то сознание, которое способно создать выдающуюся красоту, которую как красоту они, очевидно, часто не замечают.

С первой секунды моего пребывания за рекой Амур меня удивило то, что является самой простой и убедительной иллюстрацией состояния страны: меня удивило, насколько хорошо, по сравнению с нашими пограничниками и таможенниками, одеты китайские таможенники и пограничники. Хорошие ткани, убедительные модели и крой одежды, красивые фуражки, добротные пуговицы. Очень хорошая обувь. У них нормальная осанка, строгие лица и отличные очки на этих лицах. А ещё эти таможенники и пограничники работают быстро, эффективно, и они совсем-совсем не милые.

Они столь не милые к нашему брату из-за реки, что российские их коллеги могут показаться ангелами. А с какой стати им быть с нами милыми? Это мы к ним идём зимой по амурскому льду, а летом плывём на утлых теплоходиках. Это нам чего-то надо, причём по мелочи. А им надо по-крупному...

Там, за рекой, мелкими показались многие наши достижения и наши же проблемы. Маленьким увиделся самый большой наш мост на Русский остров. Смешными увиделись жалкие башенки Москвы-Сити.

Мне всё время говорили, что в Сибири асфальт плохо лежит потому, что очень большие перепады зимних и летних температур. В Ростове и Саратове перепады не такие большие, но асфальт тоже лежит неважно. Плохо лежит, часто вовсе не лежит.

Если мне кто-то будет говорить, что в Благовещенске и Хэйхэ условия для асфальта разные, боюсь, у меня возникнет сильное желание плюнуть этому человеку в бесстыжие глаза. За Амуром у китайцев асфальт лежит.

Хэйхэ город ничем не выразительный, но уж очень он сильно отличается своей городской структурой, широкими, хорошими дорогами, огромным количеством светофоров и прочей городской дорожной разметкой, какой-то очевидной продуманностью, а главное — волей тех, кто этот город построил.

Видимо, весь Китай живёт торговлей. Это тоже важнейшая составляющая китайской жизни. Я заглянул в бесконечный лабиринт китайского шопинга, понял, что я в нём ослепну и оглохну, и не стал углубляться. Так что про это сказать ничего толком не могу. Одно там было очевидно: дешёвого и плохого в центре Хэйхэ не найти. Наверное, можно найти недорогое и не очень хорошее, но по большей части — недёшево и неплохо.

Наверное, те, кто много бывает в Китае, надо мной посмеются. Но я говорю о том, что мне удалось увидеть, не углубляясь.

Больше всего поразили средние школы. Я их видел две, обе были большие и довольно величественные — их здания напоминают о сталинской архитектуре.

Территории школ прекрасны! Они большие, можно сказать, огромные по сравнению с нашими. Эти территории чудесно организованы. На них я видел и футбольные поля, и баскетбольные площадки, и корты для тенниса и бадминтона — чего только на этих площадках не было! А главное — на них было много детей разного возраста. Я стоял, любовался и слушал этот детский шум, радостнее и прекраснее которого на земле не существует шума. Все дети очень хорошо одеты...

А в Благовещенске во всём городе два дня не было горячей воды...

После этой поездки могу сказать, что мои ощущения и представления о Китае получили огромное развитие, однако понимания не добавили, а опасения скорее усилились. Опасения человека, которому всё равно нужно вернуться на другой берег, потому что только на своём берегу я могу жить.

А как же возросло моё любопытство! Теперь буду ждать следующей поездки — намного сильнее, чем я ждал своего первого посещения краешка Поднебесной.

Но я вернулся на свой берег, и здесь, на нашем берегу, завтра будут отправлены по адресам первые DVD-видеоверсии «Прощания с бумагой». Она наконец готова. Скоро её смогут взять в руки или просто увидеть, в первую очередь те, кто принял участие в её реализации, заранее купив свой экземпляр. Многие заплатили больше, чем требовалось. Я обещал весной выпустить видео, слово сдержать удалось. Всё-таки мы успели это сделать до лета.

Лето! Мы стоим на его пороге. Только у нас есть такое выражение: дожили до лета.

Как хочется, чтобы лето принесло радость, отдохновение и было долгим. Как хочется подвести перед отдыхом итоги рабочего тяжёлого года, который начался, когда прошлое лето закончилось. Как хочется, чтобы эти итоги были утешительными, а лучше попросту хорошими. Как хочется, чтобы не было тягостного ожидания плохих новостей. Как хочется безмятежности. Как часто — и совершенно по-детски — хочется чего-то недостижимого...

3 июня

Хочу сделать несколько коротеньких путевых заметок с берегов Волги. Сейчас я в Самаре, а до этого был в Оренбурге. Очень странное ощущение времени. В Оренбурге плюс два часа, а в Самаре время московское — это всё после недавних великих часовых реформ. Расстояние чуть больше четырёхсот километров — и нá тебе. Во всяком случае, вершителя времени какое-то время не забудут.

Оренбург скорее порадовал. В прошлый раз я был давно, в 2007-м. Было ветрено, холодно, неуютно. Произошло несколько нелепых ситуаций, отвратительно поели в, как тогда нам было сказано, единственно возможном ресторане «Жигули». Теперь город встретил иначе.

Прилетели в Оренбург в шесть утра, было плюс четыре. Упал спать с открытым окном, проснулся от сильного зноя. Оказалось, к полудню было уже плюс двадцать восемь. Вот какие чудеса степного климата.

Город определённо похорошел, выпрямился, подрос. В смысле выпрямились покосившиеся исторические здания, выросла этажность новых домов. Город пострижен травой, выметен дворами. Люди часто и с явной гордостью спрашивают: «Ну как вам у нас?» Да и спектакль прошёл с оглушительным аншлагом, без единого звонка мобильного телефона. В прошлый раз было ровно наоборот. Вот только дороги оставляют желать. По причине дорог решили из Оренбурга в Самару не ехать, а лететь. Опытные люди сказали, что нужно закладывать на путь автомобилем часов шесть-семь, а долететь можно за полтора часа. Вот мы и полетели. Вылетели из Оренбурга в 7:30 утра, прилетели в Самару в семь утра. Летели на семнадцатиместной машине времени чешского производства. Этакая летающая маршрутка, забавное транспортное средство. Побольше бы таких на подобных расстояниях по всей стране.

Полтора года не был в Самаре, она в очередной раз и огорчила и порадовала. Порадовала прекрасной набережной — по сравнению с той, какой была. Убрали жуткие балаганы вдоль реки. Из тех балаганов всё время доносилась самая мерзкая музыка и самые явные крики. Прежде всё было загажено, замусорено и, прошу прощения, засрано. Теперь набережная чиста, с хорошими дорожками, вдоль неё устраиваются или уже устроены пляжи, я видел, как с большой баржи отсыпали на очередной пляж чистый речной песок. Но самое приятное — это люди, которые теперь пришли на набережную. Прежде таких я на самарской набережной не видел: потоки молодых людей и детей на роликах, велосипедах и других диковинных средствах педального, колёсного и колёсно-ножного передвижений. Много вальяжно прогуливающихся, спортивно бегающих или созерцательно сидящих. Людей много. Видно, что они давно этого хотели. И также видно, что им радостно это иметь на месте, а не ехать или лететь куда-то.

Оба спектакля идут с аншлагом, хоть и тот и другой я уже здесь исполнял. Самарская публика и всегда была очаровательной, а нынче она по-летнему нарядная, радостная, свеженькая. Я впервые в Самаре в такие тёплые дни...

Однако весь основной город, в отличие от Оренбурга, покосился и поник. Я о старых улицах Самары, которые определённо составляют лицо этого города... О том, как они могли выглядеть когда-то или как должны выглядеть, можно только догадываться. Многочисленные памятники городской архитектуры находятся в чудовищном состоянии. Трещины, осыпавшаяся штукатурка, липкие побеги, торчащие из фасадов и крыш, осыпавшиеся лепные украшения. Облупившаяся колонна, запылённый, уставший и несчастный кирпич... Многие зияющие дыры и выщерблины прикрыты бесчисленными и в основном отвратительными вывесками или рекламой. Во дворы даже страшно заглядывать... Дороги в большей части города стали только хуже — хотя куда ещё хуже-то!

Трамвайные пути Самары — это особая тема. Они лежат такими волнами, что у не привыкшего к таким путям человека за три остановки запросто разыграется морская болезнь. А самарских детей после местных трамваев никакими американскими горками не удивить.

Вчера из-за того, что практически две ночи провёл почти без сна и в перелётах, после полуночи очень захотел шоколадку с изюмом. Поехал искать. Задача оказалась непростая. В районе гостиницы магазинчики, даже озаглавленные «24 часа», были закрыты. После нескольких неудачных попыток водитель сказал, что на площади Революции есть магазин, который точно работает. Мы приехали на площадь Революции. В архитектурном смысле площадь симпатичная. Магазинчик на одном из углов действительно работал. Возле него жило своей жизнью несколько автомобилей. Я подошёл к магазину и подивился тому, насколько разрушено и заплёвано его крыльцо. В самом магазине было ещё страшнее. Такой замытой по углам грязи и такого запаха грязи я давно не видел даже на самых дальних и тупиковых железнодорожных полустанках, где и поезд-то останавливается не каждые сутки. И таких рыжих, весёлых и шустрых тараканов я тоже давненько в магазинах не видал.

Шоколадку я так и не купил, даже если бы нашёл. В магазине ко мне подошёл странный бородатый маленький человек, а при входе — не менее странная дама, которые озвучили одинаковое предложение. Они предложили мне купить водки или другого алкоголя. С середины восьмидесятых мне такого не предлагали. С тех самых пор, когда всегда можно было взять у таксистов.

Что же говорят самарские жители... А самарские жители хорошо видят то, что новый руководитель, которого прислали им из Мордовии, очень активен, часто демонстрирует силовую близость и дружбу с самой вершиной российской власти. И так же активно создаёт видимость бурной деятельности. Люди в Самаре по этому поводу уже не ропщут. Они привыкли к тому, что именно Самарской губернии и городу каким-то особым образом «везёт» с губернской властью. Последние свои надежды они связывают с тем, что город коренным образом изменится и возродится к восемнадцатому году, к чемпионату мира по футболу. Надеются, но в то же время понимают, что, скорее всего, кроме аэропорта, который сейчас вообще ничему не соответствует и никак не похож на аэропорт милионного города, а также мерзких спортивных объектов, ничего толком в городе не сделают. Скорее всего, подкрасят и подшаманят фасады нескольких главных улиц, а мусор уберут во дворы... Сделают несколько магистральных дорог и направлений, которые в лучшем случае продержатся в хорошем состоянии до следующей весны.

Ещё, конечно, появятся несколько гостиниц, кафе, ресторанов... Но после восемнадцатого года надежд на развитие не останется вовсе. Невесело смотрят в будущее жители Самары. Не понимают они, почему им прислали именно такого руководителя по фамилии Меркушкин.

Я тоже этого не понимаю. Я был в Мордовии, был в Саранске. Я, конечно, не Жерар Депардье, который, как известно, остался от Саранска в восторге. Меня не встречали с песнями и плясками в аэропорту, и я, в отличие от Жерара, в Саранске пробыл два с лишним дня и работал... Я видел город равномерно залитым жидкой грязью. Я видел страшную жестокую драку на улице практически в самом центре. Я видел, в сущности, убогий и очень провинциальный город, в котором люди, кроме прекрасного собора и имени адмирала Ушакова, ничего про него сказать не могли. На спектакле в Саранске было чуть больше половины зала, было видно, что люди не привыкли ходить в театр. В целом столица Мордовии произвела впечатление чего-то даже не провинциального, а скорее периферийного. А аэропорт Саранска — это что-то особенное. Я такого никогда не видел, потому что такого нет нигде. Где есть такой аэропорт, в котором в отдельном здании ты регистрируешься, сдаёшь багаж и проходишь все досмотры, а потом садишься в автобус и довольно далеко, через какую-то деревню, едешь к взлётной полосе. Я нисколько не преувеличиваю, именно через деревню. Далеко.

И как же должно быть непонятно людям во многих больших городах России, почему часть чемпионата мира по футболу отдали Саранску. Что это? Неужели кто-то действительно рассчитывает сделать из Саранска туристическо-спортивный центр? Кто будет жить в тех гостиницах, что построят к чемпионату? Как этот по всем признакам бедный город будет содержать потом спортивные объекты? Зачем они небольшому городку? И кто будет летать во вновь построенный аэропорт? И почему руководителя столь очевидно неуспешного региона поставили на руководство куда более масштабной и непростой Самарской губернией? Совершенно непонятные шахматы с таинственными правилами и тёмными задачами.

Меньше чем через неделю снова буду в Саранске. Очень надеюсь увидеть то, что опровергнет моё первое впечатление. Жду встречи с местной публикой. Жду от них каких-то слов. Если я ошибся, с радостью ошибку признаю и непременно об этом напишу. Однако между Самарой и Саранском меня ещё ждёт Ульяновск...

5 июля

Месяц не вёл дневник. Такого перерыва себе не позволял. Почему так надолго прервался? По разным причинам. Сезон был особо затяжным и трудным. Накапливались темы, и не знал, с какой начать. Писать просто так, по привычке или чтобы напоминать о себе и самому не терять навыков, не хотелось. Вот и затянулась пауза.

За прошедший месяц были длинные и разные по впечатлениям и ощущениям гастроли по Поволжью. Радостное посещение Пензы и печальное впечатление от Саранска. Были завершающие сезон спектакли в Москве и полуобморочный от усталости отъезд на отдых.

Сейчас пишу с полюбившегося в прошлом году острова Корфу. Десять дней я тут и только теперь понимаю, что более-менее пришёл в себя и могу что-то записать в дневнике.

Отсыпался, отъедался, смотрел футбол, смотрел и читал новости, купался, то есть входил в неспешную, нормальную летнюю жизнь.

Перед самым окончанием сезона, 22 июня, сыграл спектакль «Как я съел собаку» в Москве. Этот спектакль мы записали на видео. Ещё зимой понял, что хочу это сделать. А потом понял, что сделать это необходимо.

Первая видеоверсия этого спектакля была записана одиннадцать лет назад и не то чтобы устарела — документ не может устаревать — просто спектакль и я сильно изменились. А главное, сильно изменилась причина, по которой я продолжаю исполнять свой самый первый спектакль. Очень изменились зрители за те одиннадцать лет, которые спектакль существует. Зрительская аудитория по сравнению со мной сильно помолодела. Новым зрителям спектакля стали непонятны и не близки советские реалии, которые были так естественны чуть больше десяти лет назад.

Когда я делал «Как я съел собаку» в конце 1998 года и начинал его играть, меня увлекала и радовала сама возможность нанизывать на ниточку бесконечные бусинки точных жизненных воспоминаний. Тогда этого никто так не делал. Я видел удивление и радость зрителей, и нашему взаимному удовольствию не было конца... Теперь у этого способа высказывания появилось много последователей, которые сегодня порой и не догадываются о природе первоисточника. Это довольно забавно наблюдать, иногда даже приятно.

Но прошло одиннадцать лет, а с момента создания спектакля больше пятнадцати, и я понимаю, что меня перестали так глубоко интересовать и радовать точные жизненные мелочи... Я внешне и внутренне изменился — если не до неузнаваемости, то глубоко и серьёзно... А спектакль продолжает жить под тем же названием, но наполненный и исполняемый мною другим.

Теперь «Как я съел собаку» — это точно выстроенное и композиционно выверенное произведение, пронизанное одной стержневой темой — темой взросления через встречу человека с государством, и в связи с этим осознания свободы как жизненно необходимой сути.

Спектакль стал длиннее по времени почти на четверть, при этом утратил многие трогательные и любимые зрителями эпизоды. Например, я отказался от истории с кукольными мультфильмами. Почему? Да попросту потому, что те, кому двадцать пять, уже не помнят, что кукольные мультфильмы были издевательством над нашими детскими ожиданиями...

Эта видеоверсия снималась гораздо более скромным оборудованием, чем те, что были сделаны прежде. Это скорее попытка зафиксировать спектакль в его теперешнем виде и состоянии. Она не будет выпускаться диском. К концу лета монтаж будет завершён, и мы придумаем, как предоставить его тем, кто захочет посмотреть.

В следующем сезоне хочу сделать то же самое со спектаклем «ОдноврЕмЕнно», который весь прошедший сезон в абсолютно обновлённом виде с удовольствием исполнял.

Вот самая важная из моих новостей за последнее время.

Я давным-давно понял, что факт сам по себе никакого значения не имеет, а имеет значение только отношение к факту. Для кого-то важнейшей новостью прошедшего дня является проигрыш команды Бельгии, а для кого-то — победа Аргентины. Люди радуются или, наоборот, пьют с горя где-нибудь в Генте или Брюсселе. Кто-то радуется тому, что над Славянском поднят украинский флаг. А кому-то безразличны и футбол, и Украина. На острове Корфу это очень хорошо заметно. На маленьком для любого русского человека острове — и на большом острове для самих островитян или жителей более мелких островов.

Надеюсь, что именно этот остров позволит мне отключиться или хотя бы снизить градус переживания тех фактов, которые являются важными для меня. Надеюсь, потому что очень хочу писать здесь... Работать над новым спектаклем, который также, надеюсь, будет важным и нужным кому-то на Родине.

8 июля

На острове Корфу только-только спал дневной зной, и хоть вечерней прохладой ещё не повеяло, но уже вот-вот повеет. Ещё вовсю кричат цикады, но как-то, сам не пойму, как и почему, по каким признакам, чувствуется, что они уже устали шуметь и скоро затихнут для того, чтобы перевести дух и восстановить силы. Тонкое предвечернее летнее время на острове.

Корфиоты, с которыми мы были знакомы в прошлом году, в магазине, на рынке, на пляже узнают нас и радуются. Радуются сильнее и больше, чем если бы просто познакомились. Радуются тому, что видят нас снова... А я думаю, что радуются они потому, что мы, вернувшись на остров, подтверждаем их уверенность в том, что они живут в лучшем месте на свете — если вот эти люди (то есть мы) не нашли и не захотели искать ничего другого, а вернулись.

Перед самым окончанием сезона, во второй половине июня, у меня случились короткие гастроли на Север: в Мурманск и Архангельск. Здорово после севера отправиться на юг... Но и попасть в июне на север здорово! Я прежде ни в Архангельске, ни в Мурманске в июне не бывал — и там, и там бывал в июле. В июне весь мой Север ограничивался Санкт-Петербургом. Я старался каждый год захватить хотя бы несколько питерских июньских суток и насладиться белыми ночами. Именно насладиться... Однако в последние годы, много последних лет, этими ночами хочет насладиться слишком большое количество людей. Да ещё дважды совпал с питерским экономическим форумом, когда из Санкт-Петербурга лучше бежать — от количества эскортов, VIP-персон и душного пафоса.

К тому же на белые ночи выпадает масса разнообразных весёлых мероприятий, от которых становится очень невесело.

Короче, всем, кому хочется во второй половине июня получить особое ощущение от ночей и путешествия, рекомендую поехать в Мурманск. Впечатления будут сильные. Правда, белых ночей не обещаю. Белые ночи — в Питере, в Мурманске будут солнечные ночи. Главное, чтобы с погодой повезло. Мне в этом году повезло.

Удивительно, когда яркое солнце даже не коснулось сопок, когда оно жёлтое и лучистое, как днём, а на часах уже серьёзно за полночь, при этом все магазины и учреждения закрыты, улицы безлюдны, и только редкие автомобили проезжают по городу в ночном ритме движения, но фары их, как и днём, работают в режиме габаритов. Интересно идти по совершенно пустой улице и видеть свою отчётливую тень длиной метров пятнадцать.

Что-то есть могучее даже не в северной природе и не в особенном небе, а в самом городе Мурманске. Я почувствовал это и в первый свой приезд, но теперь ощутил сильнее.

Сила города, например, проявилась в таком эпизоде. Сидели ночью в заведении и смотрели матч Россия — Южная Корея. Матч, если кто-то ещё помнит, был ночной. В заведении пришлось наглухо закрыть жалюзи, потому что солнце засвечивало экран, и ни черта не было видно, хотя смотреть было откровенно не на что. Когда матч закончился и все стали расходиться, одна посетительница спросила, как мне в Мурманске. Я сказал, что очень нравится, но совершенно запутался во времени суток, и ночью сна ни в одном глазу. Кто-то, услышав это, усмехнулся и сказал, что мне нужно в таком случае приезжать в январе, когда спать можно круглые сутки.

— А когда солнце-то зайдёт? — спросил я присутствующих.

— В августе, — услышал я весёлый ответ. — Слабó вам так жить?

— Слабó, — искренне и не задумываясь ответил я.

Сильный город!

Свозили меня в Североморск, выбили пропуск и свозили. Побывал на большом сторожевом корабле, пообедал с командиром. К обеду, узнав, что я на борту, подошли несколько офицеров из командования бригады, все младше меня. Командир по сравнению со мной вообще мальчишка. А я всё играю «Как я съел собаку» в матросском звании.

Хорошие мужики. Настоящие.

Спустился в кубрик, посмотрел на матросиков. Один год служить можно. К тому же Северный флот ходит в море, некоторые ребята успевают погонять сомалийских пиратов.

Поинтересовался у молодого офицера, каковы у матросов взаимоотношения, нет ли неуставных. Всё-таки за год невозможно превратиться в старослужащего. Офицер вздохнул и сказал, что даже те, кто пришёл дней на десять раньше, пытаются изображать из себя морских волков.

Пригласил тех, кто меня встречал, и тех, с кем обедал, на спектакль. Офицеры сами прийти не смогли, но жён своих отправили. Были признательны, по-хорошему признательны. Умеют правильно выражать свои чувства морские офицеры.

В Архангельске не был два года. В последний раз побывал по возвращении из Арктической экспедиции. За эти два года в городе успели понастроить много чудовищных сооружений. Домами или зданиями я эти строения назвать не берусь. Новые безобразные торговые центры будто схватили город за горло и душат его. Жалко. У меня какая-то особая теплота к Архангельску. И название его уж очень хорошее, и Северная Двина там могучая...

А в городе всё ни шатко ни валко. Очевидно, руководят им и застраивают его люди, которые не любят Архангельск. Наплевать им на Северную Двину, безразличен им наш Север и история города.

А вот публика в Архангельске прекрасная! Рад, что довёз им спектакль «Прощание с бумагой». Мурманчанам пока не смог его показать: декорации туда долго и трудно везти. Но довезу. Местные организаторы опасались, что люди во второй половине июня уже не пойдут в театр. Говорили, мол, северяне с начала лета стараются уехать куда подальше и где потеплее. Говорили, мол, плохо проходят гастроли летом на Севере. А у меня были аншлаги и в Мурманске, и в Архангельске! (Это я сейчас похвастался.)

В Архангельске один зритель, чьего имени я не запомнил, подарил мне две прекрасные книги: «У Архангельского города» Бориса Шергина издания 1985 года и «Поморская сага» — сборник поморской прозы.

Шергина в те времена было не достать. Все любили мультфильмы по Шергину, на слуху была фраза: «И пошли они до городу Парижу», а книжек было не достать, и почитать Шергина мне удалось уже сильно позже. Связано это чтение у меня с одним из самых прекрасных воспоминаний. Однако книжки его у меня не было. Теперь есть. И она сейчас со мной на тёплом острове, омываемом с одной стороны Ионическим морем, а с другой стороны — Адриатикой.

Особое ощущение — именно здесь читать о Северной Двине, Белом море и поморах, про которых тут люди даже и не слыхивали.

Пока делал эту запись, самая громкая цикада, которая несёт службу на оливковом дереве под окном, замолчала. Да и вечерняя прохлада уже почувствовалась и пришла.

21 июля

И хотелось бы написать о летних радостях, да не получается. Сбитый самолёт кажется сейчас предельной точкой. Но предела не видно, и переживаниям тоже не видно предела... Ужасно то, что все сразу успели обвинить друг друга. Это говорит о том, что истина в данном случае не нужна. Все как сумасшедшие трясут своими правдами, все уверены, что больше других знают и понимают. Все считают себя более остальных информированными или даже причастными...

А я решил отреагировать на переживания и события лирически. Последние два дня писал сам не пойму что: рассказ — не рассказ, эссе — не эссе. Но это моя реакция на беду со сбитым самолётом, на увиденные в новостях куски, обломки и осколки большого Боинга и летевших в нём людей.

Меня опять, наверное, а точнее — наверняка будут ругать и поливать грязью за написанное. Ну да что там! Я уже это написал. И точно не с целью кого-то обидеть или кому-то на что-то открыть глаза.

Зимой мне сделали подарок, привезли из Киева. Маленький красивый мешочек тёмно-бордового бархата. Я с благодарной улыбкой принял его. В мешочке оказался камешек, довольно острый осколок тёмного гранита. Я с недоумением повертел его в пальцах перед глазами, пожал плечами... И тогда мне весело сказали, что это осколок памятника Ленину, который стоял напротив Бессарабского рынка и который свергли с пьедестала в декабре прошлого года, а потом разбили вот на такие сувениры. Мне стало грустно. Печально...

Я знал этот памятник, много раз жил рядом с ним в гостинице и бесконечное количество раз проезжал или проходил мимо. Один раз я даже внимательно его разглядел со всех сторон.

Не красивый и не безобразный. Скорее скромный — относительно общего размера окружающих его зданий. Памятник как памятник. Ничего особенного. Может быть, немного мрачноватый из-за цвета камня.

Я хорошо помню, как в 1991 году была предпринята попытка снести памятник Ленину на площади Советов в городе Кемерово. Молодой заметный бизнесмен и политик по прозвищу Лютый (его фамилия Лютенко) ночью организовал кран и людей. Едва не своротили памятник, однако прибежали те, кто жил поблизости, долго шли препирательства, в итоге памятник устоял. Так и стоит на месте по сей день. Я тогда жалел, что не удалась попытка свержения двенадцатиметрового Ленина работы скульптора Кербеля. Очень жалел. Теперь, наоборот, я рад, что памятник стоит на месте, там, где стоял во всё время моего детства и юности. Стоит этот памятник теперь просто как архитектурный элемент площади на фоне такого же архитектурного элемента — бывшего здания обкома партии. Теперь там работает губернатор, а герб Советского Союза на фасаде прикрыт гербом России.

Кстати, кемеровский памятник Ленину курьёзный и в этом смысле уникальный: Ленин стоит в женском пальто. В смысле пальто застёгнуто на женскую сторону, точнее, запахнуто... Знающие это кемеровчане с радостью показывают сей курьёз приезжим. Достопримечательностей в городе немного, а тут такая милая деталь. Приезжие веселятся, фотографируют. Хорошо, что не сломали памятник.

Я отлично помню, что моя бабушка, будучи учительницей биологии и анатомии, заведовала всеми школьными клумбами и теплицей. У неё были просто шикарные клумбы! А в год 110-летия со дня рождения Ленина она сделала клумбу, на которой разные цветы были посажены в виде цифр 110 и букв ЛЕТ. Она победила тогда на городском конкурсе клумб, и в нашем цирке ей вручили грамоту и настольные часы. Я очень гордился.

После того как бабушка ушла на пенсию, теплица возле школы пришла в упадок. В ней курили и прятались во время уроков старшеклассники, а вечером собирались тёмные личности с округи. Они там выпивали и... даже не берусь предположить, что ещё делали. Новая молодая учительница не хотела заниматься теплицей, клумбы при ней поросли чем попало. Потом теплица сгорела. Её руины долго зарастали крапивой и засыпались мусором. Теперь там и следа нет от теплицы. А я в ней, маленький, бегал по дощатой дорожке, дышал влажным тёплым воздухом и прятался, фантазируя разные чудеса. Это было особое, таинственное пространство.

Руины теплицы были первыми в моей жизни руинами чего-то мне дорогого. С тех пор я не люблю руины. Никакие. Даже античные. Меня огорчает вид рухнувшего или брошенного величия. Даже Парфенон я хотел бы видеть в первозданном виде. И пирамиды... Да и Венера Милосская с руками была бы для меня ещё прекраснее.

В октябрята меня принимали в Ленинграде, там я учился в начальной школе. Приняли не сразу, не в первой волне. Я не был усердным учеником и не отличался примерным поведением. Отличников принимали первыми и на крейсере «Аврора». Торжественно! А меня так, с остальными троечниками, в рекреации первого этажа. Я переживал. Я завидовал тем, кто вернулся с «Авроры» со звёздочками. Я хотел быть октябрёнком. Мне нравился значок: звёздочка и лицо кудрявого мальчика в середине звёздочки. Я жаждал носить такую же.

Октябрятские звёздочки были двух моделей: металлические и пластмассовые. Металлические были у всех подряд, а пластмассовые считались редкостью. Они самую малость меньше металлических, более остроконечные, а главное — мальчик Ленин на них иной, фотографический. Чёрно-белый. В центре пластмассовой звёздочки было углубление, а в него была вставлена маленькая фотография юного Ленина, закрытая стёклышком. Мне нравилась именно такая, но в продаже были только металлические. Где редкие счастливцы брали пластмассовые, я не знаю. У нас в классе такая была только у одного мальчика, я его запомнил исключительно благодаря той звёздочке. Он её давал подержать, полюбоваться, но не более того. Поменять эту звёздочку хоть на что я ему не предлагал, но думал об этом. Как можно предложить что-то за октябрятский значок?! Это было недопустимо, звёздочки были вне обмена. Хоть обмен всего подряд на всё что ни попадя шёл в школе активно. Звёздочка та мне очень нравилась: маленькая, алая, особенно красивая, если смотреть на неё, поднеся к солнечным лучам или к лампе, тогда она прямо светилась. И малюсенькая чёрно-белая фотография кудрявого мальчика под стёклышком... Мне дороги мои воспоминания.

Хорошо, что в смутные времена крейсер «Аврору», на котором принимали в октябрята моих одноклассников, не порезали, не уничтожили, не сделали из него кабак и не растащили по частям на продажу. Благодаря мифическому выстрелу из носового орудия в октябре 1917 года сохранился крейсер времён Русско-японской войны, участник Цусимы. Хоть и бесславный, но всё-таки. Японцы тоже сохранили корабль той войны. Больше в мире нет таких экспонатов, даже у англичан и американцев. Теперь «Аврора» — памятник военно-морской архитектуры и мысли самого начала XX века. Очень красиво стоит этот крейсер, повезло кораблю и нам. Жаль, что броненосец «Потёмкин» не сохранился, а то бы очень он украсил Одессу. Да и «Очаков» украсил бы любую набережную. А вспоминали бы в связи с ним лейтенанта Шмидта или нет — дело десятое, теперь уже десятое.

Памятники Ленину были везде, я уже не говорю про его бюсты и бюстики, барельефы, мозаичные и живописные изображения. В любой столовой висел его портрет, почти в каждом троллейбусе или трамвае — вымпел за передовую работу с его профилем. Мы не замечали большинства этих лениных, не обращали внимания на названия проспектов, улиц и площадей с его именем. Он был постоянной частью пейзажа, ландшафта, интерьера, существенной частью мира, времени, и моего детства в частности.

Он в этом детстве вызывал непостижимое восхищение, не укладывался в рамки одного человека. Слишком мудр, гениален, вездесущ и добр. Я любил Ленина как доброе божество. Любил до поры до времени. Но детство-то я своё люблю навсегда! Ленин в том моём детстве и меня любил. Благодаря бесчисленным мифам, притчам, балладам, сказкам, стишкам и песенкам я знал, что Ленин любил детей, всё делал для них и для их счастливого будущего, то есть — для меня.

У моего дедушки на столе, сколько себя помню, стояла фотография: Ленин за столом читает газету «Правда». Эта фотография с картонной подставкой периодически перекочёвывала со стола на телевизор или полку книжного шкафа, но всегда на видное, центральное и почётное место, и то на короткое время, если стол был нужен для торжественного застолья. Стол был раздвижной, обеденный, просто дед его использовал как рабочий. Ел дед на кухне за маленьким столиком, а, с позволения сказать, гостиная была и кабинетом, и библиотекой, и всем прочим.

Когда дед читал — а читал он только сидя за столом, — фото читающего Ленина стояло рядом, они читали вместе. Дед бережно относился к фотографии, это было его личное, непоказное и сугубо искреннее дело.

Как-то я, маленький, взял дедова Ленина и куда-то понёс. Дед молча с улыбкой забрал его у меня, покачал головой и поставил на прежнее место. Это было сделано так, что я всё тогда почувствовал и навсегда запомнил. Очень я любил моего деда. Я люблю память о нём, он в моих воспоминаниях безупречный человек. Жаль, что дорогое ему фото пропало тогда, когда я ещё не ценил памятные детали и любил выбрасывать хлам и старьё. Сейчас бы дедушкин Ленин читал газету в моём кабинете, как просто дорогая моему деду и мне, именно в связи с дедом, вещь.

В шкодной своей юности я позволял себе серьёзную шалость и даже дерзость. Позволял её не то что без зрителей, но и без свидетелей. Я отлично понимал ту дерзость как что-то недопустимое. Оказавшись летом на центральной площади в погожий день, я любил зайти в могучую тень памятника Ленину и, когда вокруг никого не было, выставлял из тени руки так, чтобы у тени Ленина над годовой появлялись рожки. А однажды я сделал уж совсем неприличную тень. Но тут же ужаснулся своему поступку, сокрушённо устыдился и сознаюсь в содеянном только теперь. Думаю, меня тогда не одобрили бы, увидев такое, даже наши записные хулиганы и школьные сквернословы-похабники.

Все школьные годы летние каникулы я проводил у бабушки в городе Жданове, ныне Мариуполе. Бабушка, та, что не была учительницей биологии, жила рядом с Азовским морем в небольшом беленьком доме на улице Грибоедова, в районе, который местные называли Гаванью. «На Гавани», — говорили они. Этот район ещё называли Нахаловкой, потому что он был застроен без всякого плана, как кто захотел. Воду брали из колонок на улице, туалеты были те самые — деревянные, вонючие, со страшными ямами. У бабушки ещё была летняя кухня и огород. Бабушка выращивала выдающиеся помидоры. В разгар урожая она выставляла за калитку на улицу маленькую зелёную табуретку, а на неё ставила эмалированный тазик с пирамидой самых красивых и крепких помидоров. Иногда у неё эти помидоры покупали — за сущие копейки.

Помидоры я тогда не любил, но с ними меня принимали в компанию вечно пропадающих на море или лазающих по фруктовым деревьям местных пацанов. Я приносил им помидоры, краюху хлеба, и меня брали с собой даже в самые опасные места, типа реки Кальмиус или на рыбоконсервный завод, куда ходить мне было категорически запрещено.

Гавань тогда жила весьма шебутной и особенной жизнью. Дома Гавани с одной стороны жались к железной дороге, с другой сползали в море, а с третьей упирались в стену рыбзавода, за которым текла глубокая, тёмная и жутко грязная река Кальмиус.

Рыбзавод сильно вонял, в Кальмиусе была вся таблица Менделеева, а море у Гавани было таким мутным и замусоренным, что страшно вспоминать. Но завод шумел, на нём работала и воровала с него рыбу добрая половина Гавани, а Кальмиус кишел ржавыми, но шустрыми траулерами, которые в него заходили из моря, швартовались и сдавали улов на завод.

На Гавани было три маленьких пляжа, по сути — кусочки свободного от строений, нагромождения искорёженных металлоконструкций и камней песчаного берега. На этих пляжах проходила вся летняя жизнь. Кто-то жил у самого моря, кому-то надо было идти минут пять, кому-то десять. Но гаванские люди, приехавшие к ним родственники и квартиранты, для которых и такое море было в радость, собирались на пляж каждый раз как на длительный пикник, то есть с едой на завтрак, обед и ужин, с бадминтоном, шашками-шахматами, колодами карт, газетами, книгами, рукоделием и прочим. Пляжи были замусорены до невозможности, а в море плавало столько всего, что трудно было в отдельные дни пересилить себя и шагнуть в прибой, в котором арбузные корки и медузы были самыми невинными ингредиентами.

В том море я научился плавать и нырять, ловить руками и есть живьём шустрых креветок, доставать из ржавых труб и утопленных автомобильных покрышек чёрных бычков-кочегаров. На том море получил я свои самые сильные переживания по поводу рыбалки. Там я видел лодки браконьеров, ночью они подходили к пляжам, а местные тётки забирали у них улов: осетров, судаков, камбалу, — чтобы уже утром продать на базаре из-под полы.

У того моря я был впервые сильно увлечён девочкой. Мне было тринадцать. Ей, думаю, около того. Юля Костенко ходила на море одна. Я знал куда и ошивался там как бы случайно. Я знал, где она живёт, и частенько вечером слонялся возле её домика. Мечтал пригласить её в кино в Дом культуры рыбзавода (местные называли его клуб «Бычок»). Но так и не решился. Отважился только взять у неё адрес и всю осень, зиму и весну писал ей письма. Она ответила несколько раз. Помню очаровательный её круглый почерк и большое количество очаровательных же ошибок. На следующее лето у неё появился парень из центра города, старше и существенно больше меня.

В клубе «Бычок» каждый день крутили новое кино, точнее старое, но каждый день другое. Рукописную афишу с репертуаром на ближайшие три дня вешали у входа в клуб и на улице рядом с бабушкиным домом. Сеанс был только один — 19.00. На индийские фильмы случались аншлаги. Все шли с газетными кулёчками семечек, плевали на пол. В клубе было прохладно и хорошо. Там я посмотрел все хиты индийского кино семидесятых, все фильмы про Анжелику, всё про Зорро, все серии Синдбада, а также всё про басмачей, гайдуков, Фантомаса, видел всех югославско-гэдээровских индейцев с ковбоями... Раз десять за несколько лет посмотрел Клеопатру с Элизабет Тэйлор. Про мелодрамы и производственные ленты вспоминать не хочу.

В город с бабушкой мы выбирались не часто, только в магазин или настоящий кинотеатр. Парикмахерская и маленькие лавчонки были на самой Гавани. Город Жданов я любил. В нём везде продавалось мороженое, газированная вода (ситро), квас и прочее. В Жданове было много роскошных роз, очень много. Несмотря на страшное окружение гигантских металлургических заводов и жуткую экологию, Жданов летом производил впечатление вполне радостного южного приморского города. Мне нравился парк в центре, нравился драмтеатр, точно такой же, как в Кемерово... Страшноватый памятник Жданову не пугал, а местный Ленин по сравнению с кемеровским был даже милым.

Мне нравилось одному ходить в город. Я любил с жары, доев мороженое, зайти в центральный ждановский книжный магазин. Он назывался по-украински, кажется, «Світоч» (или «Светоч»). Там всегда было тихо, прохладно и торжественно. Людей, в отличие от кинотеатра, рынка и универмага, совсем не было, а главное — было очень много книг, красивых, в хороших переплётах. Запах в магазине был волшебный, волнующий. Я разглядывал книги, трогал, гладил, листал, нюхал. Тогда в стране за книгами давились, стояли в ночных очередях на подписки, сдавали макулатуру, чтобы иметь возможность купить серый том Дюма. А тут были Вальтер Скотт, Майн Рид, Фенимор Купер... Книги были на украинском языке, я не мог их читать. Но это были книги! Я листал их, разглядывал иллюстрации. Один раз даже не выдержал и купил Герберта Уэллса. Пытался читать — не получилось. Но книга была красивая.

Несколько раз бабушка раздобывала на рыбоконсервном заводе путёвку в пансионат в селе Ялта на Азовском море. Туда мы ездили с родителями. Пансионат был маленький и бедненький, но это был пансионат! И море там было другое, и жизнь... В той Ялте отдыхали донбасские шахтёры — богатые люди. Шахтёрские пансионаты горели вечером огнями, гремели музыкой танцплощадок. В глубь пансионатов уходили роскошные аллеи, а там были рестораны, красивые колоннады, открытые бесплатные, для проживающих, кинотеатры. Туда с улицы не пускали. Мы с родителями прогуливались вдоль этих вожделенных чертогов, заглядывали в их глубины и фантазировали те радости, которые были доступны богатым и особым людям из шахтёрского мира. Даже кафе «Де Пари» в Монако так не будоражило мои фантазии, как те пансионаты.

Однажды мы с родителями съездили в Милекино на лучшие азовские пляжи. Мне долго казалось, что лучшего моря в мире быть не может.

В те же годы я несколько раз побывал в Донецке. Я мечтал попасть в этот город, потому что в Донецке делали лучших в СССР солдатиков. Это были чудесные солдатики: индейцы, ковбои, пираты, викинги, римские легионеры. Они были пластмассовые, одноцветные, но объёмные и очень подробно сделанные. Они были невероятно ценны в Кемерово. Да где угодно! А в Донецке их можно было купить в магазине. Город мечты!

Донецк тогда поразил меня богатством, чистотой и какой-то обильностью. Обилие было на улицах, а главное — обилие было дома и на столе у тех, к кому мы приехали. Это было даже не обилие, а изобилие. В Донецке было тоже очень много роз... Мне запомнились громкие, часто толстые люди, сверкающие золотыми зубами улыбок. Золотые зубы были признаком настоящего достатка.

Однако из азовской Ялты и из Донецка я с радостью возвращался на Гавань, к бабушке. Там было моё свободное, пацанское удалое детство. Там я был ловкий, дочерна загорелый, тощий и счастливый.

Теперь этого мира нет. Нет бабушкиного дома. Снесён. На его месте зияет пустырь. И её идеального огорода нет. А это был образец более чем европейского порядка, чистоты и процветания. Не шумит и не воняет рыбзавод. Нет траулеров на Кальмиусе, который от шлаковых вод с металлургического комбината стал ещё грязнее. Жизнь на Гавани завяла, большинство домов пустует. Заброшен и покосился клуб «Бычок», нет парикмахерской, лавки давно закрыты. Улица Грибоедова умерла. А в городе Мариуполе на знакомых мне улицах погибали люди.

Я приезжал в Мариуполь больше года назад, попытался найти домик, в котором жила Юля Костенко. Не нашёл. Переулок, по которому мимо её домика проходил много раз, нашёл, а сам домик не узнал. Все дома безлюдные, который тот самый, понять не смог. Весь мир моего летнего детства теперь руина, безобразная и отталкивающая, как разрушенный гнилой зуб. Нет теперь пейзажа и ландшафта моего детства. Исчезла какая-то основа, какой-то глубинный и базовый пласт.

Когда спустя двадцать лет после службы я побывал на Русском острове и увидел руины «Школы оружия Тихоокеанского флота», то есть той учебки, где прошли первые, самые страшные недели и месяцы моей службы, где мне было плохо, страшно, унизительно и беспросветно, как не было нигде, — я всё равно не был рад. Я взял с тех развалин кирпич, храню зачем-то. Кирпич старый, ещё дореволюционный, сделанный на века.

Я живу меньше полувека, а уже так много руин, которые я помню живыми домами...

Как беззащитны оказываются камни! Даже гранит памятников.

Мне было лет десять-одиннадцать, когда с бабушкой — не той, что жила в Жданове, а той, что была учительницей биологии, — мы осенью оказались в Москве. Бабушка повела меня на Красную площадь. Там мы встали в очередь в мавзолей Ленина. Очередь шла медленно и была огромной. Я устал и весь измаялся, к тому же замёрз. Бог знает, сколько мы провели в той очереди, но вот и мы вышли напрямую к мавзолею, уже увидел я вход, втягивающий в себя очередь, увидел солдат караула у входа, и вдруг до меня дошло, что вскоре я увижу — не Ленина, а мёртвого человека. Мертвеца. Я очень резко и сильно это осознал, испугался, ощутил отвращение и жуть. Я понял, что не хочу туда. Не хочу категорически — и не пойду! Я заявил об этом бабушке. Она не захотела слушать мои глупости, не поняла меня. Тогда, неожиданно для всех и даже для самого себя, я попросту сел на мостовую и сказал, что не пойду. Сказал это так, что бабушка сразу всё поняла и скорее увела меня прочь, сгорая от стыда и обиды. Она не бывала в мавзолее. Так и не побывала, как и я.

Помню все эти баталии по поводу захоронения Ленина, мол, надо упокоить его останки, и, возможно, жизнь наладится. Кто-то кричал, что это азиатчина и мракобесие, мол, как не стыдно выставлять и хранить мумию в центре Москвы...

Я тоже рьяно участвовал в этих дискуссиях. Был уверен, что Ленина надо как минимум похоронить, а лучше бы развеять и уничтожить его прах, чтобы и следа не осталось.

А теперь рад, что стоит мавзолей на месте, и мумия на месте. Я представить себе не могу Красную площадь без мавзолея. Я даже не понимаю, красивый он или не красивый, этот мавзолей. Он для меня какой-то обязательный. Он на своём месте для меня был всегда. Так что даже не берусь судить о его архитектурных достоинствах, он — часть незыблемого пейзажа. Без него будет что-то зиять или торчать...

Чем дальше, тем сильнее я начинаю ценить то, что является незыблемым, но при этом остаётся для кого-то живым.

Я живу в Калининграде уже шестнадцать лет. Я вижу, как ценят, и сам ценю всё то, что осталось в весьма разрозненном и часто ущербном виде от города Кёнигсберга. Всё то, что когда-то не сломали, не разбили и не уничтожили те, кто брал город. А тем, кто его брал, хотелось уничтожать, им хотелось разбивать надгробия с готическими надписями, сбивать барельефы, ломать памятники. Их можно понять. Это же были надгробия и памятники немцам. Пусть эти немцы были не кайзеры и полководцы, а учёные, строители или музыканты. Шиллера и Канта пощадили. А скольких разбили! Теперь и кайзеров жалко, и полководцев былых времён. Красивые были памятники. Снесли, сломали, разбили. Город Калининград теперь мучительно и часто бессмысленно ищет своё новое лицо... И надо видеть лица пожилых немцев, которые приезжают в город своего детства и не находят его.

Памятник сносит и разбивает только толпа. Перемещают или демонтируют памятники инженеры, рабочие и техники, руководствуясь целым рядом принятых решений, а сносит толпа! (Даже если это памятник какому-нибудь фюреру. Просто памятники фюрерам стоят недолго, поэтому не о них и речь.)

В момент крушения памятника исчезает для кого-то важная, привычная, возможно, любимая или наоборот, но привычная часть пейзажа. Точнее — привычный пейзаж исчезает, уходит основа. Этого не осознаёт человек, жаждущий что-то сломать.

Человек, ломающий памятник, признал его виновным в той жизни, которая кажется человеку плохой и несправедливой. И он ломает памятник, ломает пейзаж, рушит основу.

Потом немедленно хочет на место снесённого поставить другой памятник. Придумывает героя... Но я не об этом. Это отдельная тема.

Когда ставили памятник Петру Великому работы Церетели в Москве, много голосов было против! Это были разумные и сильные голоса. Мой скромный голос тоже был в этом хоре. Мы не хотели этого монстра, мы негодовали. Помимо непомерных размеров и безобразия самого монумента в этом памятнике было много другого. В нём было и кумовство, и барство властей, и катастрофическое отсутствие вкуса, и дикость девяностых годов, в которые памятник был отлит. Это был памятник тёмной наглости и несправедливости. Но его установили — вопреки всем протестам. Его хотелось взорвать, уничтожить, испепелить.

Но вот он стоит уже семнадцать лет. И теперь я был бы тем, кто встал бы на его защиту. Почему? Да потому что он успел попасть во многие семейные фотоальбомы, на его фоне снято много свадеб, он нравится детям, особенно мальчикам... Я сам это видел.

Он пустил корни, памятник, врос не в дно Москвы-реки, а в чьи-то жизни, в чей-то пейзаж. Пётр I Церетели — конечно, памятник безумию девяностых, а это время должно быть как-то отмечено.

Когда люди в Киеве весело сбрасывали с постамента Ленина, осколок которого мне передали в подарок, они были уверены, что уничтожают символ несвободы, угнетения и тёмного прошлого. Они не видели этот памятник в своей новой, наступающей жизни. Их можно понять. Я их понимаю.

И город Жданов надо было переименовать. Точнее, вернуть былое имя — Мариуполь.

Но прежнего Мариуполя на тот момент уже не было, того, который когда-то назвали Ждановым...

Сменили название — сменились герои. Появился Ринат Ахметов с его шатией-братией. Появилось чудовище — Янукович. А металлурги и шахтёры перестали быть богатыми и зажиточными мужиками, солью земли и гордостью. В Мариуполе не стало роскошных роз, умер рыбоконсервный завод, умерла Гавань, а на улицах города пролилась кровь, много крови.

Сбросили памятник с пьедестала, разбили на маленькие кусочки. Сделали это и не поняли, что сразу оказались в другом Киеве. До того как памятник Ленину поставили, это был тоже другой Киев. Но не тот, в котором памятник сломали. Когда сбрасывали памятник с постамента, люди не понимали, что задели глубинные пласты, что неизбежен тектонический сдвиг. Они, конечно, не могли тогда этого понять и знать. Но теперь-то знают!

Нет и не будет прежнего Киева, нет и не будет прежней Украины, нет и не будет целых городов и посёлков, нет и не будет прежнего мира. Нет и не будет прежней земли моего летнего детства.

Как беззащитна и нежна история! Как легко ломать её памятники и вырывать из неё страницы, как легко её переписывать! Как хрупки камни её монументов!

Беззащитные памятники...

И как безжалостна та же история к тем, кто ломает её камни и рвёт её страницы! Точнее, не безжалостна — беспощадна.

Вот и в том кусочке гранита, привезённом мне из Киева, уже много свежих руин.

24 июля

Вот интервью, которое я дал в Питере 11 июля. Разговор получился несколько сумбурным, но мне он был интересен. И вопросы, заданные журналистом, были неожиданно существенны. Рад был попытаться на них ответить. Может, и вам будет любопытно эти вопросы и ответы прочесть.

Сергей Кумыш: Евгений Валерьевич, как мне кажется, ваше творчество можно разделить на два условных направления. В тех случаях, когда вы пишете о себе или же когда за главным героем угадывается ваша личность, читатель видит мир глазами героя. В текстах, где центральный персонаж вымышлен, подсмотрен или же отстоит от вас как от автора на определённой дистанции, главный герой раскрывается в первую очередь через собственное окружение. Эта разница в повествовательной манере — она умышленна?

Евгений Гришковец: Конечно. Разница не просто умышленна, тут не может быть по-другому. В частности, именно с этим связано то, что аудиокниги, которые я начитал, были сделаны только по тем произведениям, которые можно назвать автобиографическими. Всю остальную прозу я не только сам отказываюсь начитывать, но и запрещаю ее к исполнению и выпуску в формате аудиокниг, поскольку полагаю, что это должно быть прочитано своими глазами, а главное — «прослушано» собственным голосом. Там взгляд на человека, способ изучения мира совершенно иной. Например, повесть «Непойманный» из нового сборника. Многие куски в этом тексте написаны репортажно, где мы за героем наблюдаем буквально в режиме репортажа — с отдельными прорывами в его предполагаемые внутренние переживания и размышления. Так что да, это осознанно делается, вы правы.

Кумыш: В повести «Непойманный» вы используете совершенно нетипичный для вас язык: мир вокруг героя как бы нарочно выбелен, описательные подробности практически отсутствуют. Например, главный герой, Вадим, приходит к своему другу, и вы пишете, что у этого друга «огромный дом». Потом мы узнаём, что там ещё есть терраса и гараж — и это всё, что мы узнаем о доме, он вообще почти лишен внешних признаков. Постоянный, целенаправленный расфокус.

Гришковец: Для меня правильное название «Непойманного» — «Повесть, не ставшая романом». В какой-то момент я понял, что эти вполне романные сюжет и идея не должны стать романом. Это должна быть именно повесть. Эти герои недостаточно крупны для того, чтобы стать героями романа. Вся история недостаточно крупна для романа. А соответственно и то, что пьёт или что ест герой или каков его дом, — тоже несущественно. Для повести это несущественно. Эти люди — не такие существенные. И при этом мы можем только догадываться, что происходит с героем, который у нас в итоге погибает. Вот он более подробно описан, как некая жертва; хотя глазами Вадима, но там очень много деталей. Конечно, мне хотелось сделать такую прозу. Это, кстати, совпадает с художественной тенденцией, которой стали следовать некоторые современные кинорежиссёры. Они убирают многоцветие, переводят свои фильмы в какую-то одну коричневатую гамму; почти нет солнечного света, всё происходит вечером или ночью. В центре внимания — герой, все остальное размыто, несущественно. В частности, что ещё мне нужно было сделать совершенно точно, — в повести нет ни одного матерного слова. Это было абсолютно сознательное решение — в сторону художественного. Два центральных диалога между Вадимом и его другом Борисом, конечно, не могли происходить без мата, это понятно; это люди такого поколения, такой судьбы. Они из провинциального города, в конце концов. Но именно в пользу точности смыслов делался особый, «очищенный» способ высказывания. Для меня настолько важное событие эта книжка: я понимаю, что сделал то, что мне несвойственно, при этом своим методом. Она произросла из предыдущих моих работ, долго и трудно мне давалась, и я воспринимаю этот текст как большую победу, победу над собственными стереотипами. Я же знаю, чего люди от меня ждут. Но я делал это не в пику всеобщим ожиданиям, а сознавая художественную необходимость именно такого способа высказывания. Вот ещё что: почему сборник «Боль» состоит из трёх произведений, почему там ещё два рассказа. Было важно уравновесить текст повести лёгкой, невесомой прозой, которая вся состоит из сплошных деталей, особенно рассказ «Палец», он же как кружева сделан, из мельчайших деталей и подробностей. И чтобы книга вместе с повестью не обрывалась, чтобы финал не был таким резким. Чтобы человек, когда берёт в руки книгу, когда доходит до середины, видел, что ему ещё много читать, что там ещё что-то будет происходить. Это, кстати сказать, восприятие именно бумажной книги, электронная версия уже этого ощущения не даст.

Кумыш: В ваших произведениях стала настойчиво звучать тема страха. Новая книга во многом этому посвящена. Об этом, в частности, вы говорите и в спектакле «Прощание с бумагой». Даже в совместном вашем альбоме с «Мгзавреби» это есть. Новый лейтмотив страха, новая интонация связаны с необходимостью именно сегодня говорить об определённых вещах?

Гришковец: Сейчас общество живёт в страхе. Я хорошо помню, как в 2006 году я убеждённо говорил, что мы — сорокалетние — первое поколение людей, родившихся в России в двадцатом веке, у которых есть шанс встретить благополучную и спокойную старость. Сейчас об этом можно вспоминать только как об очень наивном высказывании. А ещё я осознал одну простую вещь. Я родился в 1967-м, в начале года — феврале. В конце 1966-го родился трёхмиллиардный житель планеты. Я не прожил и полувека, но за это время население Земли удвоилось, а потом перевалило за семь миллиардов. Я всего этого боюсь. Я этого не понимаю совершенно. В Европе то же самое. Их двойные стандарты — они от непонимания того, что происходит. Раньше они ходили вот по этой улице Парижа, и было так: здесь они покупали газету, а здесь покупали круассан. Теперь в том месте, где раньше продавались газеты, новый магазин, где стоит арабский человек, который за это время откуда-то приехал или уже родился в Париже. А в том месте, где продавался круассан, человек из Турции продаёт банан... Человечество сейчас убеждено в том, что оно развивается. А человек развивается только от рождения к смерти. Наши с вами поколения наблюдали появление цифровых систем, интернета и победы этого всего. И это страшным образом перекроило нашу жизнь, мы не понимаем, что происходит. Нет ничего, за что можно было бы взяться, удержаться и ощущать это как жизненный стержень. Обратите внимание: сейчас в России не осталось людей, которые ощущались бы «людьми из незапамятных времён», какого-нибудь академика Лихачёва, который родился ещё до революции, был на Соловках. Распалась связь времён. Я сейчас, может быть, скажу крамольную вещь, но советское время, по которому я совершенно не скучаю, было гораздо более христианским, православным, чем всё то, что происходит сейчас. Если мы вспомним книгу, которую все в детстве читали, но не любили, «Как закалялась сталь» Островского, — это же, по сути, житие святого. Было представление о том, что нужно трудиться, порой мучительно, и в этом случае будет что-то. Настрой на саморазвитие, на страдание, но страдание совместное, — это поддерживало очень. Общество было гораздо более целомудренным, чем сейчас. И благодаря этому «общественному целомудрию» как раз было не страшно. Сейчас же всё перепуталось. Люди, которые творят бесчинства, ревностно соблюдают пост. Но при этом чаще всего в качестве диеты. После поста страшно веселятся. И всё время боятся, боятся. Им не на что опереться, совсем — ни в России, ни в целом мире. Человечество стало больше думать о смерти. Опять же не в христианском смысле, а как о непонятном, непостижимом конце всего. На самом деле то количество смертей, которое мы сейчас встречаем в литературе и на экране, — это тоже некая современная борьба со страхом смерти. И вездесущий чёрный юмор — попытка закрыть глаза на собственные страхи.

Кумыш: Художественные приёмы, которые вы используете в книге «Боль», во многом новы не только для вас, но и для современной русской прозы в целом. В одном телеинтервью, примерно год назад, вы сказали, что не ощущаете себя частью российского литературного контекста...

Гришковец: Я себя ощущаю очень одиноко в литературном контексте России. Предполагаю, что в сборнике «Следы на мне» и в новой книге в особенности, я продолжаю некую соцреалистическую — в лучшем смысле этого слова — традицию. Ориентируюсь сейчас на Астафьева. Полагаю, что он крупнейший литератор того периода. И вижу, что природного интереса к подобной литературе у сегодняшних авторов нет. Я хорошо понимаю, что ко мне в русском литературном сообществе относятся крайне несерьёзно и не считают меня литератором. Мои книги не попадают в списки бестселлеров. Хотя, если за первые два месяца продано 25 тысяч экземпляров, а в электронном виде скачано больше ста тысяч, это, разумеется, бестселлер. И поскольку я нахожусь между некими контекстами, меня гораздо удобнее вообще оттуда выбросить и не относиться ко мне серьёзно.

Кумыш: Приведённые вами цифры говорят о безусловном читательском интересе, о том, что книгу ждали. То есть читатели вас в этот контекст вписывают... У меня ещё был вопрос по поводу альбома с группой «Мгзавреби». Этот новый проект — он ощущается вами как литературная работа?

Гришковец: Да. Я настаиваю на том, что я никакой не артист, никакой, конечно, не музыкант. Я писатель, который всё время занимается писательской работой. В отдельных случаях — писатель, выступающий на сцене со спектаклями, и писатель, выступающий с музыкальным коллективом где-то в клубе. Но, разумеется, это писательская работа — в определённых условиях, других, с чётким пониманием, какой здесь адрес, какой способ высказывания. При этом совершенно необходимо осознавать — и мне, и той публике, которая хочет это воспринимать, — что я автор. Если бы я был просто исполнителем чужого текста, никто бы не стал это слушать. И в театр бы никто не пошёл на меня смотреть, это совершенно точно.

Кумыш: На вас как на писателя совместное творчество с Гиги повлияло? (Гиги Дедаламазишвили, фронтмен и автор песен группы «Мгзавреби». — *С. К.*)

Гришковец: Нет. Определённо нет. Как для «Мгзавреби», так и для меня, этот проект является чем-то отдельным. Гиги тоже внятно это осознал после того, как мы записали альбом. Музыкальная составляющая — аранжировки, мелодика, звучание — отличаются от того, как они работают сами, без меня. Сама эта встреча отдельная и проходит на какой-то сокровенной территории.

Кумыш: Вы много лет работали с группой «Бигуди». Теперь вот «Мгзавреби». В случае с «Бигуди», как мне кажется, всё-таки ощущалось, что текст играет определяющую роль. С «Мгзавреби» несколько иная история: текст и музыку вообще не «разлепить», одно как будто вырастает из другого, перемешивается. Но это частное мнение. У вас у самого какие ощущения от двух этих проектов?

Гришковец: «Бигуди» в том виде, в каком они работали со мной, не были вполне самостоятельным коллективом. Под конец уже это были только сессионные музыканты и автор идеи, Максим Сергеев, который прекрасно знал, что именно нужно делать: мы очень хорошо знали друг друга. И это был такой коллектив, где тексты — да, имели большое значение, но музыка тоже развивалась и дошла до какого-то предела, когда было уже ясно, что развивать больше нечего, потому что дальше я уже должен был запеть. Под конец это уже были песни — с куплетами, припевом и т. д. Кстати, почему меня пригласили «Мгзавреби» — они послушали наше творчество с «Бигуди» и понимали, что такое возможно. «Мгзавреби» — это самостоятельное явление, самобытный коллектив, который развивается параллельно. И этот наш совместный проект развитию группы ничего не сообщает. Мне как писателю — тоже. Это просто очень приятное дело. Как такое, знаете, совместное застолье с грузинами. Да и сами тексты — как бы тосты, которые можно произнести во время грузинского застолья. Это была моя попытка услышать не только Гиги как музыканта, «Мгзавреби» как музыкантов, но ещё и грузинскую культуру, и на неё каким-то образом отреагировать. Чтобы это было органично. А они уже постарались сделать более лирическую, более «взрослую» музыку в контакте со мной. Потому что их самостоятельные произведения более зажигательные, подвижные. Это совершенно отдельное дело, которое, может быть, не будет иметь продолжения. Мы не уверены, что у нас будет второй альбом. Мы хотим ещё записать сейчас пару песен, которые за это время появились, и они будут скорее синглами, дополняющими первый альбом. Но мне очень нравится это делать, очень. Я хотел снова в клуб, я снова хотел играть, мне очень симпатичны грузины в целом, а группа «Мгзавреби» — особенно. Это взаимное удовольствие, в результате которого появился альбом. У этого не будет такой истории, какая была с «Бигуди». С ними мы проработали десять лет, отыграли сотни концертов, пару сотен — точно, выпустили четыре альбома. За десять лет у нас возникла своя аудитория именно на этом, мелодекламационном материале. И я могу с уверенностью сказать, что в мире ничего подобного нет. Что-то похожее делали Макларен, Джон Кейл, Баз Лурман, но это были единичные случаи. К сожалению, в российском контексте люди мало внимания уделяют музыкальной составляющей, многие просто слушают слова. Поэтому многие могли бы сказать, что там вообще музыка не нужна — вышел бы да и рассказал вот эти тексты, мы так же бы порадовались, не нужно было этих всех инструментов, электроники и прочего.

Кумыш: Это странно. Почему я и спросил о значении для вас литературной составляющей — ведь музыка сама по себе, в обоих случаях, как и текст, ведёт за собой, сообщает дополнительный объём, иногда даже создаёт подтекст...

Гришковец: Очень многие этого не слышат. Многие мне говорят, например, о том, что в спектаклях «+1» и «Прощание с бумагой» не нужны декорации — ты один будь там, да и всё. Люди не понимают, и претензии к ним за это невозможно предъявлять. «Бигуди» играли потрясающе, делали удивительные, нетипичные для современной русской музыки аранжировки. Но для слушателей в целом это было всё каким-то общим фоном. Как и литературные особенности «Непойманного».

Кумыш: Понятно, что у каждого автора, наверное, наибольший трепет, наибольшее волнение вызывает недавно вышедший, самый свежий материал. Есть ли среди ваших книг та, которой вы особенно довольны? И есть ли такая, в которой, может быть, не получилось сделать именно так, как хотелось бы, как изначально планировалось, замышлялось?

Гришковец: Пожалуй, самые совершенные тексты по композиции и по тому, как они сделаны, — во всяком случае, я больше всего их люблю, самые сложные мои книжки — это «Реки» и «А....а». Две повести, которые, конечно, никакие не повести, это особый литературный жанр. Кто-то говорил, что это эссе, но никакого отношения к эссе это не имеет. Я называю их повестями. Прозу я каждый раз делаю настолько тщательно и долго, что не могу сказать, что какая-то получилась хуже, а какая-то лучше. В меньшей степени я доволен своими ранними пьесами, потому что тогда ещё не умел этого делать, они не очень хорошо оформлены для чтения. Сейчас бы я это написал иначе. Ко всему остальному нет претензий. И совершенно особенная для меня книжка, которая вышла два года назад,— «Письма к Андрею». Я её сильно люблю.

Кумыш: Какие у вас планы на следующий сезон — литературный, театральный? Что будет дальше?

Гришковец: Я сейчас сделаю довольно длинную паузу с прозой, буду работать над новым спектаклем. Наверное, год не возьмусь за прозу. А потом хочу написать большой роман. Прямо — большой. Даже хочу взять полгода перерыва в театральной работе, чтобы сделать основу романа, а потом его дописывать. Новый спектакль будет называться «Шёпот сердца». Он, кстати сказать, посвящён страху. Это будет монолог человеческого сердца. Сердце боится человека, а человек боится собственного сердца. Поначалу этот человек настолько целен в своей юности, в своей чудесности, что даже не вспоминает о том, что у него есть сердце. А потом... Помните, как Тарковский написал: «Человек счастлив только тогда, когда он забывает о том, что умрёт».

26 июля

Меня много раз просили высказаться о мате в современной литературе, в сегодняшнем театре и кино. Теперь я решил это сделать. Все упомянутые процессы в моём высказывании мною пережиты лично. Многому я был свидетелем и во многом участвовал сам.

Мат есть мат

Можно с уверенностью утверждать, что последние четверть века происходит сознательно-бессознательная героизация мата в нашей культуре. И вот уже несколько лет, как эта героизация приобрела практически системный характер, поскольку в этом процессе приняло активное участие Министерство культуры России. Самым сильным действием по приданию мату именно героического ореола стал так называемый «Закон о мате». Закон этот насколько своевременен, настолько же и глуп, поскольку не продуман, очень груб и имеет все шансы произвести обратный эффект.

Нормативные акты по использованию мата в культурном пространстве, как то: в кино, театре, на концертных площадках — то есть на территории массового получения некоего культурного продукта, — необходимы, и давно. Они необходимы не как перечень рекомендованных мер или советов, а как вполне внятные и обязательные к исполнению инструкции и правила, подобные правилам уличного движения, которые призваны это движение сделать безопасным, нехаотичным...

Но не запрещать само движение, исключив возможности опасного самоволия и преступных действий.

Новый же «Закон о мате» просто запрещает всякое использование мата в перечисленной мною культурной деятельности. Этот закон и прост, и бессмыслен. Он в своём существующем виде вреден культуре. Нужен другой! Он необходим.

И в этом смысле мы не можем и не должны оглядываться или опираться на некий международный опыт или практику подобных правил и законов.

Не должны не потому, что мы такие особенные, а потому что наш мат очень особенный, и его место в нашей культуре не имеет аналогов в других культурах. Я имею в виду не уникальность семантических (смысловых), фонетических и прочих возможностей русского мата. Я не собираюсь героизировать и восхвалять его. Я имею в виду ту огромную дистанцию исторически-культурного опыта, которая сложилась между нормативной лексикой, лексикой общественно допустимой, литературно-художественной лексикой, профессиональной лексикой и матом. Эта дистанция, как я уже сказал, огромна. Это не та дистанция, которая существует в языковых средах и культурах основных европейских языков. Весь набор грубых слов и их сочетаний, например в англоязычном мире, значительно ближе к нормативному языку, имеет давнюю практику всестороннего употребления и давно не содержит в себе внятных социально-культурных признаков. Активно и давно «факающий» английский и американский кинематограф, театр, песенная поэзия, эстрадный юмор и даже литература уже дело вполне привычное и никого не то что не шокирующее, но и не удивляющее. А наследный принц крови, наследник Британской короны допускающий всё те же «факи» прилюдно, в современном обществе не вызывает осуждения.

Я не берусь утверждать, что ругательные возможности английского, французского, немецкого и других языков беднее, чем возможности мата. Нет! Просто сами немногочисленные слова, составляющие арсенал нашего мата, неизмеримо более весомы, тяжелы, а самое главное — до сих пор табуированы.

Эти слова до недавних пор находились за закрытой для культурно-художественного пространства дверью. Они были заперты и для открытого социально-общественного употребления.

В обществе мат был недопустим к использованию в присутственных местах и, конечно же, при детях. Употребление мата на улице, в транспорте и так далее встречало осуждение, отпор и даже наказание. «Материться как сапожник» — никогда не было достоинством.

Мат занимал и занимает в русской культуре и сознании такое место, какого попросту нет в других культурах.

Уметь материться было не только и не столько умением выражаться, высказываться матом многосложно и витиевато, но прежде всего было пониманием уместности и необходимости такого выражения. Условно говоря, общественное употребление мата даже в пьяном виде было признаком грубости, невоспитанности, глупости и неумения себя вести, а стало быть, и материться.

Активное использование мата было прерогативой закрытых и чаще всего мужских сообществ, таких как военные подразделения, корабельные экипажи, рабочие коллективы с подавляющим мужским или только мужским составом: шахтёрские, металлургические, строительные и прочие. В таких коллективах уже ценились умение строить фразы и словообразовательные таланты. Вынос же мата за пределы этих закрытых сообществ был предосудителен. К примеру, жёны многих офицеров, производственных и строительных инженеров, моряков даже и не догадывались о том, какие слова на службе или на работе употребляют их мужья. В свою очередь, мат при подчинённых считался признаком дурного тона, панибратства и слабости в руководящей среде.

Мои детство и юность прошли в промышленном городе, который не мог похвастать значительными культурными достижениями. Моими соседями, родителями одноклассников, людьми, с которыми я ездил в общественном транспорте, оказывался в магазинах и на улицах, были люди, в основном работавшие на больших и средних промышленных или химических предприятиях. Однако я прекрасно помню, что слышал мат крайне редко, и никогда использование мата не было проходным или незаметным явлением. Мат возмущал и пугал. Он был признаком неадекватного, агрессивного и даже опасного поведения. Проще говоря, сибирские мужики «как сапожники», где попало, при женщинах и детях, не матерились. А те, кому были безразличны общественные устои, правила и порядки, опасались прилюдно материться. Опасались за свою физиономию.

Потом мат выплеснулся на улицы и во все виды социальной среды. Начали материться подростки и даже дети.

Я не буду исследовать исторические и прочие причины случившегося. Это отдельная тема. Но мат выплеснулся, и это факт.

Некоторое время он числился непечатным языковым явлением. Какое-то время сам факт возможности написать или напечатать на бумаге матерное слово казался дикостью. Сказать — пожалуйста, но напечатать... Однако и это длилось недолго. Очень быстро появилась литература, которая сначала понемногу, пьянея от собственной смелости, а потом всё активнее и активнее стала пестреть матом.

Театр держался чуть дольше. Но сначала, в так называемом андеграунде, в театральных подвалах зазвучал мат. Там он окреп, получил свою публику, заручился поддержкой профессиональных театральных деятелей и хлынул на сцены государственных театров, а также в кинематограф.

В начале этого процесса мат в литературу, театр и на экраны приводили весьма талантливые и смелые представители «новой волны». Они видели необходимость приблизить язык литературы, театра и кино к той жизни, к тому языку, которым говорила улица, город, деревня. Язык литературы, театра и кино, доставшийся художникам «новой волны», ощущался ими как искусственный, оторванный от жизни, ханжеский. Молодые художники не хотели им говорить. Не хотели ещё и потому, что общество заговорило матом чуть раньше.

То есть мат вырвался из-за закрытой двери и занял запрещённое ему прежде место в социуме и сознании.

Мат тогда ощущался художниками как необходимая правда. Драматурги, режиссёры совершали внесение мата в художественный язык как осознанный художественный и человеческий поступок. Они часто наталкивались тогда на неприятие мата и его отторжение публикой. Публика же реагировала на мат со сцены или с экрана как на бытовое хулиганство и неоправданную грубость. Публика не желала понимать культурно-художественных причин появления мата на сцене, экране и в литературном тексте.

Но это романтическое время длилось недолго.

Очень важным моментом для коллективного использования мата в русской художественной среде конца девяностых, моментом историческим, является появление в «новой волне» русской драматургии иностранного примера и модели развития, предложенной и организационно поддержанной современной английской драматургической школой и методом.

Это был метод так называемого «документального театра», или, по-английски, «Вербатим», привезённый и внедрённый в русскую драматургическую среду лондонским театром «Роял Корт» при поддержке британского посольства.

Это не было культурной диверсией. О нет! Я далёк от таких бредовых мыслей. В английском методе «документального театра» было много нового, полезного и попросту интересного молодым нашим драматургам, впоследствии сценаристам, многие из которых сейчас являются заметными фигурами в театре и кино. Но этот метод настаивал на буквальном, документальном перенесении речи разных социальных сред на сцену. То есть в нашем случае, случае русского языка — и мата. Но если для английского языка ничего революционного в этом не случалось, то для русского культурного контекста, безусловно, происходило.

Сами англичане понять этого не могли, потому что не видели, какую пропасть преодолевают слова мата, сказанные в уголовной или другой маргинальной среде, до сцены. Англичане не понимали, что авторитетом своей великой английской театральной культуры оправдывали появление мата в современной русской драматургии в любом неограниченном, а главное — неосмысленном количестве.

Как я уже говорил, дистанция между матом и нормативной лексикой в русском языке непонятна носителям других языков, потому что в языках нет столь закрытой и табуированной лексики.

К тому же ни в одном из европейских сообществ и государств не происходило такого революционного и быстрого выплеска «ненормативной лексики» на улицы и в общественную жизнь, как это у нас случилось в начале девяностых.

А использование мата избегало даже народное творчество. Фольклор. Были, конечно, и частушки, и прибаутки, и пословицы с матом. Но это были такие частушки и прибаутки, которые либо передавались, что называется, «на ухо», либо горланились, как говорится, по пьяни. Городские романсы, «зэковский», «дембельский» фольклоры редко, а то и вовсе не использовали мат, избегали его. Так называемый «шансон» не прибегает к услугам мата до сих пор.

Анекдоты с матом всегда носили статус неприличных или пошлых. Исполнялись такие в «проверенных» компаниях или предварялись словами типа: «А можно я расскажу пошлый анекдот?» Часто эти анекдоты были вполне невинны по содержанию, но статус пошлого и неприличного им придавало наличие матерных слов или даже одного слова.

Некоторые большие и средние авторы русской литературы отметились тем, что продемонстрировали знание мата. Но это были всё либо юношеские шалости мастеров, либо что-то сочинённое не для публикации и массового ознакомления.

Открытое использование мата в литературно-художественном русском пространстве стало возможным и осуществилось в девяностые годы с первыми ростками в конце восьмидесятых. Раньше остальных мат в художественных текстах стали использовать литераторы, покинувшие Россию и работавшие за границей, то есть в окружении иной языковой среды. Сам этот факт сообщал мату флёр романтики и диссидентской смелости.

К началу нулевых использование мата в театре, кино и литературе превратилось в сознании многих авторов, а также зрителей-читателей почти в норму. Мат стал хорошо продаваемым товаром, он прочно укоренился в интернете, мат стал признаком смелости, свободы и даже мужественности. (Мат в интернете и влияние интернета на освобождение мата — это отдельная, огромная тема, требующая серьёзного изучения и анализа.)

Важным историческим событием, обозначившим легализацию мата на театральной сцене России, был отказ руководства Московского Академического театра имени Чехова, то есть МХАТа, от статуса Академического театра и превращение МХАТа в МХТ.

Руководству театра необходимо было это сделать, чтобы обеспечить выход на сцену современных пьес, изобилующих не только остросоциальным содержанием, но и матом. Не социально-документальная тематика, не шокирующие сцены, а именно мат как таковой не мог найти место под академической крышей.

В данный момент я не говорю о художественных достоинствах тех пьес и спектаклей. В их числе были весьма талантливые, значительные и знаковые для своего времени постановки («Пластилин» Василия Сигарёва, «Изображая жертву» братьев Пресняковых в постановках Кирилла Серебренникова). Я говорю исключительно о мате как о языковом явлении и феномене, который появился на важнейшей сцене русского театра.

Так или иначе мат занял прочные позиции во всех сферах не только жизни, но и культуры. Он приобрёл своих мощных представителей, пропагандистов и сторонников.

Мат воцарился там, где никогда прежде в русской культуре не был и не должен был оказаться по своей сути, он занял не свойственное себе место, стал легко употребляем сиюминутно и в любой среде.

И произошло удивительное! Именно по причине утраты своего историко-культурного, закрытого и табуированного места мат утратил и свою сущностную силу, а также значение. Он потерял свой вес, из мощной и тёмной силы превратился в языковой мусор и бессмысленную грязь.

Полагаю важнейшей культурной задачей искусства и общества вернуть мат на его исконное место в русском языке, сознании и культуре, тем самым обозначив его феномен, значение и силу как особого языкового оружия, возможного к применению только в особых социальных условиях и по особым причинам.

Могу себе представить усмешку или даже ехидный смех того, кто это прочёл...

Конечно!

Как это сделать?

Джинн, выпущенный из бутылки, ни за что не захочет обратно.

Никаким директивным образом, никакими запретами этот вопрос не решить. Придать применению мата в общественных местах статус хулиганства — бессмысленно. С курением бороться проще, чем с матом в нашем культурном и правовом контексте.

Вводить же простые и грубые запреты на использование мата в художественной среде, как это делает «Закон о мате», глупо. Этот закон производит обратный эффект: он героизирует мат, о чём я говорил вначале.

Всё запрещаемое сверху государством часто приобретает

у нас ореол несправедливо обиженного, угнетённого. А всякий, кто нарушает эти запреты, приобретает образ героя, борца и правдолюбца. «Закон о мате» сообщает самому мату только усиление позиций и сочувствие окружающих.

Основная ошибка этого закона заключается в том, что он объявляет борьбу мату и с матом. А с этим языковым явлением невозможно бороться. Мат давно доказал свою непобедимую живучесть. Нужно думать о другом. Нужно думать об условиях его существования в культуре. Его особое место должно быть обозначено.

Это предмет серьёзной работы многих участников: учёных-филологов, культурологов, художников (в самом широком смысле этого слова), педагогических школ и пр.

Художника-автора нельзя запугивать и ограничивать ни в чём. В том числе и в использовании мата. Художник всё равно сделает то, что считает необходимым.

Вот только любой автор должен понимать, что если он видит художественную, философскую, индивидуальную или любую другую необходимость использовать любые языковые средства — это его неотъемлемое право как художника и автора.

Но всякий автор в русской языковой среде также должен знать, что если он избирает для себя необходимость использовать мат, то его произведение будет существовать в особых условиях, по особым правилам и на особой территории. Ни в коем случае не в гетто! А территории.

Особенность этих условий, правил и территорий обусловлена особенностью мата.

К пониманию этой особенности и призываю.

Создание таких правил и условий — вот самая трудная, но и чрезвычайно интересная задача.

Никто, ни один регулирующий и регламентирующий орган, никакая самая авторитетная комиссия, никакая цензура не могут и не должны решать, кто может в своих творческих работах использовать мат, а кто не может. Никто не может и не должен решать, какой мат и какое произведение с матом имеет право на существование, а какое — нет, какой мат, условно говоря, хороший, а какой плохой, какой художник талантлив в этом смысле, а какой нет.

Уж если есть бесконечное количество сложностей с чётким определением порнографии, то с определением художественности или нехудожественности мата будет ещё сложнее. Точнее, это определение просто невозможно!

Никто и никогда, кроме автора, не может решать, оправдано в его произведении использование мата или ему нет оправданий.

Особые условия существования художественных произведений с матом должны быть одинаковы для всех: для произведений мэтров и начинающих, для произведений принятых и обласканных критикой и наоборот.

Основой этих условий должно быть безусловное и обязательное информирование публики (зрителей, читателей, слушателей) о наличии мата в том или ином произведении.

Встреча человека с матом в культурно-художественном пространстве не должна быть неожиданной. Человек должен быть предупреждён о наличии мата в произведении, чтобы самому решать, знакомиться с ним или нет.

Это самый очевидный и легкоосуществимый способ определения мату особого способа существования в культуре.

Должны быть, конечно, определены и возрастные ограничения... Это дискуссионный вопрос.

Дискуссионных вопросов много. В частности, какие слова относятся к мату, а какие нет. Какие производные и неологизмы, содержащие корневую или графическую основу определённо матерных существительных и глаголов являются матом, а какие не являются. Будут ли приравнены мату многочисленные грубые слова, находящиеся в пограничном языковом поле. Это тоже тема занятная.

Но главное, что человек должен быть обязательно предупреждён о наличии мата в кино, книге, спектакле, песне... Как по закону обязательно предупреждение о наличии алкоголя в дорогом, благородном и знаменитом коньяке и в бутылке заурядного пива.

Я помню свою первую встречу с матом в культурном пространстве и в художественном произведении. Это был шок и культурный, и социальный.

Случилось это в 1987 году в кинозале Дома офицеров посёлка Заветы Ильича во время субботнего дневного сеанса фильма режиссёра Михаила Швейцера «Крейцерова соната». Произнёс то самое слово на экране персонаж в исполнении великого актёра Олега Ивановича Янковского. Вся фраза звучала: «Ты ведёшь себя, как ...».

Это прозвучало даже не как выстрел. Это прозвучало сильнее. Это прозвучало именно как матерное слово в совершенно не свойственном ему месте с никогда не говорившего матом прежде киноэкрана... в Доме офицеров.

А офицеры и матросы, в основном находившиеся в зале, знали мат не понаслышке. Но зрители были в шоке. В таком шоке, что никто даже не охнул и не хохотнул. Зрители не могли поверить в то, что это слово действительно прозвучало. И воцарилась гробовая тишина, которая потом превратилась сначала в тихое гудение, а потом в мощный гул.

Все принялись обсуждать произошедшее, всем не верилось в реальность услышанного. Но главное, что фильм уже никто не смотрел. Восприятие художественного произведения перестало быть возможным.

Конечно, тогда это было значительным событием. И это было большим поступком большого художника. Впоследствии тот фрагмент в фильме был переозвучен, зазвучал с экрана литературный синоним матерного слова. Вот только губы великого актёра артикулировали то самое слово. Само переозвучивание фильма тоже стало предметом обсуждения.

Обидно то, что весь остальной художественный материал большой и сложно сделанной картины померк и стал несущественен. Одно слово мата, одно проявление воли режиссёра перевесило все смыслы и художественные пласты большого произведения.

Все, кто в восьмидесятые годы слушал и любил русский рок, забыли много имён, мелодий, песен и стихов, которые любили. Но если кто-то тогда хоть раз слышал песню Б. Гребенщикова и группы «Аквариум» «Электрический пёс», не забудут её только по причине наличия в ней фразы: «А женщины те, что могли быть, как сёстры, красят ядом рабочую плоскость ногтей и во всём, что движется, видят соперниц, хотя уверяют, что видят ...».

Фраза убеждала в необходимости использования именно этого слова. Она вызывала восхищение смелостью автора и поэтическими возможностями освоения столь непоэтического слова. Однако эта не самая важная и значительная песня в репертуаре ярчайшего поэта Гребенщикова из его ярчайшего периода творчества затмила многие и многие из его произведений. А также затмила многих исполнителей того времени только наличием одного матерного слова.

Я привёл два примера использования мата крупными художниками и два заметных художественных поступка, которые имели большой резонанс, выходящий за пределы исключительно художественного восприятия этих поступков. Они иллюстрируют особое место и значение мата в русском языке и культуре в то время, когда это место и значение было осознаваемо и обществом, и художественной средой.

Сегодня эти примеры выглядят чуть ли не наивно.

Теперь мат везде и всюду. Границы его использования даже не размыты, они стёрты.

Такое стирание границ присуще многим сторонам современной жизни.

Когда-то татуировка на теле говорила о многом. Татуировки были признаком особого жизненного опыта и принадлежности к особым социальным группам. Татуировки царили в уголовной среде и говорили об уголовном опыте. Татуировки существовали в военных кругах и говорили о послужном и воинском опыте их носителей. Татуировки были у моряков и у некоторых других особых профессиональных групп. Татуировки были прерогативой людей экзотического жизненного опыта. Теперь же человек в возрасте меньше сорока без татуировки выглядит на пляже таким же редким явлением, как современный русский литературный текст без мата. Женское тело и женская литература не составляют исключения.

Эти татуировки и мат теперь не говорят об особом жизненном опыте, особом знании и принадлежности к особым субкультурам. В сущности, они не говорят ни о чём! Ни об опыте, ни о заслугах.

Но как татуировку, сделанную по велению моды, по причине юношеской глупости или просто за компанию, невозможно бесследно свести с кожи, так и бессмысленный мат, написанный и напечатанный по схожим причинам, убрать из текстов и высказываний тоже не получится.

Много и гордо матерящаяся в своих произведениях «новая волна» кинематографистов, театралов и литераторов утверждает, что без мата невозможна та самая «правда жизни», к которой они все стремятся и в которой видят свободу и подлинный реализм. Много и привычно матерятся застрявшие в конце восьмидесятых мэтры постмодернизма. Не задумываясь матерятся новые и замшелые панки, а также рок-н-рольные высокооплачиваемые и нищие хулиганы. Все они уже представить себе не могут себя без мата. В мате они видят единственную возможную правду.

Я не буду обращаться к высоким образцам русской литературы XIX века, к высотам прозы и поэзии Золотого века, которая жила без мата и не думала о его использовании. Не буду говорить о процветании натуральной школы русской литературы, которая обошлась без мата. Я не буду вспоминать о Серебряном веке и всех возможных литературных экспериментах и подвигах двадцатых-тридцатых годов XX века, которые отринули мат как таковой.

Не буду упоминать «Котлован» и «Чевенгур» Платонова, в языке которого была вся мощь невероятных возможностей русского языка, кроме мата.

Не вспомню Бабеля, с одной стороны, и «Тихий Дон» Шолохова — с другой. Горького, с одной стороны, а Булгакова — с другой. Всё без мата...

Но и в военной прозе, в лучших и самых ярких её проявлениях, то есть у Богомолова, Быкова, Бондарева, нет мата. Его представить в их произведениях невозможно... Также невозможно допустить, что в окопах той великой войны не матерились. Но в лучшей военной литературе мата нет.

В советском кинематографе о войне, аналогов которому нет и не будет, в фильмах «Иваново детство», «Проверка на дорогах», «На войне как на войне», «Восхождение», «Двадцать дней без войны», «Торпедоносцы» и многих других невозможно представить себе мат, как невозможно допустить более высокий реализм, чем тот, каким художественным языком сделаны эти картины.

Астафьева, крупнейшего мастера русской прозы второй половины XX века, Распутина, Белова, Вампилова — этих авторов невозможно упрекнуть в «лакировке действительности», чистоплюйстве, трусости или недостаточном знании жизни. Это были литераторы могучего реалистического пути, не отступавшие от правды. Но их художественный мир, язык и метод не допускали мата. Не допускали не по причине цензуры, а по сугубо художественным причинам.

Василия Макаровича Шукшина в неточности и творческой трусости не то что обвинить, но и заподозрить нельзя. Однако его кино и проза не то что не допускали, но и не предполагали мата.

Шаламов, Солженицын... Лагерный гиперреализм... Без мата!

Владимир Высоцкий...

Всякому художнику, начинающему и не очень, надо понять что мат необрабатываем, как самый твёрдый и особый материал. Мат — не алмаз, из которого можно сделать бриллиант.

Мат всегда остаётся матом и будет сам по себе перевешивать всё остальное в произведении, лишать смысла и затемнять.

Как в важнейшей для своего времени пьесе братьев Пресняковых «Изображая жертву», в спектакле и фильме К. Серебренникова по этой пьесе, вполне вставной, яркий матерный монолог милиционера перевешивает и заслоняет собой весь остальной, сложно устроенный текст и постановку с массой аллюзий, культурных ассоциаций и цитат. В сущности, вся эта пьеса является оправой для одного высказывания с матом.

Да! Наш мат могуч и удивителен! Он поражает своими возможностями производить новые и новые слова на основе горстки существительных и пары глаголов.

Мат имеет сильные терапевтические возможности и функции. Иногда просто необходимо вылатериться, чтобы полегчало или чтобы не сойти с ума.

Но всё же мат был и остаётся в русском языке, культуре и сознании сквернословием и ничем иным. Таким сквернословием, которое не имеет прямых аналогов в иных языках по степени отдалённости от языковых нормативов.

Пришло время это понять, оценить тёмную силу мата и начать процесс возврата его на то место, которое только его и ничьё больше.

Хватит! Мы наигрались с матом, натешились, насытились им. Мы девальвировали и обесценили свою литературу, кино и театр изобилием бессмысленного мата. Но тем самым мы обесценили и обессилили сам мат.

Пора опомниться! Пора увидеть, что мат — это не модно, не мужественно и не смело в таком количестве и в том обществе, которое матом уже не ругается, а матом говорит.

Мат есть мат! И если мы отпустим его на свободу, на волю... Мат перестанет быть собой. Он поднимется из тёмных своих глубин и закрепится на не свойственной ему и недолжной высоте... А вся русская культура и языковая традиция опустится ему навстречу.

P. S. Есть возможность не материться — не матерись!

27 августа

Вот и закончилось лето, совсем не отразившись в дневнике. Всего несколько заметок, пара статей — и всё.

Лето было особенным... Этим летом я смотрел, читал и слушал новости так много, как никогда в жизни. Даже в конце восьмидесятых и начале девяностых я так не следил за новостями, как этим летом.

А провёл я лето там же, где и в прошлом году, — на греческом острове Корфу. Я полюбил это место, полюбил этот удивительный остров. В этом году ехал туда, уже зная, куда еду.

Опасался, что очарование любви с первого взгляда, удивление первой встречи в этот раз померкнут, улетучатся. Опасался, что что-то может надоесть, померкнет яркость первых впечатлений... Нет! Ничего не улетучилось, ничего не померкло. Любовь к острову только усилилась, окрепла и закрепилась новыми, ещё более глубокими впечатлениями.

А впечатлений было много. Я впервые в жизни видел настоящие смерчи, которые прежде наблюдал только в американских фильмах и в американских новостях под названием «торнадо». Прямо у меня на глазах смерчи зарождались, формировались, соединяли небо и море таинственной вращающейся трубой. Я их видел семь. Несколько минут у меня на глазах, на расстоянии не более километра извивались и танцевали два огромных смерча, похожих на мифических чудовищ или посланцев античных богов...

В середине июля я ночью побывал в эпицентре такой мощной грозы, какой не видывал и не слыхивал никогда прежде. Я представить себе не мог, что такие грозы вообще бывают. Я никогда не видел молний, уходящих в море буквально в двухстах-трёхстах метрах от меня. Причём в одну секунду случалось до десятка молний, просто счесть их количество было невозможно. А знаете, что происходит, когда молния попадает в воду? Я тоже прежде не знал... Не знал и не видел.

Ещё одной летней ночью я пару часов наблюдал, как из личинки вылупляется цикада. Как мерзкое коричневое насекомое превращается в большую, лобастую, красивую, большекрылую, смышлёную муху.

В один тихий вечер, придя на пляж после ветреного дня, стоя по щиколотку в посвежевшей за день воде и размышляя — купаться в этой воде или нет, — я познакомился с очень странно ведущим себя осьминогом, который почему-то подкрался ко мне, почти выбравшись из воды, и неожиданно присосался, обняв мою ногу всеми восемью своими ногами, которые у него также и руки. Честно говоря, я не был готов к этому знакомству и такой фамильярности, поэтому стряхнул его с ноги весьма грубо, при этом весьма громко крикнув. Он отплыл, но недалеко. А потом медленно подполз ко мне и сделал то же самое. Так мы и общались, пока он не уплыл...

У меня было много летних впечатлений.

На мой зов и по моему совету на Корфу приезжали друзья, которым я показывал уже полюбившийся мне остров и старался сделать так, чтобы они увидели его моими глазами. Мне кажется, что кто-то, так же как и я, полюбил Корфу.

Я познакомился этим летом со многими людьми: греками, англичанами, русскими, итальянцами...

В какой-то момент съехались мои приятели из Харькова и Кишинёва, между собой не знакомые. Мы ужинали вместе, было очень весело и в то же время печально. Разумеется, во время ужина многое подразумевалось, но мы не стали об этом говорить.

Дети, Саша и Маша, совершили рывок в росте, вытянулись и перешли в новые возрастные состояния.

Я попробовал в этом году еду, какой прежде не ел. Выпил вина, какого прежде не пивал.

Начал писать основу и сцены нового спектакля «Шёпот сердца». Написал около трети.

Ко мне прилетала молодой сценограф Оля Никитина, с которой я решил делать новый спектакль. Это наша первая совместная работа. Но, мне кажется, мы придумали очень интересное сценическое решение...

У меня было много впечатлений и дел этим летом.

В прошлом году было меньше.

Но в прошлом году я много писал о летних своих впечатлениях и делах. Этим же летом я практически не касался дневника и не делился впечатлениями. Хотел... Но не мог. Не знал, о чём писать.

Не мог в потоке новостей из Украины писать о летних своих радостях, открытиях и творческих замыслах. Просто не мог.

Я смотрел новости английские, американские, украинские, наши... Даже греческие. Правда, в греческих мог судить о новостях только по видеокадрам... Я пытался увидеть и понять правду, которая, в соответствии с древним утверждением, находится где-то посередине. Я хотел, чтобы из мозаики, лоскутков, обрывков, голосов, высказываний сложилась цельная картина происходящего.

Ничего не сложилось!

Почти каждый раз казалось, что вот-вот что-то будет понятно, но картина рассыпалась... И, как выяснилось, нет никакой середины!!! И правды нет никакой. Потому что то, что происходит сейчас на Украине и у нас в связи с этим, — одна сплошная неправда. Потому что то, что происходит, словом «правда» называть нельзя.

Я много раз за лето кидался к дневнику, чтобы высказаться или сообщить что-то, что мне казалось понятой мною правдой. Но как же хорошо, что я удерживался от этого! Потому что видимое мной на следующий день разворачивалось совершенно другой и совершенно непонятной стороной.

За это лето из моей телефонной книги исчезло много номеров телефонов... В один прекрасный день вся информация бесследно исчезла из моего телефона. Я человек в цифровом смысле безграмотный и неаккуратный. Запасной телефонной книги где-нибудь в компьютере у меня нет, и поэтому за последний месяц восстановились номера тех, с кем я поддерживаю неразрывную связь, то есть с теми, кто мне позвонил или написал. Теперь в моей телефонной книге почти нет номеров, начинающихся на +38, — то есть практически нет украинских номеров. А ещё недавно их было в моём списке через один.

На днях, а точнее, недавно ночью, мне приснился Пётр Порошенко...

Мне неоднократно снился Путин. То есть сам он мне снился пару раз, но были сны, в которых, как бывает во сне, я знал, что где-то тут есть Путин. Или был человек, совсем не такой, как реальный Путин, но я знал, что это Путин. Или во сне я ждал встречи с Путиным. Или что-то с Путиным было связано. Даже страшно представить, скольким людям снится Путин. Мне снился и Медведев... Как-то по весне приснился Рауль Кастро, причём мы с ним ехали в поезде, за окном был определённо околотюменский пейзаж, но ехали мы к его старшему брату Фиделю, и Рауль просил меня обязательно объяснить его брату, что в прошлый раз он был не виноват. Во сне я знал, что было в прошлый раз и в чём Рауль провинился перед Фиделем, но поутру я этого не вспомнил.

Короче, на днях мне приснился Порошенко. Во сне он был как реальный Пётр Алексеевич, но только я ощущал себя старше его, хотя на самом деле он старше меня на два года, и он был как бы поменьше ростом. Сон был очень реальный. Всё происходило в каком-то пространстве, которое я понять не могу, но это было где-то у меня, то есть Порошенко был у меня в гостях. Дом был мой. Хотя такого дома у меня отродясь не бывало. И мы были с ним давно знакомы, только очень давно не виделись. Он сидел за столом и пил чай из большой чашки (никаких конфет на столе не было)... В логике сна он не был богатым человеком и производителем конфет, но президентом Украины был. Помню, он был осунувшийся, небритый, на голове у него была шапочка вроде лыжной, но без помпона, серая или тёмно-синяя. Сам он был в свитере с глухим горлом, как у Хемингуэя. Он вообще чем-то напоминал Хемингуэя в этом сне. Он был очень растерян, явно пришёл с холода, отогревался и о чём-то сбивчиво говорил. Он был очень-очень хороший в этом сне.

Я проснулся тогда совершенно счастливый, точнее, радостный. Я не понимал, почему рад, потому что сразу сон не вспомнился. Но было ощущение, что то, что меня тревожило и беспокоило, уже миновало, а то, что было плохо, теперь хорошо.

Однако потом были новости, реальное бритое лицо Порошенко, и вспомнился сон. Сразу стало ясно, что никаких причин для утренней радости нет...

Стало печально-печально из-за собственной наивности.

Мне кто-то говорит, мол, не смотри новости, я уже перестал их смотреть. Или говорят, мол, зачем об этом думать. А кто-то говорит мне — уже всё это надоело.

А я не могу оторваться или отключиться от новостей, потому что мне не надоело. Мне не надоело! Я смертельно, невыносимо устал от новостей, но понимаю, что ничего более страшного и безумного в смысле новостей, получаемых извне, я никогда в своей жизни не получал.

То, что происходит сейчас, — страшнее и безумнее холодной войны с ежедневным страхом увидеть гриб ядерного взрыва где-нибудь в стороне Кировского района города Кемерово.

Англо-аргентинская война на Фолклендах, в которой мы болели за Аргентину, была по сравнению с тем, что происходит сейчас, просто незначительным футбольным матчем, в котором Англия победила.

Война в Афганистане, на которую у меня были все шансы попасть и в которой погибли многие из тех, кто вместе со мной в 1985-м, коротко стриженный, пришёл на призывной пункт. Эта война, при всём своём жестоком и кровавом столкновении двух разных миров и культур, всё равно не так страшна, как та, что происходит сейчас.

И даже тёмный и ужасный многолетний чеченский сериал не так безумен, как нынешнее безумие.

Я не могу не следить за новостями, не могу не переживать и не пытаться хоть что-то понять в том, в чём понять не то что ничего невозможно, а просто нельзя — хоть и смертельно устал от этого.

Однако надо запастись терпением, потому что всё это очень надолго. Через три месяца будет год, как безумие началось. Кто мог представить себе год назад то, что мы будем переживать сейчас?.. И ясно, что никакое воображение не сможет нам нарисовать то, что мы будем переживать через год.

В Калининграде и у меня во дворе в этом году шикарный урожай яблок! Весна выдалась ранняя, лето — жарким, поэтому яблок много, они сладкие, налитые. Они падают в саду с приятным тяжёлым стуком. Очень хорошо. И во сне с Порошенко хорошо было пить чай.

3 сентября

Звонят друзья, приятели, которые на лето потерялись. Возвращаются, хотят встречаться. Последние дни только и отвечаю на вопрос: «Как дела? Как сам? Как семья?» Я говорю им: «Всё хорошо... если бы не Украина».

У меня действительно всё хорошо. Я провёл лето с семьёй, и было много радости. Я пишу новый спектакль и чувствую, что получается. В субботу женился младший брат Алёша. Женился на хорошей и любимой им барышне. У обоих есть работа и перспективы. Старшая Наташа перешла на второй курс, сын Саша идёт в четвёртый класс. Маша загорела и вытянулась за лето. Родители были на свадьбе счастливые. Все здоровы. Всё хорошо!

Я как мантру твержу про себя: «Всё хорошо, всё хорошо, всё хорошо». Я уговариваю себя, убеждаю: «Всё хорошо». Но не могу отогнать, хоть на время забыть и не чувствовать тревогу и какую-то душную тоску. Я смотрю на детей, занятых своими чудесными детскими делами и не обращающих внимания на телевизор, по которому изо дня в день идут только военные новости, и сердце холодеет и сжимается от тревоги и тоски. От страха за них и за тот мир, который их ждёт, тот мир, в котором я не смогу их защитить, мир, который рушится и рвётся прямо сейчас. Рушится безвозвратно.

Я чувствую свою полную беспомощность и вижу свои слабые руки... слабые, чтобы уберечь и защитить даже самое дорогое и любимое.

А дома всё хорошо — кроме новостей в телевизоре. А значит, нехорошо.

Всё лето я много говорил и спорил об Украине, о происходящем, о Путине, об Америке. Всё лето. Бесконечно говорил по телефону. Написал тысячи смс. Я слышал проклятия в свой адрес и в адрес моей Родины. Я слышал дикости во славу моей Родины. Я слышал непонимание моей Родины. Я говорил и слушал, слушал и говорил. Несколько раз и сам срывался на проклятия. Я смотрел новости, аналитические программы, читал и читал интервью, статьи...

Сейчас же я хочу сказать очень спокойно то, что я обо всём этом думаю. Сказать тем, кому хоть как-то интересно то, что я думаю, и небезынтересен я сам.

Это не программное заявление, не манифест и не анализ происходящего. Это мои личные, частные соображения. Что-то мне самому в моих мыслях кажется наивным, эмоциональным и банальным. Но я так думаю, я так считаю.

Я так думаю

Я пишу это и чувствую себя ужасно одиноко. Ужасающе! Потому что я давно не слышу тех, с кем был бы согласен.

Мне всегда было важно в процессе наблюдения и переживания разных времён и политических передряг найти человека, который был бы профессиональным политиком, политологом, аналитиком, журналистом... Человека, более моего информированного, знающего, умного и при этом профессионала, которому бы я доверял и как-то соотносил своё мнение и видение происходящего с его более глубоким и основательным. Проще говоря, мне важен был кто-то, способный объяснить мне суть политических и экономических процессов. В таком человеке мне важно было всё: от репутации и способа высказывания до стиля одежды. Такие были. Теперь нет. Я не согласен со всеми. Есть те, кому я верю, но нет тех, с кем я согласен.

Я не согласен с Михалковым и не согласен с Макаревичем, с тем, что он говорит и делает. Я не согласен с «Эхом Москвы» и каналом «Дождь», я не согласен с Первым каналом, НТВ и Россией 24. Я не согласен с Би-би-си и Си-эн-эн. Я не согласен с Путиным, не согласен с Обамой и Меркель. Я не согласен с выбором украинского народа. Не согласен как с их выбором европейского пути, так и с тем, кого они выбрали в качестве президента. Я не согласен с тем, вокруг чего сейчас так сплотилось российское общество. Я не согласен с войной, которой не видно конца и края.

Я очень мало высказывался о происходящем. Но даже тех моих нескольких высказываний хватило для того, чтобы в нескольких украинских городах сожгли мои книги, хватило, чтобы потерять много знакомых, приятелей и даже друзей.

Я с этим не согласен! Я не согласен с тем, что так можно относиться ко мне и моим книгам только потому, что я не согласен с теми, кто решил мои книги сжечь, а также сжечь всяческие отношения со мной. Я не согласен с тем, что так легко можно что-то сжигать.

Я не согласен с тем, что у меня берут интервью украинские или российские журналисты и не публикуют его только потому, что я сказал не то, что хотели от меня услышать. Не согласен с тем, что эти интервью исчезают, будто этих разговоров не было.

Я хочу высказаться, чтобы те, кому это интересно, узнали от меня, что я частным образом думаю. Я выскажусь, чтобы кто-то перестал меня подозревать в том, в чём меня подозревать не стоит. Или чтобы кто-то утвердился во мнении, что его подозрения на мой счёт были не напрасны.

Сразу оговорюсь — никаких писем в поддержку или же наоборот я не подписывал. Ни в каких списках протестующих или одобряющих моего имени нет. Правда, мне и не предлагали ничего подписывать. Так что и факта гордого и смелого отказа в моей биографии нет.

Так вот, я думаю...

Я думаю, что то, что происходит сейчас, — это страшная катастрофа, причины которой коренятся очень глубоко в истории, а последствия будут такими тяжёлыми и неизбывными, что и представить сейчас нельзя. (Простите мне эту банальность, но я так думаю. Я часто бываю банальным в своих соображениях об истории и политике.)

Я думаю, что то, что происходило в Киеве в конце прошлого года, а теперь происходит во всей стране, никакого отношения к борьбе за свободу не имеет. Однако украинцы совершенно уверены, что они боролись и борются за свободу. Свобода же — это такая таинственная субстанция... О!!! О свободе я думаю очень много.

Как было сказано в одном стихотворении, которое я целиком не помню, а авторство мне неизвестно — услышал от кого-то, был впечатлён и запомнил одну строку: «Освобождение — залог не для свободы». Как же я с этим согласен!

Тот, кто пытается освободиться, никогда не будет свободен именно от того, от чего освобождается. Чем сильнее жажда освобождения, тем сильнее несвобода. Человек может стать даже рабом, рабом идеи освобождения.

Мои украинские знакомые, приятели и друзья искренне считают и даже уверены, что они свободнее нас, русских. Свободнее меня... Они убеждены, что эта свобода у них в крови. Этакая историческая свобода, непокорность и национальная гордость. Они всегда были вольными, но угнетёнными и порабощёнными, однако несгибаемо хранили идеалы свободы. А мы, русские, наоборот, были и есть покорные судьбе и государю, и в силу этого, как считают мои украинские знакомые, мы склонны к порабощению других. Мол, сами несвободны, так и вы будьте покорны.

Со мной раньше часто, а в последнее время постоянно украинские знакомые говорили в лучшем случае как с дурачком, который ничего не понимает, витает где-то в просторах своей театрально-литературной фантазии и не видит через свои розовые очки тяжести и гнёта российской жизни. Они говорили со мной, как с тем, кто покорен судьбе и покорен Путину. Они делали такой вывод только из того, что я способен жить и работать в стране с мрачной диктатурой.

Все мои слова о том, что всё не так просто, что моё отношение к тому, как живёт моя страна, сложно, глубоко и многослойно... Что очень много людей, моих соотечественников и современников, совершенно искренне поддерживают или даже любят Путина и при этом остаются нормальными, хорошими людьми, совсем не заслуживающими презрения и ненависти... Все мои слова о том, что я не пошёл на Болотную по целому ряду причин, но только не потому, что я боюсь, вызывали у моих украинских знакомых всепонимающую ухмылку. Мол, рассказывай, рассказывай... Я думаю, что если бы сказал им, что боюсь, это было бы им понятнее, и они, наверное, даже пожалели бы меня. Но я говорил так, как говорил. И они мне не верили или считали слепым, глупым, а главное — несвободным.

На меня смотрели свысока, в лучшем случае как на человека неплохого, но заблудшего и оправдывающего свои заблуждения. В худшем случае меня легко и не задумываясь оскорбляли. Почему? А потому что я думаю иначе. По-другому. Какая же это, простите меня, свобода — презирать человека, который думает по-другому? Тут свободой и не пахнет!

Мне не раз приходилось общаться с сектантами разных сект, или с теми, кто открыл истину где-нибудь в Индии, или с жёсткими, ортодоксальными вегетарианцами (что тоже своего рода сектантство). Все эти люди считали и считают себя носителями особого знания и понимания жизни. Они уверены, что находятся на высшей, чем остальные, ступени развития и постижения мира. Они говорили со мной с высоты своего просветления и знания. Им была дана уверенность в своей непререкаемой правоте. У всех сектантов есть простая и ясная идея, которая даёт им эту уверенность. Убеждённость! Убеждённость в своей исключительности.

Я часто сталкивался с такой же уверенностью в своих украинских знакомых. Видел в них это явное превосходство над собой, видел идею. Идею национальной своей правоты и приверженности к свободе, которой во мне нет. Нет, потому что я живу в России. Живу и ничего для свободы не делаю. Только ропщу. Да и то ропщу шёпотом и на кухне.

Я видел признаки этой идеи и национальной правоты в весьма образованных и умных людях. Они жили и живут этой идеей как огромная секта. Однако жизнь простой идеей — это высшая форма несвободы. Я думаю, это рабство. Любые самые, казалось бы, лёгкие формы национализма — это рабство. А националистические идеи ясны, просты и сладки. Но они не имеют ничего общего со свободой мысли и духа. Нахождение всех исторических и философских объяснений национальными своими особенностями — это рабство.

Мне посчастливилось побывать в Африке, в Ботсване, Намибии. Я там встретил удивительно свободных, открытых и достойных людей. Они радостно шли на общение, не задумываясь ни о каких расовых, социальных и прочих различиях между нами. Они в Ботсване, живя в саванне, не знали рабства. Они живут в мире людей и животных... А потом я попал в ЮАР. В Ботсване и Намибии я быстро привык совсем не опасаться местных людей, полностью им доверять и даже доверять им жизнь. В ЮАР я столкнулся сразу с ненавистью к себе со стороны внешне ничем не отличимых от намибийцев людей, столкнулся с желанием меня обмануть, обворовать, ограбить или и того хуже. А это были такие же по происхождению люди, что и в Ботсване. Один этнос.

Именно там я со всей ясностью увидел, что рабство развращает в первую очередь и в гораздо большей степени не рабовладельца, а раба. Апартеид был, в сущности, рабством. У чёрных людей в ЮАР как не было прав, так и не было никакой ответственности. Всё было просто: во всём виноваты белые, а они, коренные, ни в чём не виноваты. Именно эта уверенность и сообщила им ощущение полного права меня ограбить и даже убить на их земле. А в соседней бедной Ботсване люди мне были рады просто как человеку и не видели во мне объект ненависти, зависти и наживы.

Как только кто-то приходит к убеждению или убеждён сызмальства в том, что во всём виноват кто-то иной, что вся ответственность за то, что происходит и идёт не так, как ему угодно, лежит на ком-то, а не на нём самом, — он превращается в раба. Корень глубокой, давней и могучей ненависти к России с Лениным или с Путиным, с Петром I или с Екатериной II, ненависть, которую я видел и слышал в украинских моих знакомых, кроется как раз в этом. В этой уверенности, что ответственность за все беды, за все бесконечные исторические неудачи и унижения целиком и полностью лежит на России, на Ленине, на Путине, Петре I, Екатерине II... ну и на мне, в конце концов. Потому что я так думаю. А я так думаю. Просто думаю — и всё.

А я думаю, что Украина ещё на первом Майдане открыла ящик Пандоры. Из этого ящика тут же явился Ющенко, смертельно больной патологической ненавистью к России. Он был так этим болен, что ничего не мог делать другого, кроме как ненавидеть мою Родину. Я думаю, он на работу ходил ненавидеть. Этой своей ненавистью он довёл страну до такого убожества, что Украина выбрала Януковича. И кто бы что ни говорил, Януковича именно выбрали, избрали. Своего. Он не с Луны упал и не с российского самолёта спрыгнул с парашютом. Вот и вышло: был Ю, пришёл Я — последние буквы алфавита. Символично.

Кстати, думаю, Янукович ненавидел Россию не меньше Ющенко. Он ненавидел её даже сильнее, потому что он её боялся. И Путина ненавидел и боялся. А ненависть плюс страх — самая лютая и подлая ненависть. Если бы не ненавидел, не шантажировал бы, не врал, не пытался играть на два лагеря, не проявлял бы глупую спесь и не сотворил бы весь тот кровавый кабак, который мы сейчас имеем. Я думаю, что теперь русская земля горит у него под ногами. Я так думаю. Хотя чертям огонь не страшен.

Думаю, что ненависть и свобода несовместимы в принципе.

Я думаю, что в крови на втором Майдане повинен именно Янукович. Я так думаю. Я не знаю, но думаю, что снайперы были именно его. Януковича, конечно, надо судить, и судить его должна Украина, но только не сейчас, позже. Иначе это будет слишком короткий суд. Да и судьи — те, что сейчас у власти, — должны дождаться суда над ними. Я думаю, что и Яценюк и Турчинов должны сидеть на одной скамье с Януковичем, на одном суде. Но, думаю, никакого суда не будет — или будет так нескоро, что фигуранты до него не доживут или не доживут по другим причинам.

В том ящике Пандоры оказался, среди прочих бед, и Крым...

Весть об аннексии Крыма застала меня в Тбилиси. Первого марта я, глядя из столицы Грузии на происходящее, думал, что началась или вот-вот начнётся полномасштабная война. Как же я тогда испугался! Испугался за своих детей...

Я думаю, что Крым был аннексирован. Балканский прецедент, на который так много ссылались Путин и компания в связи с Крымом, в данном случае считаю несопоставимым. Считаю, что Крым был вчистую аннексирован. И это ужасно!

Думаю, что тот крымский референдум был совершенно незаконным. Но также думаю, что люди голосовали на нём искренне и радостно. Думаю, что голосовали не под автоматами и не по принуждению в подавляющем своём большинстве. Хотя, может быть, кого-то и заставили — могли и было кому. Но большинство людей радовались. У меня телефон тогда не умолкал ни на минуту. Звонили из Севастополя, пели. Из Керчи, Феодосии. Тоже пели. Пили и пели.

Референдум был справедливый, но незаконный. Однако о какой законности можно было говорить в стране, где, как я думаю, руководство было совершенно незаконным? Потому что власть они захватили, сбросив президента. И это было беззаконие.

Януковича свергли справедливо, но незаконно — и получили справедливый, но незаконный референдум в Крыму. Беззаконная справедливость и свобода — разные вещи.

Как только кто-то уверует в справедливость без закона, тут же начинается кровопролитие и мракобесие.

Крым — это большая беда и скала, о которую разобьются многие и многие попытки примирения, о которых пока даже говорить рано.

Думаю, что много людей, тех, что голосовали на том референдуме, скоро пожалеют об этом, если уже не пожалели.

Но украинский Крым был жалок! Фактически жалок. Замусорен и изуродован до невозможности. Я не мог смотреть на дикие строения, поставленные с нарушениями всех мыслимых и немыслимых законов и норм, которые обезобразили дивные берега и горы. Не мог смотреть на то, в каком упадке находятся архитектурные шедевры, важнейшие для нашей культуры и истории. Форос прекрасен! Но как же он загажен и унижен! Сплошной крымско-татарский сервис и еда, дикая застройка Севастополя, ржавое железо в бухтах, заплёванные камни, некогда обильно политые кровью, пьянство и упадок... Симферополь больше похож не на город, а на какой-то оптовый рынок... Изменится ли это теперь? Ой, не знаю! Ой, не знаю...

Крым аннексировать было нельзя. Я так думаю! А что было делать? Я не знаю! Аннексировать было нельзя, но аннексировали его красиво. Мастерски. Я правда так думаю. То есть уж что-что, а аннексировать научились. И я думаю, что, не соверши Путин этого мастерского беззакония, было бы столько крови и было бы так страшно, что и думать об этом не хочется.

И ещё я думаю, что справедливо то, что в Севастополе теперь стоит русский флот без аренды. Незаконно стоит, но справедливо. Справедливо, что корабли НАТО там стоять не будут, нечего им там делать. Справедливо то, что английские военные моряки не будут прогуливаться вольготно по Севастополю, ощущая себя опять победителями. И немецкие не будут. Только гостями. Но не скоро...

Мне, как человеку, носившему бескозырку, невыносима сама мысль о том, что Севастополь мог бы быть не «город русских моряков». Справедливо то, что над Севастополем Андреевский флаг.

Я думаю, что не могут в одном учебнике истории в качестве героев соседствовать защитники Севастополя всех времён и Степан Бандера. Это невозможно! Не могут столь разные памятники стоять в одной стране. Вот теперь они уже стоят в разных странах. К сожалению, всё это незаконно... И не цивилизованно!

Однако я так думаю.

Таковы мои нецивилизованные мысли. Знаю же и сам сказал, что справедливость опасна... Но я такой справедливости в случае с Севастополем рад.

Двойные стандарты? Да, двойные. Но мне есть с кого брать пример двойных стандартов. «Цивилизованный» мир продемонстрировал эти примеры.

Руководство Украины незаконно. Думаю, что оно несамостоятельно и преступно. Преступно своей несамостоятельностью. Я думаю, что Америка напрямую и непосредственно рулит нынешним украинским руководством. Думаю, что Америка сделала ровно то, что хотела. Сделала и продолжает делать. Делает, даже не стесняясь откровенности и грубости своих действий.

Я думаю, что Америке совершенно безразлично, демократично или нет устройство Украины. Безразличны украинцы и то, что с Украиной будет. Безразлично даже, будет Украина или нет.

Я думаю, что Обама бездарный и глупый человек. Он амбициозный и слабый политик, обидчивый и нелепый. Думаю, что он сущий позор Америки и той политики, которая связана с его временем и им лично.

Удивительно, как Обама буквально за последний год совсем иссох, истощал и осунулся. Он быстро поседел и стал какой-то сивый. Он совсем перестал улыбаться и говорит пафосно и многозначительно. С таким выражением лица только врут! А сохнут так люди, которых никто не любит. Обаму не любит никто. Весь мир. Америка не любит. Прекрасный пример для подражания украинскому руководству.

Украинские лидеры ещё более пафосны. Они пафосны, как плохие провинциальные актёры плохого театра, занятые в плохой пьесе. Смешно, когда в убогом театре актёры пытаются изображать аристократов или иностранцев. Да ещё когда и пьеса им не очень понятна. Вот это и происходит с основными лицами украинской власти. Как же они смешны и пошлы в этом!

Яценюк говорит всегда многозначительно, делает постоянные паузы. Изречёт что-нибудь и обводит слушателей взглядом — ну артист да и только! Артист провинциальный, в самом худшем смысле этого слова.

Порошенко любит пышные фразы и цветастые обороты речи. Я думаю, ему кажется, что он внушителен и грозен. Но жесты мелкие и невыразительные. Порошенко склонен к артистизму и дешёвым эффектам. Вспомните хотя бы, как на фоне своего самолёта и под дождиком он сообщал нации о том, что не летит в Турцию из-за вторжения России. Как всё было выстроено, и дождик был уместен... Смешно. Я думаю — это смешно.

А как Порошенко кланялся и улыбался, вручая генсекретарю НАТО Расмуссену, чей писклявый голос никак не соответствует грозной должности, какую-то медаль. Медаль непонятно за что. Даже Расмуссен, я думаю, не понимал, что ему дают и зачем. Смешно это было и стыдно. Так я думаю.

Думаю, что кому-то смешно видеть походочку Путина, которую сам Путин ощущает поступью. Кому-то, наверное, смешны его «манеры». Мне же давно не смешно.

Мне жаль Ангелу Меркель, которая за последние полгода сильно сдала, скукожилась и постарела. Я думаю, ей очень не нравится то, что ей приходится делать и говорить. Думаю, ей не нравится говорить с Путиным, которого она, как мне кажется, терпеть не может и на дух не переносит... Но ей не нравится встречаться и с Порошенко, которого, думаю, она видит насквозь и презирает. Думаю, что ей не нравится исполнять указания из Вашингтона, а ей почему-то приходится их получать и исполнять. Ей не нравится Франсуа

Олланд и не нравится с ним обниматься при встрече. Ей не нравятся её коллеги по Евросоюзу, которые мелки и невыразительны. Ей не нравится тащить на своих усталых и покатых плечах этот аморфный и разношёрстный Евросоюз, раздираемый амбициями. Я думаю, ей противен Дэвид Кэмерон, этот спесивый и очевидно неумный парень, смотрящий на Европу из-за Ла-Манша презрительно и свысока. Думаю, она понимает, что этот парень, похожий на породистую собаку, относится ко всем, и к ней в частности, как к собакам непородистым.

Я думаю, что госпожа Меркель лучше всех остальных понимает, какую кашу заварила Америка в Украине, несмотря на её робкие попытки это варево как-то предотвратить. И она знает, что эту кашу придётся, как всегда, по большей части расхлёбывать ей и Германии. Она это знает, потому что из ГДР, и понимает, с кем имеет дело в Украине и России.

Я думаю, что ООН — это вялая и утратившая хоть какое-то влияние организация, вполне ручная и управляемая. Во многом ООН, как мне думается, является формальностью и существует по привычке. Не припомню столь невыразительного, невнятного и слабого генерального секретаря ООН, как нынешний. Думаю, что ОБСЕ и прочие организации тоже превратились в некую формальность и обслуживающий конкретные интересы персонал.

Я думаю, что украинцы и Украина всё ещё надеются на помощь и поддержку Америки и Европы. Робко надеются на то, в чём были абсолютно уверены ещё в январе на Майдане. Они, наивные, радовались хороводу и веренице персонажей из Госдепа, Конгресса США и из Европы. Они принимали пресловутое печенье на Майдане за чистую монету. Я думаю, украинцы уже понимают, что их развели. Они просто не хотят в это верить. Не хотят этого понимать. Не хотят понимать, что с Украиной происходит то же самое, что в старом добром анекдоте... Анекдот-то старый, но будто придуман сейчас и именно про США с Европой и Украину. Анекдот короткий: после ресторана, боулинга и караоке только в бане Галя поняла, почему ей не надо было ни за что платить.

Помимо того что происходящее является страшной бедой и катастрофой, это также и результат удивительной глупости. Но глупость такая абсолютная, что хочется верить, будто это какой-то умный и хитрый план. Не хочется верить, что столько дураков и бездарей сейчас руководят странами так называемого цивилизованного мира.

Но именно и только глупостью можно объяснить то, что этот цивилизованный мир сделал ставку на людей, которые стоят сейчас у власти Украины. И те, на кого сделали ставку, тоже глупы. Думаю, что Яценюк и Порошенко просто послушные дураки. Иначе не понять их глупых и безрассудных действий. Умные люди так себя не ведут. Умные люди обычно способны понимать и оценивать меняющуюся ситуацию, свои возможности и адекватно оценивать себя. Умных людей так не обмануть.

Своей глупостью они сделали Путина многократно сильнее, чем он был. Не думаю, что это могло быть частью хитрого плана. Путин же является Путиным давно. Не понимать этого могут только дураки. Путин весьма предсказуем. Он Путин во всём, не понимать этого было глупо и глупостью остаётся.

Глупо так долго носиться с некими европейскими ценностями. Глупо полагать и надеяться, что «заграница нам поможет», жить иллюзиями. Жизнь иллюзиями приятна, но до поры до времени.

И глупо не видеть, что Европа Украину в объятия не примет. Европа брезгливо смотрит новости из Украины. Наивно думать, что европейцы считают европейцами тех, кого видят в этих новостях. Наивно надеяться, что Европа захочет иметь в своём составе страну с некрасивыми домами, заборами, пятиэтажками, которые к тому же разбиты бомбами и артиллерией. Европа не желает вникать в тонкости происходящего, только пытается сохранить лицо и ощущение свой былой силы. На самом деле она опасается за газ и понимает, что Украина газ воровать будет, как и воровала. Европа быстро поняла, что украинцам лучше в руки деньги не давать, потому что деньги чудесным образом тут же исчезают в украинских руках.

Европа тщательно моет руки после каждого контакта с Украиной и украдкой нюхает надушенный носовой платок, когда с Украиной говорит. Глупо всего этого не замечать. Я так думаю.

А той Европы, куда так хочет Украина, уже попросту нет...

Та Европа, которую мы полюбили с первой же встречи в конце восьмидесятых — начале девяностых, та Европа, которая нас потрясла и вдохновила, уже попросту исчезла. Её, той, уже не существует.

Когда я впервые увидел Европу, я понял, что прежней жизнью уже жить не смогу. Европа меня поразила, очаровала, изменила мои представления о быте и устройстве жизни, о порядке, чистоте и даже изменила мой внешний вид.

Мы в девяностые годы стремились сделать «евроремонт». Мы хотели, чтобы если не на улице, не в подъезде, то хотя бы в квартирах у нас была Европа. Мы мечтали отправить своих детей учиться в Европу. Отправить даже не за знаниями, а за европейскостью. Мы трудились и стремились приблизить Европу...

И где та Европа теперь? Где те Париж, Брюссель и даже Стокгольм, которые были всего четверть века назад? От той Европы с незыблемыми традициями и не меняющимся веками пейзажем остались только островки и клочки. Места, куда ещё в массовом порядке не добрались мои соотечественники и где над черепичными крышами не поднялись минареты.

Где та Европа, если во Франции нужно опасаться за кошелёк сильнее, чем в Челябинске? Если целый район Брюсселя, недалеко от штаб-квартиры НАТО, нужно обходить или объезжать за версту? Если тебя не пускают в кафе в Копенгагене, потому что ты очевидно не араб... Что с Европой, если гражданин Великобритании перед камерой обезглавливает американского журналиста?

То, что происходит в Европе, говорит о полном отсутствии видения и понимания дальнейшего развития. Европа утратила не только могущество, но и авторитет. Европа перестаёт быть авторитетной не только в политике и экономике, но и стремительно теряет своё культурное владычество.

Европа измельчала и несёт на себе явные признаки вырождения, не желая их замечать и продолжая жить по привычке, с прежними замашками и амбициями, как старик, отказывающийся признать, что силы его покинули и одряхлели как мозг, так и мышцы.

Европа прежде не опускалась до столь явной лжи, как это она сделала теперь. Во время Балканских событий, во время Чечни подача новостей и пропаганда американская и европейская ещё сильно отличались. Теперь же не отличаются вовсе. Европа хоть как-то тогда сомневалась, пыталась разобраться, рассмотреть события с разных точек зрения. Нынче этого нет в помине. Все новости и взгляды односторонни, прямолинейны и именно по этой причине глупы и лживы. Этого в прежней Европе не могло случиться. Это было просто стыдно прежнему Старому Свету, родине демократии и подлинных свобод. Теперь не стыдно. Почему? Не знаю. Думаю, что Европа безвозвратно утратила самостоятельность и гордость.

Думаю, что наступило время полного отсутствия свободы слова, какого не было даже в эпоху холодной войны. Я так думаю. Если европейские новости копируют американские, то какая тут свобода?..

У нас свободы слова не было никогда. Точнее вроде была, но мы уже этого не помним. Кажется, и вовсе не было, но стало ещё хуже.

В последние полгода с наших телеэкранов исчезло немало заметных лиц телеведущих и журналистов. Думаю, они ушли по причине нежелания лгать так много, как им прежде не приходилось. Я так думаю. Остались те, кому всё равно, или же те, кому удаётся вроде бы и не соврать, но и не сказать правду. Исчезли те политологи, аналитики и те люди, которые в любом случае говорили в разных программах хоть какие-то контрапунктные слова и мысли.

Несколько очагов «свободы слова» вроде «Эха», «Дождя» или «Независимой газеты» вроде бы есть. Но я думаю, что их сохраняют для создания иллюзии свободы слова. А сами эти очаги больше всего напоминают бунт в богадельне.

Многие и очень многие исчезли и замолчали от страха.

Зато поднялись и взросли те, кто врёт самозабвенно, убеждённо, с верой в то, что врать необходимо, когда родина в опасности. Эти редакторы, политологи, аналитики, журналисты и ведущие видели Путина живьём. Возможно, задали ему вопрос, возможно, даже получили ответ и ощутили просветление, а также познали высший смысл лжи в нынешнее «смутное время».

Я думаю, что российская пропаганда сегодня так глупа и бездарна, что попросту недостойна страны. Её уровень говорит о недоверии к тем, на кого она направлена. Я думаю, нам просто не доверяют. Враньё — это всегда недоверие.

Украина же сейчас, как мне думается, не может себе позволить свободу слова как некую роскошь во время войны. Как быстро эта свобода слова там исчезла! Та свобода, которой так гордились все мои украинские знакомые ещё совсем недавно. Гордились и тыкали меня в неё носом, мол, вот, смотри, у нас есть то, чего у вас нет и быть не может.

Я думаю, что украинские СМИ, устраивая очередную информационную истерику или вещая о победах и доблести, в сущности, обречённых своих солдат, эти самые СМИ и себя считают добровольческим батальоном, который ведёт беспощадный бой за свободу и независимость Украины. Ложь, ложь и ложь. Ложь как оружие. В той борьбе за свободу, которую ведёт Украина, в первую очередь приносится в жертву свобода слова. А, в сущности, я думаю, свободы слова в украинском государстве и не было. Говорить что хочешь, и свобода слова — это разные вещи. Я так думаю.

Я думаю, что когда Путин говорил про задержанных на территории Украины десантниках, говорил, что они заблудились, на самом деле так не думал. Я думаю, он думал иначе.

Я думаю, что на юго-востоке по-настоящему, действительно, есть повстанцы и ополченцы, точнее я думаю, что они там тоже есть, кроме солдат удачи и наших военных.

Я этого точно не знаю, но так думаю. Думаю, наших военных там много, а если понадобится, станет ещё больше. Думаю, что это неправильно и незаконно. Но наш министр иностранных дел и президент говорят, что их там нет. И я почему-то думаю, что они говорят неправду. Думаю, что это ужасно.

Думаю, что на Донбассе и Луганщине творятся настоящие ужасы, что там сейчас много людей с оружием, которые осуществляют такое беззаконие, что и думать страшно. Любая война в сегодняшнем мире притягивает и буквально призывает отовсюду всякий сброд и человеческую мерзость. Думаю, там сейчас много мародёров, уркаганов, наркоманов, отморозков и прочей нечисти. Они вооружены, и они там правят свой страшный бал. Думаю, что с ними нужно бороться всем. И украинским военным, и тем, кто числятся ополченцами. Но думаю, что там все так перемешались, что мародёров от ополченцев или от бойцов национальной гвардии мирным людям отличить трудно, некогда и не хочется.

Думаю, люди в тех городах, где нет сейчас повстанцев, банд или украинских военных, молятся, чтобы война миновала их и чтобы всё шло как было.

Думаю, что жители Мариуполя уже не надеются, но всё же молятся, чтобы их город не был взят и чтобы в него не пришли бои. Я так думаю.

Я думаю, что украинские войска и добровольческие батальоны стреляли и стреляют по жилым кварталам. Бомбят города с самолётов, забрасывают минами, обстреливают ракетами и повинны в гибели многих мирных людей. Стреляют и стреляли плохо, но много. Я думаю, что многим стрелявшим всё равно, будут там убитые или нет. Война имеет такое свойство, она притупляет многие чувства, обостряя только некоторые. Украинские и европейские СМИ утверждают, что регулярные украинские войска не обстреливали города, не бомбили, а я думаю, что бомбили и обстреливали.

Думаю, что многие добровольческие батальоны сражаются люто и смело, жестоко сражаются. Сражаются за Украину. Но жестокость в гражданской войне — это преступление. А я думаю, что всё, что происходит, — это гражданская война и никакая другая.

Думаю, что Стрелков и прочие, вроде полевого командира с позывным «Моторола», — военные преступники. Но и все бойцы и командиры батальонов «Айдар» и «Азов» — тоже военные преступники. Все, кто там воюет добровольно, все преступники. И те, кто сражается идейно, и те, кто приехал пострелять за деньги или за адреналин. Те, кто туда пошёл по приказу, скорее невинные жертвы, если только не проявляли особого рвения и усердия.

Однако к «Мотороле» я испытываю большую симпатию, чем к батальону «Айдар». Ругаю себя за это, считаю это неправильным. Но пока так. Почему? Да, видимо, потому, что та идея, которая лежит в основе причин, которые создали этот батальон и собрали в него людей, мне отвратительна. Национализм в любом виде и проявлении, как я думаю, не имеет оправдания.

Я правда не понимаю, как столь много людей в Украине реально могут надеяться на военную победу на юго-востоке. Хотеть они её могут, это вполне понятно, но как они могут в неё верить? Не могу этого понять! О чём они думали и думают? Они что, думают, что возьмут Донецк и Луганск — и всё? И будут налаживать мирную жизнь как ни в чём не бывало?

Неужели ещё не понятно, что прежней Украины с Донбассом и Луганщиной уже не будет? Её уже нет. О той Украине можно вспоминать, как об СССР, то есть как о чём-то любимом или ненавистном, но безвозвратно ушедшем.

Я понимаю, что Украина не переживала Чечни и чеченских кампаний, Украина не знает горя и унижения поражения от, казалось бы, маленького региона. Украина не переживала перехода от желания видимой лёгкой и быстрой победы и шапкозакидательства к отрезвлению и признанию невозможности победы как таковой. Украина не имеет такого опыта, а недолгая история украинской государственности была до февраля нынешнего года бескровной.

Украина была в восторге от Чечни, героизировала чеченских головорезов и сама ехала туда пострелять москалей. Теперь те же самые чеченцы... Не другие, а те же самые воюют на Донбассе, стреляют украинцев. Я думаю, теперь Украина в известной степени исполняет роль России того времени. Но пока ещё идёт первая фаза — жажда победы... Я думаю, что скоро это пройдёт. Просто надо вспомнить, что Грозный штурмовали не один раз. Брали Грозный. И что?

Я думаю, что всё в Украине кончится гораздо хуже, чем тогда для России с Чечнёй. Я почему-то думаю, что третьего Майдана не будет, хотя о нём много разговоров. Майдан себя исчерпал как инструмент народного волеизъявления. С нынешней властью никто так церемониться не будет, чтобы два с половиной месяца стоять в холода на Майдане. Я думаю, что нынешняя украинская власть будет сметена своими же измотанными, обманутыми и отчаявшимися войсками. Я в этом не уверен, я это не предрекаю, я так думаю.

А мы? Мы будем получать всё новые и большие санкции, будем роптать, но терпеть, будем гордиться своей сильной и гордой позицией. Думаю, будет плохо и долго. Будет хуже, чем многие думают. Многим.

Кто-то не возьмёт кредит и не купит вожделенное жильё. Кто-то разорится, кто-то решит повременить с рождением ребёнка, кто-то не женится, не выйдет замуж. Кому-то станет совсем невыносимо жить в России, чьим-то планам не суждено состояться, рухнут карьеры, судьбы...

Но при этом, я думаю, санкции не повредят тому, на кого они направлены. Путин, думается мне, сейчас очень интересно живёт. Вижу, что ему интересно и азартно. Он же у нас боец. Он с лихостью проверяет на прочность и мировое сообщество, и нас. И думаю, что он при этом решает какие-то свои, сугубо личные задачи.

Решение с продовольственным эмбарго, я думаю, был сильный ход. Во-первых, это чувствительно для Европы, я сам это видел, находясь в Греции. Видел растерянность и отчаяние людей, которые вырастили фрукты и вдруг поняли, что работали зря. Думаю, что эмбарго чувствительно не только для греков. Во-вторых, ход сильный потому, что Путин понимал, что русские люди с пустыми кастрюльками на демонстрацию не выйдут, в кастрюльки стучать не будут, не поднимут кипиш из-за еды. Постесняются, что ли... Потерпят... Ведь потерпим же? Потерпим! Даже несмотря на то, что решение принял он, а терпеть придётся нам. Но, думаю, справимся.

Позавчера поехали и закупили впрок много консервированного французского зелёного горошка и кукурузы. Не особенных каких-то, а самых обычных, «Бондюэль». Эти консервы ещё пока есть. Но скоро, сказали, их не будет. Просто дети привыкли к ним сызмальства. Мы не брали впрок креветок, кальмаров и мидий, пресловутого французского сыра. Зелёный горошек и кукуруза... Было противно закупаться впрок. Унизительно. Вспомнились давно прошедшие годы и, казалось бы, забытые навсегда ощущения.

Рыба на рынке в Калининграде сильно подорожала. Не на семь процентов, как сказано в новостях, а почти вдвое. Норвежской лосось стоил в среднем 350 рублей, а теперь тот же лосось, только продавцы утверждают, что не норвежский, а из каких-то дальних морей, стоит на рынке 600, а в магазинах 700. Хотя лосось тот же. У Калининграда, конечно, особое географическое положение, но, думаю, в целом по стране как-то так же всё.

Мясо сильно подорожало: свинина была 350, сейчас 500.

А в новостях говорят о росте на 7%, на 3%, на какие-то 0,8%. Показывают губернаторов. Губернаторы все радостные, говорят, мол, давно пора. Говорят, что своего добра завались и у нас всё только лучше. С советских времён не помню столько репортажей про грандиозные успехи наших сельхозпроизводителей. В стране за одну неделю стали производить сыра аж на 10% больше. И сыры у нас прекрасные, свежие, никакой плесени...

Я думаю, всё это ложь и неуважение к тем, кто это эмбарго вытерпит и оплатит его из своего кошелька, то есть неуважение к нам. Это также и презрение к нашим детям, которые гораздо сильнее держатся чего-то привычного и знакомого, в том числе в еде...

Мы эмбарго выдержим. Но вот лгать нам не надо! Это оскорбительно! Ложь человек долго терпеть не будет. Ложь унизительна! Я думаю, что если ложь будет столь откровенной и бессовестной, если наш премьер-министр будет лично инспектировать цены в магазинах, как он пообещал, и сообщать нам, что цены выросли максимум на 8,3 и 0,8%, нашему терпению быстро придёт конец. Я думаю, в этом случае у Путина не так много времени, как ему в данный момент кажется. Я так думаю.

А эмбарго-то мы вытерпим. В этом смысле расчёт правильный.

Я думаю, что украинское общество ошибается давно, я думаю, что оно отравлено идеей освобождения и что Украина раб этой идеи. Вот только вопрос, от кого сейчас освобождается Украина, от Путина или от Пушкина?

Я думаю, что сейчас проходит катастрофическая и жестокая операция по разрыву Украины и России. Эта страшная операция фактически завершена. Остались какие-то ниточки.

Происходящее похоже на разъединение двух сиамских близнецов, которые друг без друга полноценно жить не смогут. Разрывают два организма, имеющих одну кровеносную систему. Это не один организм, их два! Есть два отдельных сознания, два сердца, две души, но кровеносные сосуды одни на двоих. Эта жуткая операция производится без наркоза и самыми грубыми инструментами. Кровеносные сосуды рвутся через жизни, семьи, дружбы, дела, связи, судьбы, историю, культуру. Рвутся, разрубаются с размахом. Крови очень много. Кровь общая. Боль зашкаливает. Опомниться никто не может.

Разорванное обратно не срастить. Такую рану не залечить, не зашить. А других, близких организмов, чтобы к ним прирасти, нет и не будет. И доноров не будет. Группа крови уникальная. Я так думаю.

Вот я написал то, что думаю, и то, как считаю. Длинно написал, может быть, путано, возможно, банально. Я ещё много чего думаю о происходящем. Но полагаю, что и так понятно, как и каким образом я это вижу и как понимаю.

Так почему же сожгли мои книги? Их сожгли не в магазине, не в библиотеке. Их сожгли люди, которые их купили и читали. Люди принесли их из дома. Надеюсь, эти книги людям нравились. В этих книгах из того, что я думаю, как думаю, не изменилось ни одной буквы, ни одной запятой. Но отношение к ним изменилось. И ко мне тоже... И я не знаю, будь у тех людей возможность, что бы они сделали со мной? Не знаю. Думать за них не берусь.

Но, думаю, что жгли мои книги люди, ослеплённые ненавистью, то есть в тот момент тотально несвободные люди.

Они тогда не думали, они были уверены, что я не прав, так что всё, что со мной связано, надо уничтожить. А ещё они были уверены, что правы они, что я виноват, потому что думаю не так, как им хочется, и должен быть наказан. Они наказали меня — сожгли книги. Мне было больно.

Такая абсолютная уверенность в своей правоте и правильности своих действий говорит о несвободе. Когда кто-то абсолютно уверен в том, что тотально и во всём прав, а другой человек тотально не прав — это несвобода.

Я думаю, что свобода в сомнениях, свобода в ответственности, свобода в бесконечной тревоге и опасении нарушить чужую свободу. Например, свободу думать иначе, иначе понимать, видеть, жить, говорить. Так я думаю.

И маленькая притча напоследок.

Помню, у меня был приятель в Кемерово. Давно. Город жёсткий. Приятели были разные, он был постарше меня. Когда-то, по малолетству и глупости, в пьяной драке убил он ножом двух человек. Потом долго сидел на какой-то суровой зоне. Вернулся, занялся делишками а-ля девяностые, но тянулся к нам, к творческим. Просто посидеть, послушать, побыть среди других людей. Мы не возражали. Он был тихий, умный и страшный. Мы знали его прошлое, и оно всегда висело в воздухе... И вот как-то при нём в компании я стал ругать заочно какого-то приятеля. Говорил, что он сволочь, лжец, подонок, каких мало, и мерзавец. Говорил, что он такой, такой и ещё вот такой. Говорил много, резко, категорично, а главное — страшно гневно... Он, в прошлом убийца, сидел, слушал и вдруг, дождавшись паузы, тихо и холодно сказал: «А давай его убьём!» — и так посмотрел, что волосы зашевелились у меня на загривке. Тогда я понял, как нелепы, глупы и ничтожны все мои слова, упрёки и гнев на человека, которого я только что ругал последними словами. Это был сильный урок на всю жизнь.

P.S. Я думаю, что Украина совсем не знает демократии. Последние полгода это наглядно показали. Они путают справедливость с демократией, вольницу со свободой... Но демократию они не знают совсем, они представления о ней не имеют. Мы в России о ней знаем куда больше, потому что мы знаем, что у нас её нет. Я так думаю.

8 сентября

Очень давно не делился музыкальными и художественными впечатлениями. Не делился потому, что и делиться-то было нечем, да и, как говорится, когда грохочут пушки, музы молчат. Хотя у меня уже были случаи убедиться — а также я знаю и из истории, — что грохочут пушки или не грохочут, музы всё равно не замолкают. Их просто не слышат.

А сегодня хочу поделиться и обратить внимание на удивительное музыкальное событие, которое, на мой взгляд, имеет большое значение и масштаб, но прошло тихо, почти незаметно и всколыхнуло только узкий круг тех, кто внимательно следит за нашими музыкальными событиями.

Для меня это, безусловно, событие, и очень ожидаемое, потому что от Олега Нестерова и группы «Мегаполис» я всегда жду новые песни, альбомы, мелодии, жду нового звучания. Жду, а они работают подолгу, новыми песнями и звуками нас не забрасывают, что-то делают себе, что-то пишут, как-то живут в своём прозрачном смыслами и мелодиями, но при этом таинственном музыкальном мире.

Чем громче и оглушительнее события, происходящие в мире, чем крикливее и непримиримее споры в обществе, чем разухабистее и неряшливее наше кино, литература и музыка, тем тише, неторопливее и лиричнее интонации Нестерова и «Мегаполиса», тем необходимее и обязательнее их музыка к прослушиванию сейчас.

Новое произведение Олега и «Мегаполиса» — это какое-то чудо!

Я понимаю, что рекомендовать многим людям, тем, с кем я незнаком, что-то послушать, — самонадеянно и, наверное, неправильно. Музыкальные вкусы — самая таинственная и тонкая ткань.

Я думаю, что многие и многие то, что сделал Нестеров, и музыкой-то не сочтут, и песнями не посчитают. Но всё же — вдруг кто-то послушает, и ему именно эта музыка поможет пережить времена, которые мы переживаем, не просто пережить, а пережить содержательно, без отчаяния, а, наоборот, с пониманием, что есть люди, эти люди никуда не денутся и не переведутся... Люди, которые хотят и могут в любые времена делать музыку. Просто музыку.

Идея того, что задумал и сделал Олег в своём произведении, удивительна. Если говорить коротко и просто, он написал музыку к несмятым фильмам. Подробнее и яснее можно прочесть у самого Олега. Он посвятил свою работу конкретным людям советского кинематографа, которые не смогли, которым не дали, которые, возможно, не справились с теми художественными задачами, что хотели осуществить, но не осуществили.

Идея красивая, чудесная, но для меня она не так важна в своей конкретике. Для меня важнее другое. Олег и «Мегаполис» написали музыку и к моим несмятым фильмам и несделанным спектаклям. Да что там моим... Любой человек, который в детстве и юности мечтал сняться в кино, просто фантазировал себя артистом в существующем или несуществующем фильме, всякий, кто пытался написать стихотворение, но не дописал или не написал вовсе, всякий, кто хотел сделать что-то прекрасное, а сделал просто хорошее, хотел сделать большое, а получилось небольшое или совсем ничего не получилось, всякий сможет услышать в новом произведении Нестерова и «Мегаполиса» музыку к своим несмятым фильмам, к ненаписанным песням, спектаклям, вспомнить слова ненаписанных книг, недодуманных мыслей, невысказанных признаний.

То, что сделал Олег, — очень и очень грустно. И очень красиво! Почему-то всё самое красивое обычно грустно. Почему-то всё самое тонкое, изящное и прекрасное обычно звучит в миноре. И даже то, что вроде бы может показаться мажорным, звучит с какой-то грустной интонацией. Не с тоскливой, не с отчаянной, а именно с грустной.

Короче говоря, я делюсь с вами своим сильнейшим впечатлением от того, что сделали Олег и «Мегаполис». Я счастлив, что они смогли это сделать так сосредоточенно, так неторопливо и так изощрённо... На меня это произвело не только музыкальное, но и человеческое впечатление в том смысле, что «Из жизни планет» — это просто очень серьёзный человеческий поступок и большая работа.

И ещё я счастлив, что в этом произведении я нашёл ту музыкальную тему, которая мне совершенно была необходима. Я долго искал недостающую музыку к моему новому спектаклю «Шёпот сердца». Искал и не мог найти. А у Олега и «Мегаполиса» я её услышал. Эта песня «Другой». Мало того, я попросил её для нового спектакля, и Олег мне с радостью её предоставил. То есть и в этом смысле для меня лично новое произведение «Мегаполиса» вышло вовремя (это я так слегка пошутил. Хотя это правда).

«Мегаполис» играет «Из жизни планет» в Центре Мейерхольда, точнее, сыграют они это всего пару раз. Как это можно осуществить практически и технически, я себе не представляю. Но ужасно хотел бы при этом присутствовать. К сожалению, не смогу. Меня не будет в Москве. Завидую тем, кто может позволить себе присутствовать на этом значительном и совершенно уникальном музыкальном событии. Я знаю, что во время концерта будет осуществляться запись и это можно будет посмотреть. А я хочу это увидеть, как ребёнком хотел заглянуть внутрь музыкальной шкатулки, которая мне казалась волшебством. Я хотел увидеть маленьких и удивительных музыкантов, которые там, внутри, делают чудо.

Когда делаются такие сложные и негромкие вещи, как музыка «Мегаполиса» и «Из жизни планет», этому всегда нужно помогать своим вниманием и своей поддержкой.

Я только что признался в любви к этому музыкальному событию и к музыке «Мегаполиса» в своей жизни, тем самым надеюсь оказать помощь Олегу и тому, что он задумал и сделал. А вы можете как минимум их послушать, пойти на их концерт или поучаствовать в судьбе концерта как-то иначе. Музыку Олег и «Мегаполис» уже написали, сыграли и записали, но долгая или не долгая жизнь этой музыки зависит от тех, кто её слушает и любит.

25 сентября

«Российская газета».
Текст: Лариса Кафтан

Евгений Гришковец:
«Кто мы такие, чтобы прощать...»

Писатель Евгений Гришковец провёл несколько встреч с читателями в Москве, поводом для которых стал выход книги записей из его блога «Одновременно: жизнь» (за год, по май 2014-го).

Евгений Гришковец появлялся на всех встречах минута в минуту, никому не делал замечаний по поводу пиликающих мобильников и даже не просил их выключить (как известно, за звонки на мобильники во время его спектаклей Гришковец, бывало, даже просил зрителей покинуть зал). Но на встречах с читателями в Москве был доброжелателен, терпеливо отвечал на самые, казалось бы, странные и дурацкие вопросы. А потом часами подписывал желающим свою новую книгу. К слову, аудитория на всех встречах оказалась на удивление молодой, людей старшего возраста было очень немного.

Публикуем некоторые интересные моменты с этих встреч.

— *Почему вы закрыли комментарии в своём блоге?*

— Потому что мало вдумчивых комментариев. Какие-то «лайки»... Я не присутствую в соцсетях, не пишу в «Фейсбук». Со мной там подружиться невозможно. Со мной вообще подружиться сложно... Как у Тарковского в «Сталкере»: «Обругает какая-нибудь сволочь — рана, другая сволочь похвалит — ещё рана...» Писателю это не нужно, должна быть дистанция. Интернет — это инструмент, а человек его обожествляет. Мы доживём до того времени, когда будет массовый исход из социальных сетей. Но там задействованы такие деньги, что людей так просто оттуда не выпустят. (*Улыбается.*)

— *Вы от руки в блог пишете, а потом текст печатается?*

— Все тексты пишу от руки. Считаю, что текст от руки более качественный. Его качество зависит порой даже от качества ручки. Бумажный текст предполагает правки. Бумага хранит следы работы. А от компьютерной правки никаких следов не остаётся. Пишу медленно. На шесть-семь страниц текста, которые вы будете читать три-четыре минуты, у меня уходят сутки работы. Не умею писать быстро. У меня мало текстов. (*Цитирует: «Так хорошо было бы лежать, смотреть в потолок, думать о жизни... если бы не было Гришковца».*) В двадцать два года я писал скверные стихи, которые уничтожил. Но самое обидное, что я их помню. (*Смех в зале.*)

— *Зачем играете в своих спектаклях?*

— Я писатель, который играет в театре. Зрителю важно, что своё произведение исполняет автор. Если бы Владимиру Высоцкому кто-то писал, он бы не стал великим исполнителем.

— *А сами бы хотели снимать кино?*

— Я пишу книги, которые сам хотел бы читать. Если начну снимать кино, знайте: я сошёл с ума. (*Смех в зале.*)

— *Не планируете ли сниматься?*

— Меня почему-то не приглашают. Недавно пригласили. Спрашиваю, о чём фильм. Не важно, о чём, отвечают, главное — где: в Крыму. Понятно, есть госзаказ: Крым, но если не важно, о чём фильм, я не могу в нём сниматься. Хотя, по-моему, я очень хороший актёр. (*Смех в зале.*) У меня семь картин, считаю съёмки высокооплачиваемым отдыхом. Все тебя любят, носятся, кормят, весело... Но меня не зовут. Возможно, опасаются, что я как писатель буду предлагать отсебятину. А я очень дисциплинированный... (*Смех в зале.*)

— *У вас есть увлечения?*

— Мои дети. У меня коллекция детей. (*Смех в зале.*)

— *А путешествия?*

— С октября у меня поездки: Нижневартовск, Сургут, Магадан, но это не путешествия. Ехать туда у меня много причин. Не хочу никуда ехать как турист. Не переношу жизнь в гостиницах — она для меня отдыхом быть не может. Хочу побывать в Новой Зеландии, но хочет ли Новая Зеландия, чтобы я приехал? Есть причина впервые поехать в Китай: там выходит моя книга. Буду общаться как с инопланетянами: зачем вам это? что вы поняли? (*Смех в зале.*)

— *Нужно ли человеку браться за перо, если вдруг пришло вдохновение?*

— Если вы работаете врачом или бухгалтером и к вам пришло вдохновение писать книги, засуньте его подальше. У книги своя анатомия, устройство, его надо знать. Настаиваю: вдохновение чаще всего связано с графоманией.

— *Но ведь Чехов был доктором, и Булгаков, и они стали знаменитыми писателями.*

— Если бы у Чехова не было сестёр, братьев, родителей, он вряд ли пошёл бы в медицинский. И если бы он написал только свои докторские рассказы, мы не знали бы такого писателя. А Чехов посвятил жизнь литературе. То же и с Булгаковым. Врач в свободное от работы время не может написать «Белую гвардию» и «Мастера и Маргариту».

— *Какого читателя вы представляете, когда пишете?*

— Он похож на меня. Это я и есть. Написание книги — это очень медленное чтение. Мои читатели не те, кто глотает книги, это мои соплеменники, не бездельники.

— *А что вы сами читаете?*

— У меня сейчас длительный период нечтения. Думаю, что значительную, могучую литературу ежедневно читать невозможно: душа устаёт. В ежедневное чтение не верю и не считаю это глубоким.

— *Как вы относитесь к тому, что некоторые ваши произведения включены в школьную программу?*

— Не считаю, что это полезно. Школьная программа лишает тебя будущего читателя. (*Смех в зале.*) Виталию Бианки уже все равно, а мне нет. Я бы на моих книжках указал: от четырнадцати лет. Раньше не надо.

— *Какие ваши политические взгляды? Вы кто — либерал, демократ, патриот, как относитесь к власти?*

— Я не либерал и не демократ, я просто живу в России. Зачем ставить штамп? Я сложный человек. Если бы я вам сказал, что люблю Путина или не люблю Путина, вы не захотели бы со мной разговаривать... Или что люблю Бунина — и вы бы стали со мной разговаривать, а я, допустим, не люблю Бунина... После текста в моем блоге от 3 сентября (текст про Украину, вызвавший большой резонанс. — *Л.К.*) часть людей перестала со мной здороваться, часть — почувствовала родственную душу. Я писал текст три дня. Что с ним дальше происходило, я не знаю, я отключился. Меня занимает не вопрос, что происходит, а переживания, связанные с тем, что происходит. Я сторонник задавать вопросы и сам на них отвечать. Ощущение Родины — это как религия, и кричать об этом человеку не стоит. Если люди в Украине готовы ударить «колорада», они не любят Родину, они любят идею. А Родина состоит из людей. Не любишь их — не любишь Родину.

— *Пойдёте ли на «Марш мира»? Считаете, что прийти — это поступок?*

— Если бы был в этот день в Москве, не пошёл бы. И уж точно не потому, что боюсь. У каждого человека, который придёт, будет причина там находиться. Сколько людей будет — столько причин. У кого-то это будет поступок, у кого-то — за компанию. В песне, которую я пою с грузинской группой «Мгзавреби», есть слова: «Меня спросили: Ты с кем? А я сказал: Конечно, я с вами. А потом? А потом я хочу побыть с ними. А потом? А потом я хочу побыть один». Почему люди ставят перед выбором?

— *Сможете говорить с тем, кто убил?*

— Не смогу и не буду. Я вообще не буду говорить с человеком, который хочет не разговаривать, а высказаться. Когда человек ненавидит, гневается, он несчастен. Он предаёт какие-то главные условия жизни.

— *Чего людям не хватает, чтобы жить в мире и согласии?*

— Напротив, избыток — гнева. Я интересовался у священника: бывает ли гнев праведным? Нет, ответил он, гнев не может быть праведным.

— *Доброты не хватает в мире?*

— У меня друг в Кемерово, сорок семь лет, добрый. Поехал на Донбасс добровольцем. Другой друг, бывший, — большой, сильный человек — участвовал в событиях в Одессе, когда сжигали людей... Доброта, понимание — всё под гневом отключается.

— *Вы сегодня говорили о политике...*

— О политике ни слова сегодня не было. Мы говорили о переживаниях.

— *Вы умеете не обижаться и не завидовать?*

— Я ревнивый, но завидовать не умею. Обида — это защитная реакция, это упрощение ситуации. Когда человек живёт в состоянии обиды — это как инвалидность.

— *А как научиться не обижаться?*

— Можно посердиться, но не говорить человеку, что он негодяй, дурак. Позвонить первым, даже если вы правы.

— *То есть простить?*

— Кто мы такие, чтобы прощать...

22 октября

Запечатлённое время

Журнал «Профиль».
Текст: Сергей Кумыш

Новая книга Евгения Гришковца показывает всю прелесть материального мира.

Человек, когда-то ставший олицетворением нулевых, естественным порождением беззаботной и уже безвозвратно ушедшей эпохи, когда мы почувствовали не просто надежду на стабильность и мир, но успели к этому состоянию почти привыкнуть, теперь нередко подвергается гонениям. Люди продолжают покупать его книги, ходить на его спектакли и при этом осыпают его имя проклятиями. Особенно странным выглядит тот факт, что часто это одни и те же люди.

В начале сентября у себя в блоге Евгений Гришковец опубликовал эссе под названием «Я так думаю». Уже в названии было обозначено, что текст является сугубо личным высказыванием и представляет субъективное мнение. Читаем по слогам: субъ-ек-тив-но-е. Однако в Сети появились сотни гневных комментариев. «А я так не думаю», «Он думает неправильно», «Был хороший, стал плохой» — смысл примерно таков. Открытые письма, откровенные пародии, снисходительные реплики всезнаек. Расскажи, мол, про детство, спой с грузинами, а в политику не лезь.

А потом спектакли — и полные залы. Презентация новой книги — и верхние строчки в топах продаж. И альбом с грузинами — один из самых популярных за всю историю существования российского сегмента iTunes. Во всём этом есть явное несоответствие, демонстрирующее ханжество диванных ораторов, едкие реплики которых один телеведущий в своё время удачно сравнил с казарменным метеоризмом.

Если писателю Евгению Гришковцу удалось непостижимым образом оскорбить ваши чувства, то лучше не читайте эту статью и займитесь более полезными делами. Если же нет, то давайте поговорим.

Его новая книга «Одновременно: жизнь», по сути, не является новой. Это собранные под одной обложкой тексты из блога *odnovremenno.com*, который он ежегодно публикует последние шесть лет. Все записи выкладываются в открытом доступе по мере написания, задолго до выхода книги, и появление бумажной версии — это, как правило, возможность перечитать то, что уже было читано в течение года, пополнить домашнюю библиотеку. На бумаге, надо сказать, тексты приобретают совсем иное звучание, дополнительное обаяние и объем. Мир материален, и свои безусловные плюсы в этом есть.

Записки, разные по жанру — эссеистика, очерки с чётко выстроенной композицией и просто дневниковые записи, обрывочные, личные, но от этого не менее интересные. Он рассказывает о своих гастролях, о разных городах, о разной публике, о доме и семье. Словом, о том, из чего состоит его жизнь. В некотором смысле все это уже было — постоянная смена часовых поясов, родной Кемерово и обретённый Калининград, жена Лена и дочь Наташа, младшие дети и старые друзья. Но этот набор привычных фактов является лишь формообразующим эскизом, из которого вырастают новые места, события и лица.

Вот, например, греческий остров Корфу. То, что пишет о нём Гришковец, выходит далеко за рамки стандартного травелога. Это не просто описание местности, не просто яркие портреты коренных жителей, впечатления и мысли (словом, всё то, что можно найти в журналах вроде «Вокруг света»). В первую очередь корфийские записи Гришковца — это монолог, вписанный в доселе не исследованный пейзаж. Попытка найти качественно новые слова, открыв для себя новое качество жизни.

У внимательного читателя может возникнуть вполне резонное возражение: Гришковец всегда пытается писать о новых местах с позиции если не первооткрывателя (глобус ведь давно исследован, не так ли?), то приоткрывателя. Ищет — и, главное, находит — очевидные детали, которые до него мало кому удавалось обнаружить.

Всё это, несомненно, так. Но в случае с Корфу, в силу ряда причин, текст приобретает новые свойства. Образ острова проходит через всю книгу рефреном, повторяющимся мотивом, что придаёт прозе песенную интонацию и обрывочный характер сновидения. Взяв нужный разгон, слова приобретают небывалую лёгкость и, подобно взбитым сливкам, буквально тают на языке. Настоящее гастрономическое удовольствие, если так вообще можно сказать о тексте.

Отдельного внимания, тихого, вдумчивого чтения заслуживают страницы, написанные о посещении дома Андрея Тарковского. Гришковец не раз писал о том, что Тарковский является для него духовным ориентиром, очищенным образом художника. А потому в документальных записках о его доме вдруг возникает мистика. Происходит их встреча, безмолвный диалог. Человек, когда-то написавший книгу «Письма к Андрею», не рассчитывал на ответ. Но этот самый ответ он всё-таки получил.

Одна из самых страшных и пронзительных записей — о Марине Цветаевой, о последних днях её жизни, которые прошли в Елабуге, небольшом городе в Прикамье. О музее самоубийства, который там, по сути, основали после смерти поэтессы. Называется музей иначе, но разве это что-то меняет?

Примерно во второй части книги резко меняется язык. Почти во всех текстах появляется тревожная нота, вызванная событиями на Украине. Одна из последних записей — о майских событиях в Одессе.

Тарковский говорил, что главная цель кино — запечатлеть ход времени. Проза Гришковца в данном конкретном случае — это тоже запечатлённое время. Хроника меняющегося мира, в который входят войны, в котором преломляется матрица человеческой жизни. Но в котором подлинная красота, несмотря ни на что, остается неизменной.

Нападки на него во многом вызваны именно этим. Некоторые люди не видят (не хотят видеть) разницы между надеждой и прекраснодушием. Отсутствие попытки найти логику в происходящем считают трусостью, следование собственным убеждениям называют чуть ли не предательством.

Время, конечно, всех рассудит, как бы наивно это ни звучало. Но прежде чем выносить очередной грозный вердикт, стоит задуматься о том, что наше время тоже будет запечатлено. И что мы увидим в этом слепке — искажённую гримасу или человеческое лицо — зависит только от нас.

От каждого из нас.

«Театр.doc»

Этой осенью я совсем не пишу в дневник. Не знаю, о чём писать, и не пишу. Осенью обычно я писал про осень, про пейзажи, про дороги, которые мне выпадали на осенние гастроли, про впечатления... Этой осенью не хочу писать про осень, потому что она не является главным событием и лирическим переживанием. Наверное, такая осень. И очень тяжёлый общий фон. Не до лирики.

А сегодня я знаю, о чём написать.

Закрыли «Театр.doc».

Думаю, что об этом знает совсем немного людей. Не знают потому, что не так уж много людей знали и знают о его существовании. К тому же в новостях об этом закрытии не говорилось, да и о прежних успехах театра в больших новостях никогда не сообщалось. При этом берусь утверждать, что закрытие «Театра.doc» — это значительное трагическое, символическое и даже знаковое событие для современной русской культуры. Событие, которое известно скорее специалистам и профессионалам, но при этом беда для всего современного русского литературного, театрального и кино-контекста.

Когда в октябре театр закрыли, это показалось недоразумением, глупостью и чьей-то оплошностью, которая будет моментально исправлена. Поскольку закрытие произошло, очевидно, не по идеологическим или политическим причинам, а по сугубо хозяйственным: арендодатели не продлили аренду, театру предъявили претензии в связи с незаконной перепланировкой, ещё какая-то чушь. Для тех, кто не знает: «Театр.doc» — это крошечный подвальчик общей площадью метров сто пятьдесят. Что эти сто пятьдесят квадратных метров в масштабах страны, над которой я, в то время когда закрывали «Театр.doc», летел из Магадана до Москвы больше десяти часов?

«Театр.doc» существует двенадцать лет. Я помню, как он создавался, сам участвовал в его основании. Участвовал полемически, в спорах, сомнениях. Но я помню, что возник он из невероятной потребности целой плеяды молодых и не очень молодых драматургов говорить современным, сегодняшним русским языком о современной, сегодняшней жизни и сегодняшнем русском человеке. В сущности, это был первый сугубо драматургический театр, значение которого невозможно переоценить, поскольку он был первым и остался единственным в своём роде.

В течение многих лет я часто критиковал, вступал в теоретические споры с «Театром.doc». Высказывал массу несогласий с методами их работы, а главное — тематикой, к которой «док» имел природный интерес. Но именно «Театр.doc» убеждал меня в том, что нужно делать то, что я делаю, ещё убедительнее и точнее, чтобы быть в наших спорах убедительным и точным. Можно сказать, что мои спектакли были отчасти моими высказываниями в этой полемике. Но это был внутренний, важный и содержательный спор, в котором «Театр.doc» был абсолютно необходим. Лично мне. Это я сейчас сказал об участии «Театра.doc» в моём творческом профессиональном процессе.

На самом деле все годы существования театра он проделывал колоссальную работу, которую никто ни в Министерстве культуры России, ни в министерствах культуры на местах не делал, не собирался делать и даже не глядел в эту сторону.

Фактически «Театр.doc» является (не хочу говорить «являлся») единственным действующим адресом, куда любой человек, решивший написать на русском языке пьесу или жаждущий найти современную пьесу на русском языке, мог обратиться и куда мог прийти, приехать, прилететь и быть услышанным, принятым, понятым. В этом смысле влияние «Театра.doc» неоценимо. В этом театре накоплена мощнейшая информационная база. Его бесспорно знают в тех странах, для которых современный театр является важной составляющей культурной жизни. Через него прошли многие и многие люди, которых теперь мы знаем как заметных и важных драматургов и сценаристов. Во многом именно «Театр.doc» не давал забыть о России как о стране с великими — я подчёркиваю, с великими — драматургическими традициями.

«Театр.doc» нужно немедленно спасать!

Так случилось, что «Театр.doc» находится в Москве, и решать с ним вопрос должно московское правительство. Но этот театр имеет общероссийское значение, а также для всего культурного контекста, где люди пишут на русском языке, то есть для Белоруссии, Казахстана, Украины — для всего пространства, где кто-то что-то вдруг захочет и решит написать для театра на русском языке.

Вопрос упирается в то, что кому-то приглянулся маленький московский подвал, в котором за двенадцать лет существования было написано и сыграно такое количество пьес и спектаклей, что не поддаётся счёту. И делалось это в том самом творческом процессе, который многими уже забыт как таковой, то есть бесплатно или почти бесплатно. Думаю, весь годовой бюджет «Театра.doc» был существенно меньше заработков одного из средних резидентов пресловутого «Комеди клаба».

Закрыли «Театр.doc». Не кружок китайской чайной церемонии, студию оригами или клуб кришнаитов, но уникальное культурное явление, в котором люди осуществляли жизнь и существование современной русской драматургии. А драматургия для России — одно из важнейших национальных достояний, мы — родина Островского, Чехова, Булгакова, Вампилова, Володина.

Вот и получается, что русская драматургия, как шагреневая кожа, уменьшилась до размеров крошечного «Театра. doc», и её незаметно, под шумок больших политических событий и экономических передряг выбросили... Выбросили только потому, что, скорее всего, какому-то жадному, бессмысленному бизнесмену понадобился московский подвал. Это, с одной стороны, не укладывается в голове, а с другой — это много говорит о том, какое место те, кому принадлежат подвалы, недвижимость, финансы, малая и большая политика, отводят современной культуре — никакое... То есть места ей нет.

Гораздо проще и веселее проводить лихие городские праздники, световые шоу, огромные многобюджетные фестивали, на которых культурного продукта и нового художественного произведения не возникает. Проще и веселее заигрывать с могучими и известными деятелями театра и кино, которые ваяют дорогущие блокбастеры и мюзиклы, чем вникнуть, разобраться и помочь по-настоящему важному, трудоёмкому, со стороны не очень понятному, но подлинному художественному явлению, которое, в сущности, и является самобытной русской культурой.

«Театр.doc» надо спасать! В противном случае возникнет ещё одна дыра в и без того дырявом современном русском культурном контексте.

Кому я это написал? Не знаю! Наверное, Лене Греминой, Мише Угарову, людям, которые столько лет были тем самым адресом, на который шли-ехали-летели те, кто что-то захотел написать для современного театра. Написал я людям, которые являются «Театром.doc», то есть драматургам, режиссёрам, актёрам, которые через него прошли, и тем, кто до 15 октября в нём работал.

Наверное, написал я это Сергею Капкову, министру культуры Москвы, который, как мне думается, должен всё бросить и заняться спасением этого маленького театра.

А что ещё я могу сделать?

Вот такая трудная осень. Эта осень войдёт в историю тяжёлыми политическими событиями, авиакатастрофами, экономическим кошмаром... Но очень не хочется, чтобы она вошла в историю и как последняя осень маленького «Театра.doc».

12 ноября

Рано утром вернулся из Пекина в Москву. Пробыл в столице Китая пять полных дней по случаю выхода в продажу моей первой и на сегодняшний день единственной переведённой на китайский книги. Да, в Китае небольшим, можно сказать, крошечным тиражом вышел мой роман «Рубашка». В переводе Фу Пиньси.

Так случилось, что выход книги и мой приезд совпали с саммитом АТЭС. Никто из моих друзей не верит в то, что я поехал в Пекин не в составе делегации, не для того, чтобы осуществить некую культурную программу саммита, и что всё это чистое совпадение.

Это ужасно обидно — не только потому, что мой приезд и выход книги планировался сильно раньше назначенных мероприятий АТЭС, не только потому, что никакой практической и даже просто моральной помощи и поддержки ни с какой стороны от руководства не было оказано — посольства обеих стран не проявили никакого интереса к выходу книги... А должен сказать, что за последние двадцать с лишним лет в большом Китае практически не выходили книги современных российских литераторов. В Гонконге что-то переводилось, а в большом Китае — нет. Так что совпадение совершенно случайное, события эти никак не связаны. Да ещё бронь в гостинице, сделанная заранее, благодаря АТЭС была аннулирована, так как на моё место должен был приехать участник саммита.

К тому же в Пекине были приняты такие меры безопасности, что очень многое из того, что непременно хотелось увидеть и осуществить, — сделать было невозможно. Путин, Обама и другие своим присутствием нарушили обычную жизнь Пекина на все дни моего пребывания. И если к Путину я как-то привык и перекрытие дорог меня не особенно удивляло, то невозможность посмотреть или посетить важные и волнующие меня места из-за присутствия Обамы было делом обидным. Мы никогда не были так близки с Обамой, и эта близость не доставила мне радости.

Кстати, Обама огорчил китайцев тем, что привёз с собой свой автомобиль, и его возили на нём якобы потому, что он не захотел садиться в машину китайского производства. Остальным лидерам были предоставлены китайские суперавтомобили под названием «Красное Знамя». Если бы я выбирал между «Красным Знаменем» и «Роллс-Ройсом», я выбрал бы первый, но он дороже.

В общем, я так ждал этой поездки, мы с Пиньси так готовились, особенно он. Мы волновались... А тут на́ тебе. Обама и Путин.

Сказать, что я впечатлён, — это ничего не сказать. И сейчас, после длительного перелёта и перед вечерним спектаклем в Москве, ничего писать о Китае не буду. Хочу, вернувшись домой, в Калининград, сесть и оформить впечатления в несколько объёмных записей. Китай, мои приобретённые китайские друзья и знакомые и впечатления, которые мне посчастливилось получить, требуют вдумчивой работы.

Мои друзья, которые давно работают с Китаем и китайцами, многое мне советовали, о многом предупреждали и от многого предостерегали. Все мои впечатления совершенно расходятся с их опытом и представлениями. Но все мои знакомые, работавшие с Китаем, — это бизнесмены и политики разного уровня. Я же общался с другими людьми и по другому поводу. Самое большое изумление — это то, что мы с китайцами не так бесконечно далеки и не так различны, как многие думают и в чём многие уверены. Общего в той самой сфере жизни, о которой мои друзья-бизнесмены ничего не знают, у нас с нашими ровесниками и городскими образованными жителями Китая гораздо больше, чем с голландцами или датчанами. Это видно, и это чувствуется в атмосфере книжных магазинов, в оперном театре или даже при прослушивании радиостанции в машине моего переводчика и друга Фу Пиньси. В России нет ни одной радиостанции, на которой было бы столько той музыки, которую я люблю, и это радио не хочется переключать вовсе... А ещё я был в доме своего китайского ровесника и человека, близкого мне социально, а также близких жизненных интересов, но об этом потом. Мне предстоит сыграть какое-то количество спектаклей и объехать ряд городов, прежде чем я смогу, добравшись до дома, написать о китайских впечатлениях так, как того мои пекинские впечатления заслуживают.

27 ноября

Сегодня ночью вернулся домой. Не был дома больше месяца, а это уже такой срок, когда замечаешь, как изменились дети.

Улетал — ещё деревья были зелёно-золотые, в садах краснели яблоки, было тепло и радостно. А теперь всё опустело, голые деревья, тоненькие ветки чернеют, и лежат в садах у нерадивых хозяев гнилые, раскисшие яблоки. Грустно. И даже хочется снега, особенно детям.

За этот месяц я побывал в столь разных местах, что впечатления похожи на кучу цветных лоскутков, из которых очень хочется сшить полотно, но не понятно, как сложить эти лоскутки, как собрать эту мозаику во что-то цельное.

Очень хотел начать по свежим следам что-то писать о поездке в Пекин, о презентации книги и многочасовых беседах с Фу Пиньси, но понимаю, что с наскока этого сделать не могу. Впечатления и воспоминания столь объёмны и, как бы это сказать, округлы, что не знаю, как к ним подступиться и превратить впечатления и воспоминания в литературу. Не понимаю, потому что прикоснулся к чему-то огромному, бездонному и во многом таинственному. Китай всё-таки непостижимо велик...

Я задал Пиньси один вопрос, на который получил чудесный ответ. Привёл он меня в знаменитый и главный пекинский ресторан, в котором можно съесть самую-самую настоящую утку по-пекински, ресторан так и называется «Пекинская утка». Я никогда не видел ресторанов, в которых есть зал ожидания, и свою очередь ты получаешь, как в большом отделении большого банка, — в виде бумажки с номерком. Потом нужно сидеть в зале ожидания и внимательно слушать вызов твоего номера. Номер называют по-китайски, поэтому без своего Пиньси и без знания китайского туда ходить бессмысленно. Или же надо стоять на виду у вызывающих со своим номерком.

Утку по-пекински я, конечно же, едал, случалось — в Москве и во Владивостоке. Мне нравилось. Но в этом ресторане она была такая, какая надо, самая правильная. Я, разумеется, не знал, какая она правильная. Но в Пекине, в главной «Пекинской утке», всё так убедительно и доведено до абсолютного совершенства, что можно не сомневаться: именно такой, какую там подают, она и должна быть.

Та утка, которую нам подали, была с сертификатом. Нам дали маленькую карточку, на которой было написано, где эта утка вылупилась из яйца, была выращена и откуда нам её доставили. А ещё был индивидуальный номер утки, как на двигателе автомобиля или на дорогих часах. Правда, номер был непонятно сколькозначный, я таких цифр и не видывал, но серьёзностью утки проникся.

Утку прямо при нас разделывал мастер. Разделывал с большим уважением к птице. Должен сказать, что съедается утка без остатка. Точнее, подали нам на стол только утиную грудку и мясо с ножек, остальное унесли и вернули в виде супа. Если б мы не захотели этот суп, нам отдали бы оставшиеся кости и прочее, чтобы мы могли самостоятельно сварить то, что хотим, уже дома.

Но я не об этом. Приготовления утки особым образом в особых печах и при особых температурах, выращивание и вскармливание этой утки, а также её поедание — это очень и очень сложносочинённый процесс. В нашей кухонной культуре нет ничего хоть сколько-нибудь похожего. Я укладывал в тоненькие пресные сухие блинчики тонко нарезанные кусочки утки, смазывал всё это соусом, подкладывал в нужном количестве резаный огурец и лук, заворачивал, как мне показывали... Причём делал-то я это руками, а Пиньси — палочками. Я умею есть палочками, но китайцы, по-моему, могут при помощи палочек вдеть нитку в иголку. Я спросил Пиньси, с какого возраста он начал есть палочками. Он совершенно спокойно сказал, что к двум годам уже умел...

Так вот... Мне очень нравилось то, что я делал за столом руками, а ещё больше мне нравилось есть. Пекинская утка — это так вкусно, что больше я ничего не могу сказать...

Меня поразила сложносочинённость этого блюда, вот я и спросил Пиньси: «Я не понимаю! Скажи мне, как это всё можно было от утиного яйца продумать до того, как мы это употребляем за столом? Я представить себе этого не могу».

На что Пиньси спокойно ответил, слегка пожав плечами: «Пять тысяч лет».

Такой был простой ответ, и всё стало понятно.

Я попытался рассказывать о пекинской утке, но понимаю, что ухожу в дебри, и тянет говорить о китайской еде, которая на самом деле такова, что китайские рестораны, которые есть у нас, решительно никакого представления не дают о том, что едят китайцы у себя. Скажу только, что после возвращения из Пекина дней пять я ощущал острую потребность или, как говорят про наркоманов, «ломку» оттого, что попросту хотел обычной пекинской лапши.

После Пекина Москва показалась маленькой, но при этом витиеватой, запутанной, эклектичной, неухоженной, неудобной, холодной, но зато понятной.

Короче говоря, я хочу подумать и неспешно написать о Пекине. Написать о людях, с которыми познакомился, а также о тех, с которыми не познакомился, но которые купили мою книгу, а стало быть, познакомились со мной.

В конце концов я побывал и на Великой Китайской стене, да ещё так удачно на неё попал, что в том месте, где обычно всегда движутся толпы посетителей, не было вообще никого. То есть мне удалось увидеть Великую Китайскую стену вовсе без людей...

Ох, и не просто мне будет собрать свои впечатления о Китае! К тому же сейчас все мои мысли и вся та часть меня, которая осуществляет творчество, направлена только на новый спектакль. Я думаю только о том, что скажу и покажу зрителям 1 марта следующего года, то есть через три месяца. Я думаю о новом своём спектакле «Шёпот сердца».

А ещё надо как-то умудриться отдохнуть, снова ощутить себя человеком, у которого есть дом и дети, нужно успокоиться, и на это у меня всего-то ничего: уже 3 декабря, утром, полечу играть спектакли. Предстоит мне Норильск, в котором я не был очень-очень давно, и Рига, в которой я давным-давно не играл. Предстоит Белгород, в котором, думаю, по нелепой ошибке запрещали к постановке мою пьесу. А также Таллин, в котором играл я только однажды, да и то в маленьком полупустом зале тринадцать с половиной лет назад. Покину дом снова почти на месяц.

Но впереди у меня ещё целых пять дней и шесть ночей.

30 ноября

Неделю назад я автомобилем приехал из Ставрополя в Пятигорск. Сегодня хочу рассказать об этом.

В Пятигорске я был впервые, вообще так глубоко на Северный Кавказ прежде не забирался. Кто-то скажет, что это совсем даже не глубоко, есть глубины поглубже. Но никаких причин ехать в столицы Северо-Кавказских республик у меня не было, туда не звали.

Правда, когда-то, в 1982 году, в Гурзуфе я познакомился с красивой девочкой из Нальчика. Она на меня произвела большое впечатление, а я на неё совсем наоборот. Мы несколько раз встречались на пляже, чуть в стороне от родителей, и однажды сходили на танцы. Под Михаила Боярского, группу «Аракс» и «Самоцветы» я танцевать не хотел, да и, честно говоря, не умел. (В том году абсолютным хитом была песня Михаила Боярского про созвездие Большая Медведица, там были такие слова: «...вечно одна ты почему, где твой медведь». Мне казались эти слова абсолютным бредом, а девочке из Нальчика песня очень нравилась. Однако это не нарушило совершенства её образа в моих глазах.)

Девочка из Нальчика на тех танцах лихо танцевала, её наперебой приглашали и проявляли к ней интерес парни с усами и уже со следами бритвы на лице, а я страдал, но ничего не мог поделать. Не помню, как звали девочку. Размыто помню её лицо, но отчётливо помню её рассказы про город Нальчик. В тех рассказах Нальчик был лучшим городом на земле. Он был почти Изумрудным городом. Я не подвергал её рассказы сомнениям, поскольку такая дивная девочка могла жить только в чудесном городе...

Не думаю, что мне нужно ехать в реальный Нальчик в сегодняшнем моём возрасте. Пусть он останется чудесным.

Про Пятигорск я знал только то, что знают все, кто интересуется русской поэзией. Пятигорск был связан с Лермонтовым, а гора Машук хоть и не является сколько-нибудь значимой вершиной для альпинистов, для любителей русской литературы одна из важнейших гор на всём Кавказе.

Лермонтов! Михаил Юрьевич Лермонтов. Именно он выделил Пятигорск и гору Машук из всех других больших и малых населённых пунктов Юга России и Севера Кавказа. Выделил самым отчаянным и трагическим образом.

Выехал я в Пятигорск после полудня. В Ставрополе было холодно, но солнечно. Часам к двум дня пошёл дождь, и где-то в середине пути нас накрыл туман. Несмотря на то что дорога из Ставрополя в Пятигорск практически безупречна, доехали мы уже затемно. Ничего особенного по пути я не увидел. А когда мы ехали по Пятигорску, видно ничего не было. Туман, темень да огни придорожных заведений, магазинов, домов.

Остановился я в старой, очевидно советской постройки, гостинице с оригинальным названием «Интурист» в надежде выспаться, отдохнуть и с утра, отдёрнув штору, увидеть гору Машук во всей её печальной красе. Мне сказали, что мои окна выходят в аккурат на эту гору. «Ничего другого из ваших окон и не видно, кроме горы Машук», — сказали мне. Я обрадовался и спросил, много ли в гостинице «Интурист» останавливается иностранцев. Мне сказали, что много, потому что азербайджанцы любят лечиться и восстанавливать силы в лечебницах Пятигорска.

Проснулся я рано. И не без трепета отдёрнул шторы...

За окном я не увидел ничего.

Совсем ничего. За окном был не туман, а какое-то очень плотное облако, потому что таких туманов в наших краях не бывает. Облако да и только! Через такие облака мы продираемся на самолётах, взлетая в небеса или опускаясь из них.

Скажу сразу: никаких гор в Пятигорске я не увидел, не увидел даже их подножия. Точнее, я был у подножья горы Машук на предполагаемом месте дуэли и гибели Михаила Юрьевича (точное место дуэли спорно). Там стоит красивый памятник, и мне говорили: мы стоим возле горы Машук, почти на горе...

Но горы не было видно. Совсем.

Меня возили по разным местам и говорили, что отсюда или отсюда открывается потрясающий вид... В итоге я сказал своим новым пятигорским знакомым, что на слово им верю, что на Кавказе есть горы. А что мне оставалось? Только верить. До отъезда, точнее, до отлёта, туман ни капельки не рассеялся. Когда мы взлетали из аэропорта Минеральных Вод, мы сразу влетели в облако, которое лежало на взлётной полосе. А потом вылетели из него в ясное небо, к солнцу. Горы остались в белой и плотной субстанции, не увиденные мною. Так что на Кавказе был — гор не видел.

Будучи в Казахстане и Киргизии, в горах, я понял, что горы меня удивляют, восхищают, пугают... Но я не люблю горы. Я их видел очень мало, с самого рождения жил или подолгу бывал в местах, где гор нет. Горы никогда для меня не были привычным и родным пейзажем. Мой родной пейзаж другой — это максимум холм, с которого далеко-далеко видны поля с островками березняков, и где-то, ближе к горизонту, темнеет лес, виднеется дорога... Вот это привычный для меня пейзаж. А горы слишком большие, непонятные, и люди, живущие в горах, для меня большие и непонятные. Но если горами я восхищаюсь, но их не люблю, то людей, для которых горы — привычный пейзаж, люблю многих.

В Пятигорске гор я не увидел, зато с людьми хорошими познакомился.

В шесть лет я наизусть, за один вечер, при помощи прабабушки выучил «Бородино» Лермонтова. Выучил раз и навсегда. Спустя более сорока лет помню свой восторг от того, как легко запоминались эти дивные стихи, наполненные большим количеством совершенно непонятных слов: драгунами, редутами, уланами, киверами. Но стихи таковы, они такого волшебного свойства, что укладывались в мою голову быстро, легко и прямо в то место, в котором должно храниться самое важное и любимое.

Когда я в первый раз пришёл после младшей школы в кабинет литературы, увешанный портретами писателей, среди всех бородачей самым приятным и интересным был, конечно же, портрет красивого молодого человека с большими глазами, чистым лицом, а главное — в военной форме. Лицо Пушкина я знал и раньше. К тому же висел он от всех отдельно, возле доски. Остальные висели либо сбоку, либо у нас за спинами. От всех этих бородатых лиц исходили назидательное уныние и тоска. Только в Лермонтове было что-то радостное, притягательное и романтическое...

Меня всё время поражало, что лермонтоведов гораздо больше, чем остальных литературоведов. Я убеждён, что даже в дальневосточных университетах на каждом филологическом факультете есть хотя бы один лермонтовед.

Причём лермонтоведы отличаются особой преданностью, почти сумасшедшей любовью к объекту изучения. У нас в университете такая дама была. Меня всегда удивляло и до сих пор удивляет то, как ещё что-то можно находить в подробностях столь короткой жизни Михаила Юрьевича. Я ещё понимаю лермонтоведов уровня и эпохи Ираклия Андроникова, они только начинали вспахивать таинственную целину жизни Лермонтова... Но очень скоро все они упёрлись в то, что у нашего любимого поэта было не так уж много друзей, не так уж много возлюбленных, не так уж много приключений и путешествий... Да и прожил он совсем, совсем немного...

То ли дело Пушкин! Там всего было много, и прожил намного дольше (если сравнивать именно их жизни). Почему же именно Лермонтов вызывал и вызывает такие чувства и такую преданность тех, кто прикасался к изучению его жизни и литературы? Почему именно Лермонтов избирал из людей, начавших изучать литературу, самых отчаянных и беззаветных?

Я помню, как моментально наворачивались слёзы на глазах дамы, которая заведовала кафедрой русской литературы в бытность мою студентом. Она была подлинным лермонтоведом, знавшим не только всех друзей, приятелей и знакомых Лермонтова поимённо, но, боюсь, также и друзей друзей, приятелей приятелей, знакомых знакомых — поимённо.

Что в Лермонтове так волновало и волнует тех, кто стал лермонтоведом?!

Я никогда не был особо увлечён Лермонтовым и не могу похвастать тем, что читал о нём столько же и с таким увлечением, как о Пушкине и Гоголе. Я пытался читать, но мне всё время было непонятно. Лермонтов не становился для меня притягательным и интересным человеком, чья судьба и жизнь будоражили бы и не отпускали внимание. Маленький, нервный, неуживчивый, несчастный... Непонятный.

Мне в юности было непонятно, как он успел так много написать, так как писательство мне тогда виделось чем-то изнурительно трудным и невыносимым. Больше всего мне не нравилось в детстве и юности писать, поэтому писательский труд казался ужасным. Глядя на портреты Толстого, Некрасова, Чехова, я понимал, что, доживи Лермонтов до их лет, у него тоже была бы такая же бородища и измождённое лицо. Также я знал, что Маркс с Энгельсом тоже не дураки были писать и они тоже бородатые и печальные. Лермонтов своей молодостью и безбородостью очень выбивался и выделялся. И мне было непонятно, как молодой человек, занятый столь интересным делом, как воинская служба, мог ещё писать, да и написал-таки довольно много.

В свои тринадцать-четырнадцать двадцатишестилетнего человека я воспринимал как бесконечно взрослого, просто не такого дряхлого, как Тургенев, Достоевский и Островский. (Пушкин со своими бакенбардами был всегда где-то между Лермонтовым и Некрасовым. То есть вроде бы с растительностью на лице, но без бороды.)

Теперь же, в нынешнем своём возрасте, и чем дальше, тем сильнее, я вижу всю непостижимую таинственность того, как этот юный, маленький, нервный, несчастный человек смог написать столько, а главное — что написал...

Ладно ещё «Мцыри» и «Демон», ладно ещё «Бородино» и «Парус», но как он смог написать такую прозу?! Такой прозы до Лермонтова на русском языке не было. Как он мог создать «Героя нашего времени»? Кто водил его рукой, когда писал он «Выхожу один я на дорогу»? Что за божественные слова!

Лермонтов — поэт и писатель — никаким образом не укладывается в свою биографию и в свой образ.

Мне очень понравился лермонтовский музей-заповедник в Пятигорске. Это целый квартал, хранящий следы последних дней его жизни. Это маленький домик, в котором Лермонтов снимал две крошечные комнаты. Такие крошечные и скромные, что в оных Пушкин и часу, наверное, провести бы не смог. Это дом и гостиная, в которой произошла глупая, провинциальная и совсем ребяческая ссора, это крыльцо, на котором Лермонтов получил вызов на нелепую и во всех смыслах корявую дуэль. Дом, гостиная и крыльцо маленькие. Музей небольшой, если не сказать маленький. Город Пятигорск, особенно во времена Лермонтова, был маленький, если не сказать крошечный. И во всём этом — огромный Лермонтов с маленькой биографией и маленькой жизнью.

В музее представлено много прижизненных портретов Лермонтова, исполненных разными авторами. Одинаков на них только высокий лоб. В остальном портреты таковы, будто их писали с разных людей. Даже форма носа везде разная. Лермонтов не складывается в одного человека...

В музее много его рисунков и есть живописные работы. Рисунки живые, динамичные, много боевых сцен, но они какие-то детские, по-детски нарисованы. Видно, что Лермонтову нравилось рисовать, но, видимо, так же, как нравится детям, у которых рисовать получается неплохо, и их хвалят за умение, да ещё можно прихвастнуть и продемонстрировать свой талант... Художники рисуют не так. Рисунки Лермонтова — не рисунки художника. Это рисунки внимательного, чувствительного и любознательного дилетанта. А его пейзажи маслом столь наивны и столь по-юношески ярко написаны, что балансируют на грани, а то и за гранью китча.

В одном из залов музея экспонирована маленькая, весьма тщательно написанная Лермонтовым картина... Горный пейзаж с какой-то рекой. Смешная, юношеская, трогательная своей «красивостью». Наивно, безвкусно, беспомощно. Я остался в зале один и постоял у картины довольно долго, старался смотреть на неё приблизительно с той точки, с которой смотрел Лермонтов, когда писал. Я смотрел и видел всю беспомощность и наивную тягу к красивости... Скалы на картине острые, река — холодная и прозрачная, небеса — ярко-синие, снег — ярко-белый, и всё чересчур.

Я смотрел, смотрел на картину, которой, как известно, Лермонтов остался доволен, и не мог понять, как человек, который нарисовал этот китч, мог написать «Ночевала тучка золотая на груди утёса-великана», как мог написать «Прощай, немытая Россия», «Выхожу один я на дорогу».

Я впервые побывал в тех домах и помещениях, в которых жил, был, дышал Михаил Юрьевич. Видел его рабочий стол, привезённый из Петербурга, за которым он многое написал. Видел то же, что видел он, смотрел в те окна, в которые он когда-то, стоял возле того места, где долго лежало его бездыханное тело. Побывал возле места, где он был убит... И он ни капельки не стал для меня более реальным, чем был когда-то на стене кабинета литературы в кемеровской школе. Могу сказать больше: для меня его чудесные литературные свершения стали ещё более таинственны.

А вот гор я не увидел, они остались за белой пеленой. Мне сказали местные люди, что туманы в этих местах и в это время года — дело не то что частое, а скорее обычное, но с плотностью тумана мне повезло.

В Пятигорске очень хорошая публика, которая ждала и заполнила собой театр. Это значит, что я снова смогу туда приехать, и поездка, как говорится, не за горами. Постараюсь, чтобы она случилась как можно скорее. Хочу увидеть не только туман, который когда-то видел Лермонтов, но и горы, хотя бы Машук. Думаю, что, когда увижу горы, ничего нового в образе Лермонтова не раскроется, ничего в нём понятнее не станет, а вот таинственности добавится наверняка.

2 декабря

Думал-думал, как и что можно написать о своих китайских впечатлениях, о знакомстве с людьми, о тех вопросах, которые задавали мне первые китайские читатели моей книги... Что я ощутил, находясь в Пекине — в самом большом городе, в каком я побывал, что могу сказать о коротком прикосновении к чему-то огромному, многоликому...

Я понял, что пока не могу ничего сказать. Рано. Надо будет поехать ещё, чтобы прояснить собственные ощущения и самому задать вопросы, которые пока не удалось сформулировать. Вот съезжу ещё и тогда напишу. К тому времени, думаю, людей, которые прочли мою книгу, станет больше, и у них ко мне появятся и сформулируются какие-то новые вопросы.

В прошлый раз писал про Кавказ, на котором побывал, но гор не видел... Зато в Китае я видел Великую Китайскую стену, даже побывал на ней в день отъезда, точнее, в день вылета. Самолёт мой улетал ночью, и Фу Пиньси очень хотел напоследок вывезти меня из Пекина, показать Великую Китайскую стену, а после — свой дом. Именно в такой последовательности. Стена от Пекина недалеко, существенно меньше ста километров, но основные трассы из-за саммита АТЭС были перекрыты, на вспомогательных были пробки, Пиньси нервничал, сомневался, что мы успеем осуществить намеченное. Он нервничал по-настоящему, развеяв миф о пресловутой восточной сдержанности и закрытости. То есть оказался понятным и близким человеком, который может моментально взорваться и так же быстро остыть.

Из-за дорожных сложностей ехали довольно долго — по маршруту, по которому проехали миллионы и миллионы туристов. Честно говоря, я не очень хотел быть одним из тех миллионов, чтобы отметиться прикосновением к одному из символов величия и могущества человека. Я плохо себя чувствую в толпе туристов и не люблю делать очередные плохие снимки чего-то знаменитого, много раз снятого профессиональными фотографами. Но Фу Пиньси считал, что посещение Великой стены — дело важное и практически обязательное. Я ни секунды не спорил, поэтому и поехал.

Вот только чем ближе мы подъезжали к цели, тем пустыннее становилась дорога. Ни попутных машин, ни встречных. Это было странно: я ожидал вереницы автобусов и табуны автомобилей.

Приехали мы к месту, откуда начинается посещение самой знаменитой стены в мире (иерусалимскую Стену Плача в Китае не особенно знают), за полтора часа до закрытия.

Судя по числу касс, продающих билеты, по турникетам и прочему было видно, что обычно здесь не просто много людей, а очень много. Но в этот раз не было никого, совсем.

Мы приобрели билеты, сели в автобус, который должен был везти нас к фуникулёру, и какое-то время ждали, чтобы автобус хоть сколько-нибудь наполнился. Не дождались, поехали. Продавцы сувенирных лавок и снеди грустно смотрели на нас. Было видно, что для них отсутствие людей удивительно и непонятно...

Мне удалось побывать на Великой Китайской стене так, что в какие-то моменты я не видел на ней людей вообще! Ни с одной, ни с другой стороны. А стена уходила по горам куда-то в невидимое пространство, и я не верил в реальность происходящего. Многоуважаемый Фу Пиньси тоже был удивлён, говорил, что прежде никогда не видел стену без людей, без толп туристов.

Я поднялся на одну из маленьких башен, стоял там один, смотрел во все стороны и не видел никого, даже Пиньси. В тот момент я ощутил странное, непостижимое одиночество в самом посещаемом месте самой густонаселённой страны в мире.

У меня определённо было ощущение происходящего со мной чуда, а где-то глубоко внутри себя я говорил: «Как же тебе повезло!.. Как повезло! Смотри, впитывай, такого с тобой больше не случится».

Почему так случилось, что это была за аномалия, я не знаю и не узнаю.

Погода была прекрасная: не было ветра, и если с утра даже накрапывал дождик и было пасмурно, то к тому моменту, как мы приехали, облака уползли куда-то, вышло солнце, и нам с Пиньси был дарован удивительный закат.

Должен сказать, что Великая стена сама по себе довольно низкая и размерами не впечатляет. Она впечатляет и будоражит воображение своей длиной и безумием гордыни от задачи, которую ставили перед собой те, кто затеял это бессмысленное, с фортификационной точки зрения, сооружение.

И всё же Великая Китайская стена — это что-то очень и очень китайское. Именно китайцы могли такое затеять и сделать. А с тем, что китайцы — великий народ, думаю, не поспорят даже американцы.

На стене я встретил один из самых удивительных закатов в своей жизни, такого я прежде не видел. Но этому есть простое объяснение: прежде я не видел закатов в Китае.

Я смотрел на меняющееся освещение гор, на уходящие в стороны их вереницы, видел, как розовеет небо, как тает в закатных лучах оторвавшееся от больших туч облако, видел птиц, видел петляющие в горах дороги, деревни внизу, и вдруг понял: я понял, что пейзажи на китайском фарфоре, которые видел в музеях и книгах, китайские картинки и открытки с горами, деревнями, реками и мостиками над ними — это всё правда. Всё это есть, и китайские художники ничего не выдумали, как ничего не выдумал фламандец Брейгель и как ничего не выдумал Левитан. И Гумилёв в стихотворении, которое потом гениально пел Вертинский, тоже ничего не выдумал, написав, что в Китае эмалевое небо. Хорошо, что он написал это, а то бы я голову сломал, пытаясь найти определение тому небу, которое видел над собой, стоя на Великой Китайской стене.

Уезжал я от стены ошарашенный, не в силах говорить. Приехали мы домой к Пиньси уже затемно. Не буду описывать его дом, поскольку не спросил у него разрешения. Мы выпили крепкой китайской пятидесятитрёхградусной водки, которая меня расслабила, напомнила об усталости за прошедший день и сделала сентиментальным.

Я сдерживал себя, чтобы не расплакаться и не обнять Пиньси из благодарности за то, что он подарил мне закат и Великую Китайскую стену без людей. За то что из множества книг на русском языке он выбрал мой первый скромный роман «Рубашка». За то, что из всех языков мира он почему-то выбрал русский, выучил его блестяще и полюбил. За то, что много своих молодых лет он жил и работал в Москве и навсегда полюбил мою Родину и столицу. Полюбил так, как многим из нас не под силу.

Перед самым отъездом в аэропорт Фу Пиньси прочёл наизусть какой-то важный и глубокий буддистский текст, какой-то канон.

За шесть дней пребывания в Китае я привык к звучанию китайского языка. В чьих-то устах он звучал благозвучно, в чьих-то не особо, но тут я услышал подлинную музыку, музыку древнего безупречного текста, произнесённого с таким чувством, что я оторопел. У Пиньси в тот момент изменились глаза. Такие глаза я видел только у людей, которые поют важную и глубокую песню, у музыкантов, которые исполняют великую музыку.

А потом мы поехали в аэропорт.

Думаю, что люди, работающие с китайцами и много бывающие в Китае, скажут, что китайцы и такие и сякие, с ними ухо надо держать востро, они своего не упустят, а наоборот... Скажут, что, чтобы понять Китай, надо попасть на рынки, съездить туда, зайти, повидать то и сё...

Да! Кто ж сомневается!

Но я уезжал в аэропорт из дома Пиньси совершенно притихший и счастливый. У меня определённо было ощущение, что мне позволили прикоснуться к таинственному и прекрасному, которое понимать не обязательно, которым можно восхищаться без понимания.

3 декабря

Ровно три месяца назад, в самом начале сентября, я высказался в этом дневнике и озаглавил своё высказывание «Я так думаю». После я не раз подумал, надо было это делать или нет.

Я ни разу не пожалел о том, что высказался, но сомнения были и остаются до сих пор. Много людей не пожелали больше со мной общаться. Многие, наоборот, были благодарны, но из их благодарности я понял, что мною сказанное было ими истолковано совсем не так, как мне бы хотелось.

Вот и сейчас я хочу высказаться, точнее, не могу не высказаться. А если не могу не высказаться, то, возможно, это проявление слабости, потому что, как известно, молчание — золото.

Со времени той записи прошла осень и началась зима. Это была трудная осень, можно сказать, изнурительная. Настроение, которое царит в стране, общая атмосфера — самое сложное, с чем приходилось и приходится встречаться. А ещё с этой атмосферой и этим настроением непременно нужно справиться, если выходишь на сцену. Не в том смысле, что нужно всех развеселить, а в том смысле, что нужно сделать так, чтобы человек, пришедший в театр и принёсший с собой то настроение, которым в целом живёт страна, смог обрадоваться, почувствовать жизнь как непостижимо сложный, но всё же радостный процесс.

Никогда прежде это не давалось таким трудом. Прошедшая осень была самой трудной из тех, которые мне выпали в этом веке (ведь первые мои гастроли и выступления для широкой публики начались в 2000 году). Но осень закончилась, пришла зима, как и каждый год. Где-то стало холодно раньше, где-то осень была мягкой и затяжной, но зима пришла. На календаре декабрь, нравится это кому-то или не нравится. Лично мне не нравится. Мне не нравятся холода, не нравятся голые деревья, не нравится, когда сразу после обеда начинает темнеть. В зиме, конечно, есть радостные моменты вроде свежего снега, катка и Нового года. Но в целом наша зима долгая, утомительная и простудная. Однако, нравится она мне или не нравится, теплее или короче зима от этого не станет.

Год назад в эти дни в Киеве начиналось то, что могло бы произойти не так, как произошло. Тогда бы мы к нынешней зиме пришли не так, как пришли. Сейчас видно многое из того, что могло бы — и должно было — произойти не так, как произошло... Но об этом поздно и глупо говорить теперь. Ох и не нравится мне то, как мы пришли к этой зиме и как мы в неё входим, потому что мы входим в неё в состоянии войны.

Я имею в виду даже не непрекращающиеся бои на юго-востоке Украины, не усиливающуюся изоляцию России и всё больший холод взаимных претензий и слепого упрямства со всех сторон. Я о другой войне, о войне, в которой многие себе не могут признаться, — о войне, которая в головах.

Австрийский писатель, поэт и просто умный человек Карл Краус сто лет назад высказался о такой войне. Он написал: «Война — это сначала надежда, что нам будет хорошо; потом — ожидание, что им будет хуже; затем удовлетворение, что им — не лучше, чем нам; и, наконец, неожиданное открытие — что плохо и нам и им».

Так вот, всякий, кто честно сознается себе, что в нём были перечисленные надежды, ожидания и удовлетворение, находился и находится в состоянии войны — с Украиной, Европой, Америкой... Но только в случае, если человек смог сознаться себе в этом, только тогда он сможет из этой войны выйти с достоинством. Не победителем — в такой войне не бывает победителей, — а просто с достоинством.

Я не хочу и не буду говорить про дикую, тёмную и лютую ненависть к России и всему русскому, которая царит и царствует сейчас на/в Украине. Про это уже бессмысленно говорить, всё сказано тысячи раз, и любые новые факты ничего нового никому не сообщат. Нам они ни на что не откроют глаза, а в Европе и Америке их никто не услышит — до поры до времени не услышит, этой зимой уж точно нет. Тому много примеров.

Не сомневаюсь, что уже всем понятно, а тем, кто допущен к информации, прекрасно известно, кто сбил злосчастный малазийский самолёт, кто убил почти двести человек... Но этой зимой нам об этом не скажут, не сознаются. Именно не сознаются, потому что следователи и убийцы — в одной компании, нравится им это или не нравится. Наверное, следователям не нравится, но уже поздно метаться. Зима и война. Все на своих позициях. И этой зимой с этих позиций никто не сойдёт.

Не буду говорить и о том, что мы (мы – Россия) бесконечно утверждаем, что в/на Украине идёт страшная гражданская война. А Украина в своём подавляющем большинстве уверена и утверждает, что ведёт войну с Россией и никакой гражданской войны не было и нет. С этими утверждениями спорить бессмысленно, потому что они взаимоисключающие, нравится это кому-то или не нравится. Кому-то нравится быть убеждённым, что на юго-востоке Украины полно российских войск, кому-то, наоборот, нравится быть уверенным, что их там нет вовсе.

Я не об этом. Я о другой войне.

Просто если кто-то обрадовался присоединению, возвращению или аннексии Крыма — кому какая формулировка больше нравится, — и обрадовался не в том смысле, что таким образом удалось избежать страшного, катастрофического кровопролития и ужаса, а обрадовался тому, мол, смотрите, как мы можем, тому, что историческая глупость и несправедливость исправлена, а хохлам поделом, нечего им было кобениться и показывать нам бесконечную дулю... Как только в ком-то проскочила такая радость — не тревога за последствия, не сомнения в правомерности произошедшего, не мысли о том, как сразу всё усложнится и усложнилось, а простая радость, — в этот момент тот, кто обрадовался, вступил в войну.

Крым теперь часть России, и это случившийся факт, нравится это кому-то или нет. Но это понимают все. И в первую очередь те, кто больше всех кричит, что это не так. Это понимают и Меркель, и Обама, и взбесившаяся госпожа Грибаускайте, которая своими высказываниями и внешним видом похожа на парикмахершу, которой наконец-то удалось открыть собственную парикмахерскую. Они потому так и кричат, что понимают всю безответственность своего крика, потому что с тем, что Крым российский, уже ничего не поделать. Это ещё лучше понимает украинская политическая элита, которая, по крайней мере этой зимой, будет со всей убеждённостью врать согражданам, что Крым они России не оставят... Уже оставили. Всё! Поздно. Оставили 1 марта, ровно в тот день, когда прошлая зима закончилась.

Этой зимой ничего не изменится. Вот только радости от присоединения Крыма стало и становится всё меньше как в Крыму, так и в России.

Точно и умно Карл Краус написал в 1914 году: война — это сначала надежда, что нам будет хорошо. Именно так и было с теми, кто обрадовался. Только надо честно себе признаться в том, что радость была. А теперь?

Потом были весна и лето с фронтовыми сводками, введением новых и новых санкций, с угрозами, сбитым самолётом. Потом были наши ответные санкции — эмбарго.

Надежда, что будет хорошо, улетучилась очень быстро. Стало ясно, что нехорошо. Стало ясно, что плохо. И на место надежды, что «будет хорошо», пришло ожидание, что «им будет хуже». Им всем.

Они подавятся своими яблоками, рыбой и мясом, устрицами и вонючим сыром. Они зубы обломают о нашу твёрдость и гордую силу. Они не смогут без наших газа и нефти, они опомнятся и пожалеют. Да, у нас рубль дешевеет, зато у них гривна обесценивается куда сильнее...

На другой стороне наверняка смаковали каждую новую антироссийскую санкцию, арест «Мистралей», всякую глупость и барство наших властей, типа ареста Евтушенкова, который совершили так вовремя, что лучшего времени просто найти не могли. Смаковали последствия этого ареста, определённо радовались угрозам и обещаниям Европы и Америки Россию задушить, а их, наоборот, согреть в объятиях. Заходились в радостном негодовании, когда был сбит несчастный самолёт. Негодовали, но радовались, потому что после такого России капец... Я точно не знаю, чему там ещё радовались, им виднее — если они могут в этом себе признаться.

У нас в наших СМИ в это время шли репортажи об украинских больницах без медикаментов, об обездоленных пенсионерах, об отчаявшихся людях, которые не в силах вернуть кредиты, о матерях, потерявших сыновей на войне. Вот, мол, посмотрите, нам плохо, но им-то хуже.

Любые мало-мальские протесты несчастных польских или греческих фермеров, пострадавших от эмбарго, выходили как главные новости. А когда в Америке убили чёрного парня — много и подробно нам показывали американские беспорядки, мол, смотрите, и эта страна смеет наглость нам что-то диктовать и на что-то указывать.

Всё это отзывалось в тех, кто вступил в войну в своей голове.

Ожидание, что «им будет хуже», максимально обострилось и усилилось, когда беспрерывной чередой пошли предзнаменования скорых холодов и замерзающей без российского газа Украины. Им будет хуже, им будет хуже, им будет хуже! Вот тогда мы на них и посмотрим.

Но пришла зима. Декабрь. И наша национальная валюта бегом, вприпрыжку устремилась вслед за гривной. Удивительно, но никто в заснеженном Киеве не мёрзнет. Никто не опомнился. А значит, вот-вот начнётся период, когда придётся удовлетворяться тем, что «им не лучше, чем нам». Это, боюсь, никому не понравится.

Следом в этой войне должно прийти «неожиданное открытие, что плохо и нам, и им». Это открытие должно прийти неизбежно, как неизбежно приходит весна. После должна появиться надежда, что война, по крайней мере в головах, пойдёт на убыль. Должно прийти такое открытие! Обязано! Но зима пришла раньше, и зимой такого открытия не случится.

Почему? А потому что мы к зиме, такой лютой, не готовы! Мы не готовы. Мы! Не они.

И тут не надо ни на кого пенять. Это бессмысленно и вредно. Если пенять и винить кого-то в том, что мы не готовы к зиме, мы этой зимы не переживём.

В этом смысле надо принять то, что если у Украины и украинцев претензии и вопросы в основном к нам, то у нас все вопросы должны быть только к самим себе. Надо это принять и понять как важное достоинство, если не преимущество. Только надо быть честными с самими собой, нравится это кому-то или не нравится.

Надо признаться самим себе, что это мы утратили чувство реальности и бездарно распорядились тем многолетним везением, которое нам выпало в виде высоких цен на нефть. Мы так устали от неустроенности и так хотели спокойствия и благополучия, что впали в апатию и безразличие и получили такую власть, какую имеем.

Мы же видели свою экономику, видели, что это видимость, а не экономика. Постоянно говорили, что всё катится непонятно куда и бесконечно так продолжаться не может. Понимали: случись что, сразу всё будет...

Вот и случилось. Случилось! А мы? Мы оказались не готовы. При этом никто не удивился. Парадоксально, не правда ли?

Действительно, чему удивляться-то? Мы утратили чувство реальности, мы привыкли... Кто виноват в том, что пришла такая зима? Обама с Меркель? Грибаускайте? Путин? Яценюк с Порошенко? Мы сами?

Нам долго-долго объясняли и всё ещё продолжают объяснять... Ничего другого наша пропаганда не выдумала... А мы слушаем, мы привыкли. Привыкли к тому, что нам говорят: не волнуйтесь, волноваться не приходится, мы всё переживём, у нас всё под контролем, кубышка полна, золото-валютные резервы набиты, беспокоиться не о чем, цены на нефть падают, но это не критично, рубль падает, но это всё гадкие спекулянты, не беспокойтесь ни о чём, у нас всё будет хорошо, только не волнуйтесь, не надо волноваться! Почему? А потому, что мы — это мы. Мы — Россия, и это всё объясняет.

Мы это слушали и не то чтобы верили — мы просто привыкли.

Всю только что закончившуюся осень, во всех городах, где мне довелось побывать, самым распространённым тостом в застольях был тост «За Родину». У кого-то за соседним столом день рождения, годовщина свадьбы или рядовая пьянка, а оттуда нет-нет и долетит «За Кубань», «За Кузбасс», «За Урал», «За наш Север», за «Восток», «Юг», «За Родину». Всю осень эти тосты произносились как заклинания, как публичные заявления и клятвы... Клятвы в верности тем, кто за столом, верности стране, избранному курсу, а также обещание пройти с теми, кто за столом, избранным курсом до конца.

Я давно знаю, что чем больше пьют за Родину, тем хуже дела в стране.

Весь пафос этих тостов оставался за столом. А на деле? На деле в стране взлетели цены, в первую очередь на продукты питания, на самое основное. Кто их поднял? Меркель с Обамой? Путин? Яценюк? Их подняли те, кто пил за Родину. И подняли для тех, с кем пили. Их подняли те, кто испугался, что доходы, к которым они привыкли, не то что исчезнут, а просто снизятся. Они привыкли закладывать свои 100% и не в силах от них отказаться. Не видят причины. Они привыкли к магии цифр и пересчёту этих цифр из рублей в евро. Жадность. Всепоглощающая жадность. Жадность и у продавца на рынке, и у владельца сети гипермаркетов. Привыкли многие.

И вот в стране, про которую нам говорят, что она как никогда сплотилась перед лицом внешних вызовов, что она не допустит однополярного мира, что она едина... В нашей стране мы видим, как жадность, которая стала привычным и давно не осуждаемым явлением, побеждает. Побеждает нас. Потому что между всеми возможными жадностями оказывается человек, который за прошедшую осень больше зарабатывать не стал, а деньги в его руках полегчали и продолжают легчать и таять.

Мы оказались в стране с правительством, которое привыкло быть некомпетентным и отвыкло стыдиться своей некомпетентности. Мы остались в изоляции с руководством, которое привыкло все проблемы от своей некомпетентности, бездарности и неуёмной жадности забрасывать деньгами, счёта которым это руководство не знало и знать не желало.

Но вот случилось... Деньги, по утверждению руководства, вроде ещё есть и волноваться по-прежнему не надо, всё, как и раньше, под контролем — только неубедительны они теперь. Глазки у них забегали, чаще стали моргать.

Но вместо того чтобы, как в трудные времена делают умные, рачительные и хозяйственные руководители, дать людям возможность самостоятельно и достойно выжить... Из понимания и сочувствия дать людям возможность работать в суровые времена в мягких условиях... Так нет! Принимаются у нас с наступлением холодов другие, жёсткие, грубые, несовременные, бессмысленные законы, указы и условия, без учёта и понимания происходящего.

Мы логику принятия этих законов, указов и условий не понимаем, но отлично знаем, что, если упали цены на нефть, обязательно поднимутся цены на бензин.

И получается, что в сплотившейся перед внешними вызовами стране те, кто что-то продаёт и не может угомонить свою жадность, душат своих же сограждан. Не важно, что продаёт — колбасу или билеты на концерт, бензин или книгу... К ним быстро присоединяются те, кто лечит, учит, стрижёт...

Много тех, кто держится, кто не позволяет себе лишнего за счёт своих же сограждан. Такие есть. Но силы их не бесконечны.

И вот, без всяких внешних угроз, мы душим друг друга, поднимая тосты «За Родину».

При этом своё правительство, своих министров мы своими не ощущаем, даже союзниками не считаем. А свой Центробанк понимаем если не как врага, то уж точно не как того, кто за нас. То есть я не чувствую, что мой Центробанк за меня.

Нам не нужны иностранные санкции, нам достаточно нашего Центробанка. Мы так долго смеялись над Д. Псаки, а наша Ксения Юдаева чем лучше? Эта барышня всегда веселится и всегда говорит то, что нужно понимать прямо наоборот. Всё, что она говорила и обещала, либо не случилось, либо случилось совсем не так, и всегда плохо. Я не специалист, совсем! Но когда вижу такого человека, который при этом является вторым лицом Центрального банка моей страны, я не удивляюсь тому, что Центробанк ведёт себя либо так, будто в мире всё хорошо и нет проблем, либо действует так, что лучше бы не действовал.

Для того чтобы замёрзнуть этой зимой, нам не нужны Брюссель, НАТО и другие, нам своих вполне достаточно. Нам достаточно наших министров. Почему я не слышу нашего министра финансов и министра экономического развития? Эти люди что-то говорят, выступают, дают интервью. Я вижу, что они шевелят губами, артикулируют... Я делаю звук погромче — и всё равно ничего не слышу. Может быть, и не надо слышать? Может, говорят они ультразвуком, как дельфины? Но тогда они говорят не нам, не людям, не согражданам, не мне. Может быть, это кому-то нравится, но я таких людей не встречал.

Наша Дума давно превратилась в бесконечную первомайскую демонстрацию, а что делает и для чего существует Совет Федерации, мне попросту непонятно. Смею надеяться, что я не дурак, но мне непонятно.

Если всё это — необходимые атрибуты власти, то это очень дорогие атрибуты. Нам их оплачивать дорого. Мы долго и спокойно это делали и делаем, но наступила зима. Зимой нормальные люди экономят тепло, энергию и жизненные силы.

А сейчас нам точно надо начать экономить — хотя бы свои собственные нервы, силы — и не так много их тратить на Украину. Не надо о ней так много говорить, не надо так много ей уделять внимания и поддерживать войну в голове. Надо прекратить смаковать каждую выходку их националистов, каждое заявление Яценюка или других законченных русофобов.

Неужели ещё не ясно, что все их показательные выступления — только для нас? Все их выходки, шествия, угрозы, сносы памятников и другие грязные акции, вся их оголтелая русофобия — это всё делается для нашего потребления. Они питаются нашим возмущением, нашей ответной реакцией, нашим неусыпным вниманием, нашими нервами. Условно говоря, им газ наш не нужен, они согреются тем, как раздосадовали и допекли нас.

Мы что, не можем быть спокойнее и сдержаннее? Да можем! Должны! Обязаны! Зима на дворе, нравится это кому-то или нет. Знаю тех, кому нравится. Они бегают с одного телешоу на другое, с канала на канал и орут, орут, орут.

А там? Там тоже бегают и орут. Ну да пусть себе! Пусть бегают. Пусть орут. Не будем слушать — перестанут бегать и орать.

Пусть они сами пройдут весь свой путь. Не надо тратить силы на то, чтобы кого-то вразумить и надоумить. Надо спокойно признать, что нас они не послушают, мы для них не авторитет и уж точно не пример для подражания со всем тем, что сами творим у себя. Не надо им исступлённо на что-то открывать глаза. Надо самим спокойно открыть свои глаза на то, что у нас зима. А они пусть сами. Пусть думают, что у них весна. Им надо, они этого хотели и хотят.

Не надо смеяться над Яценюком, который хотел и хочет построить стену на границе. Надо просто вспомнить, что не так уж давно, почти недавно, наши политические деятели, которые по-прежнему остаются в политике, всерьёз предлагали построить стену вдоль границы с Чечнёй. И идея обсуждалась в обществе, нравилась многим. Так что Украине надо пройти весь путь. А нам не следует злорадно и гневно за этим наблюдать.

Как бы банально это ни звучало — надо заняться собой. Зима!

И уж точно не стоит ждать, что Америка и Европа опомнятся, поймут всю несправедливость и двойные стандарты, применённые к нам, осознают, как ошиблись с Украиной, увидят, что эта ошибка им вышла боком, и извинятся.

Никто перед нами не извинится. Никто к нам с признаниями не придёт. Зима. Зима и война в головах.

И все ждут, что нам станет хуже. Точнее, теперь уже ждут, что будет ещё хуже. Никто не встанет на нашу сторону. А как можно встать на сторону тех, кто душит своих же, и тех, кто позволяет себя душить своим же, да ещё зимой, когда надо совсем наоборот...

А весной мы многих недосчитаемся. Многие уже уехали, не дожидаясь зимы, и многие в процессе отъезда. Такого бегства из страны и массовой эвакуации детей в зарубежные школы и вузы я не помню. Но если раньше я осуждал отъезжающих, то теперь не нахожу причин и слов оспорить их решение. Ну не хотят люди своими силами, годами своей неповторимой жизни и заработанными деньгами помогать и оплачивать многополярность мира и дикую некомпетентность власти со всеми её хотелками и амбициями.

Недосчитаемся мы весной наиболее рьяных и горластых. Это те, что рвут на себе одежду и волосы, поливая грязью тех и восхваляя того. Уж больно они рьяны. Надоедят они нам за зиму.

Забудем и не вспомним к весне тех, кто на эту зиму решил залечь в спячку и отлежаться. Зима будет долгая. А память о тех, кто спрятался в берлогу, — короткая.

Эта зима проявит тех, кто из-за своей жадности утратил не только гражданскую, профессиональную, но и человеческую позицию. В такую зиму жадность и подлость не прощают.

Хотя будут те, кто на зиме заработает так, что и представить сложно. То есть сложно представить нормальному человеку такой уровень цинизма и алчности...

Благо много тех, кто без радости и фальшивой, напускной удали, без тостов «За Родину» спокойно встретил эту зиму. Встретил холода и честно признался себе, что в том, как и что происходит сейчас, есть и его вина. Вина в том, что ради спокойствия и комфорта поступился он чем-то важным, тем, чем поступаться нельзя. Виновен в том, что в какой-то момент не удержался и пожелал, чтобы кому-то было хуже, чем нам. Виноват тем, что, когда было тепло, не сделал того, что нужно было сделать... Поленился или понадеялся на авось, поверил уверениям, что всё хорошо.

Я знаю много таких, кто внутренне был готов к зиме — вот только такой лютой зимы никто не ожидал. Никто!

Но она наступила. И признать, что она будет долгая и тяжёлая, — не нытьё и не слабость. Нытьё и слабость — это отказаться верить, что весна настанет. Ещё большая слабость и глупость — это сразу, с первых дней зимы, начать ждать весну. Зима будет столько, сколько будет, нравится это кому-то или нет. Ждать весну бессмысленно — зиму нужно пережить. ПереЖить!

Пережить друг с другом. Здесь. У нас. Пережить достойно. По-человечески. Не пытаясь греться тем, что кому-то, возможно, холоднее. Не надо надеяться, что кому-то холоднее. У нас самая холодная в мире зима. Мы своей зимой знамениты на весь мир. Мне это не нравится, но что делать? Я остаюсь зимовать. И не нужно быть пророком, чтобы понимать, что зима будет долгой. У меня же есть серьёзные жизненные планы на эту зиму.

P. S. Напоследок хочу привести ещё одну маленькую цитату из Карла Крауса. Не бесспорно это высказывание и язвительно оно... Хотел бы я, чтобы услышали его и у нас, и у них, понравится оно или не понравится: «Вполне естественно умереть за отечество, в котором жить невозможно». Карл Краус (1874—1936).

28 декабря

Рабочий 2014 год для меня закончился: 23 декабря сыграл в Таллине последний спектакль.

Декабрьские гастроли прошли в постоянной непогоде. Куда бы ни ехал, куда бы ни летел — везде была непогода.

Белгород не принимал самолёты, потому что был непроглядный туман, пришлось ехать жутким поездом «Москва–Симферополь». Попался 13-й вагон, 13-е место. Единственной привилегией в этом вагоне было то, что стоп-кран находился рядом с моим купе. В Воронеже был ледяной дождь, в Тамбове — снегопад, какой, случись он в Бельгии или Франции, привёл бы к транспортному коллапсу и был бы во всех новостях. В Череповце мой спектакль совпал с хоккейным матчем местной команды «Северсталь». Для Череповца хоккей — всё равно что непогода. У меня был заранее забронирован номер в гостинице, но хоккей — гораздо более важная тема для Череповца, чем театр. Так что на моё место поселили приезжего хоккеиста. Приятно, что «Северсталь» проиграла... Вологду в день моего спектакля накрыло таким снегопадом, что было решено не рисковать с самолётом, к тому же из Вологды улететь было невозможно, надо было ехать в Череповец. Сразу после спектакля пришлось сесть в поезд «Воркута–Москва» и добираться до столицы под стук колёс.

После Вологды был Норильск. Я восемь лет не летал в Норильск, боялся: тогда мне пришлось просидеть в Норильске в ожидании вылета двое с половиной суток. Мне помнилось, как местные говорили, мол, ещё повезло, можно было и неделю просидеть. В этот раз Норильск встретил чудесной погодой. Когда я прилетел было −8°, шёл дивный снег, на улицах Норильска было много людей, которые с удовольствием прогуливались. Мамаши катали малышей в колясках и санках, а город был украшен новогодними огнями.

Улетал я из Норильска больше суток. Вылетел не с первой попытки. Первая была неудачной. Точнее, сначала она казалась удачной, потому что нас зарегистрировали, вовремя посадили в самолёт, за двадцать минут до нас вылетел предыдущий рейс, мы вырулили на взлётную, прослушали все инструкции и посмотрели демонстрацию спасательного оборудования, пилот пожелал нам приятного полёта. Но...

Как в триллерах, как в дешёвых детективах — в самый последний момент сменился ветер. Мы просидели в ожидании улучшения погоды три часа в самолёте, хотя было ясно, что никуда мы уже не полетим, потому что ветер только усиливался. Усиливался до такой степени, что наш стоящий на взлётной полосе самолёт трясло и раскачивало сильнее, чем в любой зоне турбулентности. В итоге улетел я только на следующий день.

За неимением других развлечений сходил в кино, в маленький, старый и очень уютный кинотеатр «Родина». Посмотрел отечественный, широко разрекламированный фантастический опус под названием «Вычислитель» с Евгением Мироновым в главной роли. Это кино многократно хуже, чем самая ужасная непогода, — потому что кино рукотворно...

В удивительные времена мы живём. Ещё совсем недавно мне казалось, что ничего глупее, бессмысленнее и хуже, чем фильм «Обитаемый остров», быть не может. Однако по сравнению с «Вычислителем» «Обитаемый остров» почти шедевр.

Иногда завораживает степень идиотизма. Порой невозможно оторваться от наблюдения за безумием. Смотришь, видишь, что глупо и безумно, но ждёшь, что вот-вот наступит предел глупости. Однако предел не наступает, и именно это и не даёт оторваться. (Надеюсь, то, что я написал, не станет ни для кого рекомендацией посмотреть это, с позволения сказать, кино. Не смотрите ни в коем случае. Особенно если вам нравится творчество актёра Евгения Миронова.)

Последние два спектакля уходящего года были в Риге и Таллине. В Риге я не играл шесть лет, мешали трудности с доставкой декораций в столицу страны Евросоюза. За эти шесть лет были сделаны спектакли «+1» и «Прощание с бумагой». Прежние спектакли я в Риге исполнял и не хотел их везти, вот и затянулось ожидание встречи. Я даже в какой-то момент стал опасаться, что латыши меня забыли, однако в Риге был аншлаг. Я впервые играл здесь в таком большом зале. И что особенно приятно — сугубо латышской публики и русских рижан было приблизительно поровну. Встреча получилась, что называется, долгожданной. Кстати, погода в Риге была отвратительная. С утра, в день, когда я прилетел, шёл тяжёлый мокрый снег, в городе были чудовищные пробки, а к вечеру снег растаял, и пошёл дождь.

Из Риги в Таллин я уехал ночью после спектакля. Ехать было триста километров. Как только мы оказались в Эстонии, повалил такой снегопад, что, когда подъезжали к Таллину, припаркованные машины выглядели просто снежными кучками.

В Таллине я играл впервые. Так случилось, что этот маленький, тихий, аккуратный город не попадал на карту моих передвижений. Я был там пару раз проездом и пролётом. Но так, чтобы пройтись, прогуляться и уж тем более поработать, не удавалось долгих двадцать пять лет: впервые я побывал в Таллине в феврале 1990-го. Это очень яркое воспоминание и поэтому так, как помню тот Таллин я, его не помнят даже коренные таллинцы...

Это был город на грани, а точнее — за гранью... Везде висели флаги эстонского конгресса, большинство связей были разорваны, последние швартовые канаты отпущены... Но для того чтобы в ресторане выпить пива или в кафе — глинтвейна, нужно было взять сосиски, салат или пирожное. Просто так, без «нагрузки» выпивку не давали. Везде были очереди и суета. Зато было чертовски весело. Даже в баптистской церкви Олевисте ночью проходил развесёлый концерт молодых, буквально сорвавшихся с цепи баптистов. В заведениях было полно народу, приехавшего со всего готового исчезнуть Советского Союза. С выпивкой были серьёзные проблемы, но веселье било через край. Видимо, таково удивительное свойство веселья напоследок.

Та поездка в Таллин для меня была очень важной. Многое было в тот раз прочувствовано, хоть и совершенно не понято. К тому же завершилась она тяжёлым отравлением и доставкой меня из уходящего в Ленинград поезда в инфекционное отделение городской больницы, что рядом с русским кладбищем. Там я провёл ещё пару суток, во время которых смог осмыслить прочувствованное. Из больницы я даже ходил гулять на русское кладбище и посетил скромную могилу Игоря Северянина.

Спектакль в Таллине прошёл замечательно! Огромный зал, аншлаг... Я играл с большим удовольствием. Играл на выдохе, понимая, что после спектакля — каникулы. Я чувствовал, как люди рады происходящему, понимал, что теперь дорожка в Таллин пробита и я смогу, не пройдёт и года, привезти в столицу Эстонии какой-то ещё спектакль.

Улетел из Таллина и попал в жуткий московский снегопад. Москва, конечно, ждала снега, ей хотелось снежного убранства к Новому году. Но, к сожалению, Москва и чувство меры — понятия несовместимые. В Москве сверх меры всё. Если жара — то с горящими торфяниками, если снег — то как из мешка...

Три часа в диких, глухих пробках, три часа опасений, что опоздаю на самолёт, потом — тревоги, что рейс в Калининград задержат (свежая память о Норильске не давала покоя). Но я успел на самолёт, и самолёт вылетел по расписанию... И вот я дома, а дома всякая погода — благодать. Каникулы!

29 декабря

Сегодня наконец предъявляю всем желающим новую видеоверсию спектакля «Как я съел собаку». Она записана в этом году в Москве на сцене Театрального центра на Страстном. Это тот вариант спектакля, который я ощущаю актуальным и живым для сегодняшнего времени и для моего сегодняшнего возраста. От предыдущей видеоверсии его отделяют одиннадцать лет. Если кому-то любопытно, можете сравнить. Разница огромна. Спектакль изменился так же, как изменился я. Спектакль стал определённо проще, яснее, точнее, трагичнее и старше. Изменилась интонация, огрубел голос — охрип. Жесты и движения стали более скупыми и строгими. Смеха в зале меньше не стало, но и смех стал другим. Если будет интересно, попробуйте сравнить две видеоверсии.

Очень хочу, чтобы вы в первых числах нового года нашли пару часов в тишине этих особо спокойных послепраздничных дней и посмотрели обновлённую и повзрослевшую, но ещё не постаревшую «Собаку». Думаю, что спектакль сможет порадовать. А после старого Нового года выложу совсем свежую видеоверсию спектакля «ОдноврЕмЕнно» — больше мне вам на Новый год подарить нечего...

Интересно, ещё через десять лет будут у меня силы сделать новую редакцию этих спектаклей? Будет ли в этом какой-то смысл? И найдётся ли у вас желание снова это посмотреть?

Поглядим.

Вчера в Калининграде выпал первый снег. Как же его ждали дети! Ждали каждое утро, первым делом выглядывали в окно и разочарованно видели зелёную траву на газонах и тёмную дорогу. А вчера с самого утра повалило, именно повалило, потом вышло солнце и приморозило.

Моментально в городе случилось предновогоднее убранство и настроение: никакие гирлянды, лампочки и украшения не сравнятся со свежим долгожданным снегом.

Я понимаю, что жители Сахалина, Хабаровска, Воронежа, Мурманска и так далее уже устали от снега, не радуются новым снегопадам и ворчат по утрам, откапывая автомобили. Но в Калининграде дети ждали — и дождались, в аккурат перед Новым годом.

Маша вчера бегала по небольшой целине снежного двора, всю её истоптала, восемь раз забегала домой, восемь раз переодевалась и спешила обратно. Румяная, запыхавшаяся, взмокшая на загривке, счастливая.

В какой-то момент она просто упала на снег и отрешённо стала смотреть в бледное голубое небо. Лежала неподвижно. Куда улетели её мысли? Что проплывало перед её глазами? О чём мечталось и что чувствовала она в этот момент?

А сегодня мои дети пытались лепить снеговика. Однако снег не липнет: морозец. Но желание слепить снеговика сильнее любых погодных условий. К тому же всё для него, кроме снега, давно подготовлено. И ведро, и глаза, и нос, и даже шарфик. Вот и слепили они то, что смогли. Получился снеговик профессора Доуэля. Но, по-моему, шикарный. Во всяком случае, он из снега, и он улыбается.

31 декабря

Что там говорить, многие из нас, конечно же, чувствуют тревогу и опасения... Мы побаиваемся, а кто-то, может, и боится наступающего года. Да, уходящий был очень трудным, для кого-то — страшным... Но я всё время надеюсь и верю, что жизнь мудрее нас, а мудрость не бывает жестокой и злой. Ум бывает злым и жестоким, а мудрость всегда добра.

Желаю всем нам, встревоженным, уставшим и опасающимся, житейской и жизненной мудрости, стойкости, достоинства и сил... Чтобы находились жизненные силы для радости!

И самое-самое главное и короткое пожелание: желаю, чтобы наши дети не почувствовали, не узнали и даже не догадались о том, что у нас, у взрослых, есть трудности и что они живут в непростые времена.

С Новым годом!

2015

13 января

Я не «Шарли»!

Год начался плохо. Страшно начался год. Никто из здравомыслящих от него ничего хорошего и не ожидал, но всё же было ощущение и надежда, что будет перевёрнута страница уходящего трудного года и что новый начнётся с чистого листа... Надежда, что утро вечера мудренее.

Не вышло! Кровавые чернила, которыми писались предыдущие годы, просочились сквозь страницы и залили новую.

Я в тяжёлом унынии и почти в отчаянии от того, что стряслось во Франции. Я в ужасе от кровопролитных и хладнокровных терактов в Париже, в унынии и почти в отчаянии от того, что было после. В новостях всего мира про парижские теракты раз за разом показывали и показывали лежащего на тротуаре раненого человека, который, на беду, поворачивается и смотрит на приближающегося к нему террориста с автоматом. Всё происходило очень быстро. Лежащий беспомощно поднимает руку, прикрываясь ею от надвигающейся смерти, звучит выстрел, рука падает, и человек замирает так, что не остаётся никаких сомнений в том, что произошло. Через мгновение террорист перешагивает через убитого им человека.

Мои дети видели эти кадры. Они затихли от ужаса и простоты того, как выглядит смерть на экране телевизора, снятая на обычной улице средь бела дня. А дочь с заполненными слезами глазами сказала: «Папа, он руку поднял, прикрываясь... Так беспомощно, так естественно. Наверное, любой человек так бы сделал. Как жалко! Как страшно! Невозможно смотреть. Зачем они это показывают и показывают?»

В том беззащитном и столь человеческом жесте, в той попытке закрыться ладонью от автомата и смерти — весь кошмар и беспощадный смысл произошедшего в Париже. Страшный символ встречи человека с нечеловеческим.

Дальше мы наблюдали, не в силах оторваться от телевизоров, беспомощные действия французской полиции, которой террористы случайно или намеренно оставили в угнанной машине удостоверение личности — как визитную карточку. Мы видели жандармов, полицейские машины, вертолёты, экипированных, как Дарт Вейдер, французских спецназовцев, неуклюже карабкающихся по какому-то склону. Мы слышали про захват заложников в кошерном магазине, слушали подробности того, как убивали несчастных в редакции злополучного сатирического журнала «Шарли Эбдо». Мы узнали, что террористы, прежде чем убить, требовали от жертв назвать свои имена. Фантазии не хватает, чтобы представить, какой ужас пережили перед смертью эти люди. И никакого воображения не хватает, чтобы воспроизвести нечеловеческое хладнокровие и космическую жестокость, с какой действовали те, кто это совершил.

Мы видели, как вскоре после бойни в редакции журнала парижане пошли на улицы, собрались на площади Республики. Люди не могли оставаться дома, ими двигало желание не оставаться одним, им нужно было увидеть других людей и оказаться с ними вместе. Они не могли оставаться наедине с ужасом и страхом...

А потом началось то, что погрузило меня в тоску, уныние и почти отчаяние. Пошли комментарии и выводы, на которые не скупились европейские лидеры, журналисты, да и многие простые европейцы, которым давали микрофон и показывали в новостях... 11 января, в воскресенье, на улицы французских городов вышли миллионы людей, возглавляемые руководителями многих европейских стран и делегатами со всего мира. СМИ сообщили, что столь масштабной акции не было никогда.

Я смотрел. Я слушал. Я читал плакаты в руках людей... И мне становилось душно и страшно одиноко. В какие-то моменты было даже противно. Кто-то нёс транспарант со словами из песни Джона Леннона «Имэджин», и было ясно, что несущие это не понимают, что происходит и в каком времени они живут. Многие несли в руках карандаши и ручки, как бы подчёркивая солидарность с убитыми из журнала «Шарли», несли листочки, на которых было написано «Я Шарли», в руках многих я прочёл слова типа: «Мне не страшно, нас не запугать, не бойтесь»...

Европейские лидеры наперебой говорили о попытке нанести удар по свободе слова, по свободам вообще, по европейским ценностям... Они уверяли, что после этого страшного и кровавого акта свобода слова только окрепнет, европейское общество сплотится и усилится, а европейские ценности станут ценнее. Люди в Париже, собравшиеся в огромные колонны, словно иллюстрируя сказанное, жались друг к другу, плотно заполняя улицы и площади.

Мне довелось видеть в театрах много плохих актёров в плохих спектаклях. Это неприятный, но опыт.

Мне противно было видеть, как бездарный артист Франсуа Олланд с трудом скрывает радость от произошедшего. Он вёл себя 11 января как именинник, как заштатный актёр, которому неожиданно устроили пышный бенефис и у него вдруг появился шанс побыть в центре внимания и возможность сыграть новую роль. Он периодически даже забывал изображать скорбь. А когда изображал, у него плохо получалось. Его обращение к нации было похоже на бессмысленную предвыборную речь, состоящую из лозунгов и призывов, без малейшей попытки осознать случившееся, признать свои ошибки и вину за бездарное руководство, заигрывание с исламистами как внутри страны, так и за её пределами, за слабость и некомпетентность спецслужб, за кашу в мозгах и раздрай во французском обществе, в котором ультраправые набирают силу и «блещут доспехами», а гей-парады проходят масштабнее, чем празднование Дня взятия Бастилии.

Я ждал от лидера Франции в такой день и такой час чего угодно, но только не пафосной глупости. Я ждал от него того, что мы, наивные, так ждём от европейцев. Я хотел услышать хоть что-то разумное, дающее надежду на то, что из произошедшего будут сделаны серьёзные выводы, а главное — пересмотрены устаревшие и глупые взгляды на состояние происходящего в мире кошмара и приняты давно необходимые меры.

Но нет! Ничего подобного я не услышал.

А ведь в Париже террористы одержали страшную и сокрушительную победу. Думаю, что они даже не рассчитывали на такой успех, полученный такими малыми силами.

Как это страшно!

Посудите сами: террористы невероятно умно и цинично выбрали для расправы журнал и людей, которым в исламском мире вряд ли кто-то посочувствует из-за опубликованных ими наглых и, в сущности, хулиганских карикатур. Эти карикатуры на Пророка бессмысленны, как любая наглость, которая к свободе слова не имеет никакого отношения. Всякого мусульманина эти рисунки оскорбляли. Так что у авторов не было никакого шанса быть понятыми мусульманской стороной. А, стало быть, карикатуры были ёрничеством и наглостью без адреса.

Эти несчастные погибли не за свободу слова, а потому, что оказались наиболее удобной мишенью в той бесчеловечной игре, которую ведёт исламистский терроризм. А террористам всё равно, кого и где убивать. В этот раз было выгоднее убить людей из «Шарли».

Террористы спокойно, хладнокровно расправились со всеми, с кем хотели, дали снять себя многими камерами и на многие телефоны, а потом скрылись средь бела дня, в центре столицы самой свободолюбивой страны. Они оставили удостоверения личности в угнанной машине, они устроили в прямом эфире шоу с погоней, они долго сидели, осаждённые сотнями жандармов, над ними летали вертолёты... Они дали интервью по телефону и сказали ровно то, что хотели сказать на весь мир. Их имена узнали везде, их лица были на всех экранах. А потом они умерли как хотели: с оружием в руках. Они всё сделали, что и как хотели те, кто их к этому готовил.

Другой террорист в то же самое время взял заложников в кошерном, грубо говоря — в еврейском магазине, предварительно застрелив женщину-полицейского. То есть он продемонстрировал, что ворвался не в первый попавшийся магазин, а захватил именно кошерный, взял в заложники тех, кого хотел, там, где хотел, и делал всё, что хочет. Он убил четырёх человек. Ему дали высказаться по телефону, как он хотел, и умер он тоже как хотел.

В результате Париж собрал делегации со всей Европы и мира, а на улицы французских городов вышли миллионы людей. Это страшная победа террористов и терроризма как такового. На такой успех террористы вряд ли рассчитывали.

И эту ужасную победу, и своё поражение необходимо признать! Признать со всей серьёзностью и строгостью. Признать, понимая происходящее как особую войну, которая идёт давно. Это необходимо признать, чтобы осознать, с каким нечеловечески жестоким, бездонно-тёмным, безжалостным, изощрённо-умным и бесчеловечным сознанием мы все имеем дело. А ещё европейцам необходимо признать публично и признаться самим себе, что удар террористы нанесли не по свободе слова, не по свободе как таковой и не по европейским ценностям, которые в своей основе являются ценностями общечеловеческими. Удар был нанесён по лицемерному и ханжескому устройству общества так называемых развитых европейских стран. По обществу, которое давно не верит в то, что декларирует.

Это удар по Франции, Бельгии, Великобритании, Германии и так далее, где целые районы и округа городов, а то и отдельные городки и города стали целиком и полностью арабскими. Они стали такими не вчера. География таких районов и городов растёт прежде всего потому, что исконные французы и немцы покидают их, бегут от мусульманского соседства, не хотят отдавать своих детей в школы к мусульманским одноклассникам, стараются держаться подальше от пришлых. Их можно понять. Пришлые не хотят ассимилироваться, не желают блюсти и хранить чуждые им правила и уклады.

Но как понять то, что те, кто бежит мусульманского соседства, в то же время ратуют за мультикультурализм и толерантность? Как понять тех, кто старается не входить в арабские кварталы Брюсселя или Марселя, но при этом изо всех сил изображает из себя всетерпеливых, всетерпимых, вселюбящих и толерантных европейцев до мозга костей?!

Как это понять?!

А очень просто! Это лицемерие и ханжество.

Но это лицемерие, во-первых, не скрыть от арабских соседей, во-вторых, оно прекрасно видно и понятно террористам, которым всё равно кого убивать.

Как ханжество и лицемерие можно понимать и европейскую миграционную политику, в которой только и есть что заигрывание со своей толерантной аудиторией и со своими уже многочисленными мусульманскими избирателями — но нет ни капли здравого смысла, трезвой оценки реальной ситуации и даже элементарного чувства самосохранения.

Именно эта бессмысленная и дикая миграционная политика создала условия для того, чтобы отчаявшиеся люди из нищей и страшной Азии и Северной Африки любыми способами, кроме легальных, пытались добраться до европейских берегов. Они тонут и умирают от жажды на утлых судёнышках и баржах, задыхаются в трюмах, цистернах и контейнерах, пытаясь переплыть Средиземное море, они лезут на стены и гибнут от электрического тока, пропущенного через колючую проволоку, которой огорожены испанские анклавы в Марокко. Они делают это потому, что знают: если преодолеют море или стену, их обратно не отправят.

Кто придумал эту дикую и смертельную полосу препятствий, этот бесчеловечный экзамен? А придумали это цивилизованные и толерантные европейцы. Как это можно понять?!

И с какой стати тем, кто преодолел такой ужас и унижение, ценить и соблюдать правила и нормы страны, куда они добрались, пройдя через ад? К тому же чаще всего они вырвались из ада, который во многом устроили те самые европейские страны.

Лицемерие и ханжество — не замечать того, что в Европе не зреет, а давно назрел страшный кризис полного отсутствия идей дальнейшего развития того общества, каким оно стало за последние четверть века. Общества, в котором целые социальные и национальные пласты не доверяют, презирают и открыто ненавидят друг друга.

Миллионы людей вышли на улицы, желая заявить, что их не запугать и они не боятся. Это у многих было написано на бумажках и плакатах. При этом беспрецедентно большую манифестацию охраняли беспрецедентно большие силы полиции и жандармов. Всё правильно! Наверное, те, кто спланировал и организовал эти бесчеловечные злодеяния, ликовали, глядя в телевизор на происходящее. А может быть, они смотрели в окно — кто знает?

Эти непостижимые человеческим сознанием чудовища, исполненные жестокостью и мраком, должны были ликовать, видя на улицах Парижа такое количество напуганных людей. Людей, которые даже себе не признались в том, что их вывел на улицы нормальный и понятный человеческий страх. Страх осознания, что смерть от рук террористов существует не только в телевизоре, что она не на Манхэттене 11 сентября, не за морем в Сирии, Ираке и Ливии, не в Пакистане, не в Махачкале и даже не в лондонском метро... Смерть тут, рядом, на соседней улице, у смерти французский паспорт, смерть живёт по соседству и говорит по-французски...

Парижанам и приезжим нужно было 11 января оказаться в тесной толпе рядом с другими людьми. Им нужно было увидеть и убедиться, что они в своём страхе не одиноки. Люди не могли оставаться одни по домам, ощущая, сколь беззащитны их дома, беспомощна их страна, а также их утраченный европейский миропорядок.

Если бы французы ощущали, что их дома — это их крепость, что Париж — это столица подлинных, всецело защищённых свобод и непокорённого достоинства, если бы они были уверены в силе государства, президента и правительства, если бы были убеждены в незыблемости своих европейских ценностей (я подчёркиваю — именно в незыблемости), они бы не вышли в таком количестве на улицы своих городов и своей униженной террористами, прекрасной столицы.

А множество французов-мусульман вышли на улицы, напуганные не только кошмаром терактов, но и движимые страхом усиления исламофобии, опасением прорыва ненависти к любому мусульманину или просто приезжему. Они спешили сообщить всем о том, что не имеют ничего общего с террористами и радикальными исламистами. Этим людям тоже стало страшно в их жилищах, хотя карикатуры журнала «Шарли» не могли не оскорбить их религиозных чувств.

Люди шли по Парижу. Я всматривался в их лица, сидя на корточках возле телевизора. Лица многих были растерянны, глаза широко распахнуты. Люди боролись с ужасом и страхом, прижимаясь друг к другу. Они словно грелись в лютую стужу. Они храбрились. Они несли бумажки со словами, что их не запугать... А на крышах эту демонстрацию охраняли снайперы.

Если бы я был в Париже в воскресенье, я бы тоже вышел на улицу. Я бы тоже нёс листочек. Но на нём я написал бы следующее: «Я не „Шарли", но я боюсь!»

Я не рисовал карикатур на Пророка, но я боюсь, потому что террористам всё равно, кого убивать.

Я боюсь, что все вы, кто вышел на эти манифестации, ничего толком не поняли, не поняли, что произошло. Вы не признаёте, что ваше общество слабо и лицемерно, а ваши лидеры не обладают волей и неспособны хоть как-то вас защитить.

Я боюсь, что больше вы так не соберётесь никогда, потому что, если, не приведи господь, случатся новые кровавые теракты, вы попрячетесь по домам и не будете искать поддержки друг в друге, а доверие к своему государству потеряете окончательно. Или же наоборот — пойдёте громить и жечь своих мусульманских соседей и сограждан.

Я боюсь, что на всей этой истории многие ваши политики заработают очки и разыграют случившееся, как козырную карту.

Я больше всего боюсь, что из-за вашего лицемерия и ханжества всё европейское лоскутное одеяло, да и мы в том числе, станем ещё более разобщёнными перед страшной опасностью и бездонной тьмой, которая пока только слегка вас задела, послав в Париж всего нескольких террористов.

Но я не был в Париже. Я сижу дома за столом и пишу эти строки. Я понимаю, что европейцы моих слов не услышат, как я не услышал ничего вразумительного от европейцев. Мне тоскливо и почти отчаянно.

Мне ужасно жаль тех, кого выбрали мишенями в редакции «Шарли». Безумно жаль случайных покупателей кошерного магазина. Жаль всех жертв наступившего 2015 года. И мне безутешно жаль тех, кого взорвали в Волгограде в предновогодние дни 2013 года, жаль убитых грозненских милиционеров незадолго до конца 2014-го. Это и их кровь просочилась сквозь страницы ушедшего года на чистый лист наступившего — просто парижане об этом не знали и не узнают. Их СМИ если и говорили об этом, то только вскользь и с трудно скрываемым злорадством, а в интернете злорадства никто не скрывал.

Мне тоскливо и страшно от того, что, не признав своей слабости сейчас, Франция и Европа не соберётся с силами. Для террористов все речи и шествия — глупая лирика. Кому и что хотели сказать французы 11 января? Террористам? Это бессмысленно. Террористы понимают только силу и ничего иного. Для них не существует ничего человеческого. Ничего!

Наполеон Бонапарт, которого так ценят и которым так гордятся французы, когда-то сказал: «Можно выиграть бой, но проиграть сражение; можно выиграть сражение, но проиграть кампанию; можно выиграть кампанию, но проиграть войну».

Однако французы сейчас не признают своего поражения и кровавую победу террористов, они также не хотят признавать, что идёт война. Они не желают признать свою слабость. А террористам плевать, признают французы свою слабость или нет. Они эту слабость видят. И жалости к слабости у них нет, в них вообще нет жалости.

А ещё я не «Шарли», потому что не согласен с тем, что из убитых делают героев и знамя свободы слова. Эти люди — просто несчастные жертвы, цинично выбранные для расправы. И они убиты не за убеждения, а по причине того, что как трофей в этой страшной игре оказались более выгодны и заметны.

Я не «Шарли»... Я боюсь! Я закрываю глаза и снова и снова вижу, как лежащий на парижском тротуаре человек машинально, естественно, беспомощно и... очень по-человечески закрывается рукой от автомата. В этом отчаянном жесте нет лицемерия. В нём последняя надежда на спасение.

Я не «Шарли». Я боюсь.

19 января

Сегодня у меня есть к вам просьба, или, лучше сказать, предложение. И ещё подарок.

Начну с предложения: предлагаю тем, кто может и хочет поучаствовать, оказать поддержку в создании театрального спектакля «Шёпот сердца», премьера которого состоится 1 марта нынешнего года в Москве. Потом спектакль проедет практически по всем городам России, и не только.

У нас есть хороший и абсолютно успешный опыт привлечения людей к созданию видеоверсий спектаклей. Две полноценные видеоверсии театральных спектаклей «+1» и «Прощание с бумагой» осуществлены и, что называется, увидели свет при участии людей, которые инвестировали и фактически финансировали их. Мы вместе смогли это сделать. На сегодняшний день отработан механизм такого инвестирования и финансирования — и заработано взаимное доверие.

В этот раз я предлагаю вам поучаствовать в создании нового, ещё не существующего в данный момент театрального произведения. Суть предложения очень отличается от предыдущих. Прежде я обращался за поддержкой в создании видеоверсии уже существующих спектаклей, которые в течение минимум двух сезонов шли на сценах театров разных городов, спектаклей, которые уже окрепли, сложились и полюбились публике. Так что тем, кто решил откликнуться на моё предложение и помочь, было понятно, во что они инвестируют или на что дают свои деньги.

В данный момент спектакля нет. Никто о нём, кроме меня и команды, которая над спектаклем работает, ничего не знает. Кроме названия и короткого анонса никто ничего не видел и не слышал. И именно поэтому мне так волнительно обращаться к вам сегодня с этим предложением.

Волнительно потому, что в вашем решении участвовать, если таковое примете, будет ясный, невероятно важный и бесценный сигнал о том, что вы мне доверяете... Доверяете как художнику, чьё произведение вам нужно, и оно ожидаемо, а также доверяете мне — человеку, который не обманет и распорядится деньгами честно и по назначению.

Обращаюсь к вам только теперь, незадолго до премьеры, а не раньше, потому что только теперь нам стал понятен размер необходимых для привлечения средств. Но самое главное — потому что я в данный момент не сомневаюсь в том, что спектакль будет и что он достоин вашего ожидания, доверия и внимания.

От предыдущей премьеры спектакля «Прощание с бумагой» новый спектакль «Шёпот сердца» отделяют три с половиной года. Это было время крайне тщательного и неспешного подбора слов и смыслов, а замысел спектакля пришёл мне больше пяти лет назад.

В этой неспешной работе никто не мог мне помочь, никто не мог поучаствовать в этом таинственном процессе. Но в процессе создания необходимых условий для того, чтобы написанные мною слова прозвучали — а эти условия, по сути, и можно назвать спектаклем, — принять участие можно. Вот я и предлагаю это сделать.

...Осенью прошлого года мы записали, а потом смонтировали и сделали видео обновлённого спектакля «ОдноврЕмЕнно». Это видео я дарю вам сегодня, как в конце прошлого года подарил видео новой и актуальной редакции спектакля «Как я съел собаку».

Спектакль «ОдноврЕмЕнно» был сделан мною и показан публике на фестивале «NET» осенью 1999 года. Это был мой второй спектакль. Это был важный и труднейший второй шаг в избранном мною направлении. После оглушительного успеха «Как я съел собаку» к моей второй работе был проявлен большой интерес, премьеру «ОдноврЕмЕнно» посетили все без исключения тогдашние пишущие о театре журналисты и критики...

Я тогда не был готов к обрушившейся на меня критике и злобе со стороны критического сообщества. Как только тогда не писали о новом моём спектакле! Мне было непонятно, наивному, что могло так разозлить тех, кто буквально за полгода до этого пел мне дифирамбы и объявлял новой вехой в развитии русского театра. Да и немногочисленные зрители той премьеры, видевшие «Собаку», грустно похлопывали меня по плечу и, виновато улыбаясь, давали понять, что лучше бы я не делал ничего нового, а продолжал играть столь полюбившуюся им историю про матроса.

Сейчас забавно об этом вспоминать, даже весело, а тогда я страдал, горевал. Тогда мне было не до веселья. Но именно тот первый в моей жизни удар и шквал критики подготовил меня к последующей злобе критиков и неприятию спектаклей «Дредноуты», «Планета»...

Спектакль «ОдноврЕмЕнно» я играл много лет, сыграл его не одну сотню раз. Он переведён на все европейские языки, а в Германии, Австрии и Швейцарии довольно долго шёл радиоспектакль, сделанный по тексту «ОдноврЕмЕнно». Я играл этот спектакль в Лондоне, Париже, Берлине, Вене, Праге, Будапеште, Хельсинки, Брюсселе, Любляне, Белграде, Варшаве... Нестоличные города Европы я даже не перечисляю. Во многих городах России и Украины я исполнял спектакль по нескольку раз в разные годы, а потом понял, что спектакль устарел, прежде всего содержательно. В первоначальном варианте важнейшей и центральной была сцена ожидания и празднования Миллениума. Но в 2007 году про Миллениум говорить было странно и неправильно.

Изначально спектакль был весьма хаотичным набором радостных эпизодов. Дальнейший опыт и работа над другими спектаклями, особенно над «Дредноутами», сделали для меня весёлую хаотичность «ОдноврЕмЕнно» видимой и ясной. Тогда я переписал текст спектакля, и та его редакция в совокупности с замечательными иллюстрациями художника Петра Ловыгина легла в основу иллюстрированной книжки «ОдноврЕмЕнно». Когда вышла книга, я решил не играть «ОдноврЕмЕнно» больше никогда... И долго не играл.

Но последние полтора сезона с удовольствием и много исполнял именно этот спектакль в новейшей редакции. Весь 2014 год я хотел играть его как можно чаще. Почему? Просто это мой самый счастливый, жизнерадостный, жизнелюбивый и весёлый, смешной спектакль. Мне хотелось исполнять именно его весь этот сложный и для многих неудачный, а то и несчастный год.

Спектакль стал намного яснее, проще, в нём появился очевидный стержень и внятная нить, которой изначально попросту не было, а потом она была не столь заметна. Спектакль удалось сделать остро-сегодняшним и даже отчасти завтрашним, но никак не вчерашним.

Дарю вам свежее актуальное видео, предлагаю сравнить запись более чем десятилетней давности с новой и увидеть, как многое изменилось за это время...

Да! В отличие от полноценных видеоверсий, которые были записаны многими камерами с кранов и движущихся платформ, которые снимались в специально подготовленном для съёмок помещении, видео спектаклей «Как я съел собаку» и «ОдноврЕмЕнно» в новых редакциях сняты в Театральном центре на Страстном во время обычных спектаклей, которые я исполнял для публики, купившей билеты. Сняты они тремя камерами и так, чтобы не мешать и не отвлекать публику. Поэтому эти видео скромнее по изобразительным возможностям и качеству, но при этом вы можете увидеть абсолютно живой спектакль, услышать живую реакцию и дыхание зала и в большей степени ощутить атмосферу рядового вечера в театре. Очень хочу, чтобы новая редакция вам понравилась, чтобы вы посмеялись и, возможно, посмотрели спектакль не в одиночку.

30 января

Сегодня десять дней, как я обратился к вам с предложением поучаствовать в создании спектакля «Шёпот сердца». Собрано заметно больше половины необходимой суммы. Я счастлив! Разумеется, я очень волновался до своего обращения и после: вдруг не было бы отклика... Даже страшно представить, какие мысли и настроения были бы у меня сейчас. Но всё происходит даже лучше, чем я мог ожидать. Я воодушевлён и как художник, и как человек, который чувствует поддержку и помощь. Что я могу сказать?

Спасибо всем! Большое спасибо!

Теперь я не сомневаюсь в том, что удастся осуществить замысел спектакля именно так, как надо.

В данный момент собираюсь вылетать в Тбилиси. Вылетаю из Москвы, чтобы встретиться с Гиги, записать три новые песни с «Мгзавреби» и провести творческий вечер в Театре Марджанишвили. Возможно, песен удастся записать даже больше. И я надеюсь, что это начало работы над новым альбомом. Вернусь и напишу о том, что со мной было в любимой Грузии. После поездок туда мне особенно хорошо пишется.

7 февраля

Два дня назад вернулся домой из Грузии. Перед этим был в Коми, сыграл спектакли в Ухте и Сыктывкаре. Можно сказать, что летел из Сыктывкара в Тбилиси. Вылетал из заснеженного Севера и прилетел в Тбилиси, залитый солнцем и согретый так, как в Коми будет в лучшем случае к концу мая.

Мы с Гиги Дедаламазишвили наметили и запланировали записать две, а если получится — три новые песни. Два года мы не работали студийно. За эти два года мы сыграли массу концертов и вышли на совершенно иной уровень взаимопонимания, но это концертное взаимопонимание, а вот о совместной студийной работе мы подзабыли.

К тому же новые песни должны быть новыми. Не должно быть явного повторения того, каким образом был сделан первый альбом. Мы попробовали найти несколько новую тональность и новое содержание. Думаю, что-то получилось, и очертания нового альбома, который, надеюсь, выйдет осенью, уже видны.

Мы записали три песни, которые хотим показать вам по мере готовности в ближайший месяц.

А ещё я в первый раз целиком, от начала и до конца, исполнил со сцены текст спектакля «Шёпот сердца». Я очень хотел это сделать именно в Тбилиси, за месяц до настоящей премьеры в Москве.

Причин очень много. Они и в том, что я Тбилиси бесконечно люблю и считаю его важнейшим городом для культуры, которую понимаю своей. Тбилиси — один из самых театральных городов, какие я только знаю, и он весь соткан из историй рождения и жизни выдающихся людей театра и их спектаклей. Я знаю, что в Тбилиси любят театр, как мало где. И ещё — у местной публики, думается мне, удивительно тонкий слух на сценическое высказывание и слово.

Второго февраля я исполнил текст, над которым думал последние три года, который тщательно собирал в единую сложную композицию.

Сказать, что я волновался, — это ничего не сказать...

До этого февральского вечера в Тбилиси я читал с листа друзьям и знакомым большие фрагменты. Со сцены московского Дома актёра исполнял, уже без бумажки, значительные части этого текста... Но целиком в первый раз я сделал это в Тбилиси в небольшом, очень приятном зале новой сцены Театра имени Марджанишвили.

Зал, чуть больше чем на сто человек, был заполнен. Пришли мои друзья и незнакомые мне друзья друзей, были и случайные неслучайные люди. То, что было мной задумано, написано, над чем я так долго работал, впервые прозвучало для людей. Я впервые слышал реакцию и отклик на то, что я в одиночку и в одиночестве собирал и составлял в своё очередное художественное высказывание.

Реакцию я получил, глаза видел, смех и тишину слышал.

Теперь могу сказать одно: я с нетерпением жду московской премьеры этого спектакля!

Жду с ещё большим волнением, чем прежде, но и с ещё большей радостью.

Три года работы уложились в один час сорок минут сценического времени.

Улетал из Тбилиси сосредоточенный, молчаливый и радостный.

Вернулся домой — а тут на экраны вышел «Левиафан» Звягинцева.

Это большое и сильное художественное впечатление, какого я давно не получал. Картина в самом лучшем смысле простая и ясная, которую смотреть надо, не отводя глаз от экрана и не затыкая уши. В ней всё имеет художественное значение. А значит, те, кто сочтёт картину чернухой или сугубо социально обличительным произведением, ничего не понимают в искусстве. Только по-настоящему самобытный и любящий Родину художник мог снять такую картину, потому что только самобытный и любящий Родину человек может так глубоко и точно понимать и слышать жизнь своей страны.

В Калининграде относительно Коми, Сибири или Забайкалья тепло. Зелёная трава, пасмурно и сильный ветер. В ветре уже совершенно чувствуется и слышна весна. Всё неприглядно, серо, и даже зелёная трава какая-то усталая. Но весной пахнет.

16 марта

Первого марта состоялось самое главное для меня за последние три года событие, лично для меня. Мне посчастливилось представить публике свой новый спектакль «Шёпот сердца» в том виде, в каком он задумывался. На сегодняшний день я уже исполнил его десять раз в четырёх городах: в Москве, Калининграде, Санкт-Петербурге и Минске. Ни одной рецензии на него не вышло. Не то что плохой или хорошей — вообще никакой. Хотя практически все пишущие о театре критики и журналисты приходили — и ничего не написали. Я очень этому рад.

Во всяком случае, никто из них не позволил себе пересказать увиденное так, как он понял или не понял. Это хорошо. А то пишущие о театре люди этим часто грешат. Любят они вместо рецензии пересказывать увиденное — коротко, упрощённо и высокомерно.

Гораздо лучше, когда человек идёт на спектакль, не зная, что увидит, о чём это будет и какие до него кто-то сделал выводы и умозаключения.

Я очень счастлив играть этот спектакль! Девятого марта в Санкт-Петербурге сыграл его два раза подряд. Мне так нравится исполнять новый спектакль, что с удовольствием исполнил бы его и в третий раз.

Я жду каждого следующего выхода на сцену в роли человеческого сердца, как ждут дня рождения друга, чтобы подарить давно заготовленный подарок, зная, что подарок наверняка придётся по сердцу.

Этот спектакль мне дался самым большим трудом. Это мой шестой монолог за семнадцать лет работы, над замыслом которого я думал больше пяти лет, а он мне никак не давался. Три с лишним года назад я даже подумывал отказаться от него и сделал «Прощание с бумагой», однако снова и снова возвращался к «Шёпоту сердца».

Все трудности, которые возможны на пути к созданию спектакля, случились. Все! О многих я даже не догадывался...

Со сценографом мы долго, более полугода, работали над сценографией. Мне была предложена масса прекрасных эскизов, макетов и идей, однако ни одна из них не воплотилась. Декорация изготавливалась с массой больших и малых трудностей, многое было сделано в самый последний момент. Костюм дошивался буквально в день генеральной репетиции. И постоянные сюрпризы, сюрпризы и сюрпризы, все, конечно, неприятные.

Я привык всё делать неспешно, степенно и вдумчиво, в случае же с этим спектаклем всё было наоборот. Зато, поскольку всё доделывалось в самый последний момент, у меня не было и получаса на предпремьерное волнение, на мандраж и ужас перед выходом на сцену.

Наоборот! Выходя на первый спектакль первого марта, я испытывал радость и облегчение оттого, что мы всё-таки успели и что всё сделано так, как задумано. Вот и продолжаю играть его с этим же чувством.

«Шёпот сердца» — определённо мой новый шаг. Спектакль взрослый, и в нём я впервые — определённо персонаж, далёкий от меня и вообще не человек. Я неоднократно говорил уже в разных интервью, что самое трудное для меня в этом спектакле — говорить о себе в среднем роде: я сказало, я сделало, я подумало. Иногда сбиваюсь...

А ещё я счастлив оттого, что в любимых уральских городах и в Сибири все билеты на премьеры «Шёпота сердца» раскуплены загодя. В Екатеринбурге вообще настояли, чтобы я дал третий, дополнительный спектакль... Значит, ждут. Значит, хотят меня видеть, услышать «Шёпот сердца». Это такая радость! Радость — получать такие сигналы...

Я не пишу сейчас в дневник, потому что ничего важнее, чем работа над этим спектаклем, а также тех слов и тех смыслов, которые в спектакль вложены, для меня пока нет. Я не могу и не хочу отвлекаться.

К тому же то, что сейчас происходит в стране и мире, требует либо постоянных комментариев, либо полного отказа от таковых. Острые переживания всего происходящего никуда не делись. Они терзают меня. А ещё есть литературные, киновпечатления. Есть маленькие и большие события в жизни, о которых ещё год назад я бы непременно написал. Но сейчас всего очень много... Переживаний, пожалуй, больше всего, и эти переживания все внешние, вот я и сделал спектакль, в котором ухожу внутрь. Туда, где этим переживаниям и место, в «Шёпот сердца».

Не думайте, я не прощаюсь и не намерен этого делать. Я скучаю по дневнику и в любой момент что-нибудь напишу. Просто такой период. Такая весна. Такое время...

9 апреля

Что-то совсем не пишется в дневник. Событий вокруг, да и со мной происходит ничуть не меньше, если не больше, чем в те периоды, когда я активно его вёл. Тогда я чувствовал в этом потребность, желание и даже творческий зуд. Сейчас иначе: чувствую обязанность, чуть ли не долг что-то написать, а желания нет... Странно. Не понимаю почему, но это так.

Многие мои приятели, хорошие знакомые и коллеги из разных городов, с которыми мы не часто встречаемся и довольно редко переписываемся-перезваниваемся, стали выражать беспокойство. Когда я писал в дневник почти ежедневно, им было достаточно такой связи, они знали, что происходит со мной, где я, что думаю о том о сём. Сейчас же они меня потеряли, заволновались и стали писать, звонить. Стали подозревать неприятности в моей жизни, кризисы, чуть ли не болезни. А мои им ответы, что у меня всё в порядке, их не убеждают... Привыкли к дневнику.

Что ж, попробую писать короткие путевые заметки, совсем короткие, без претензий на литературу, и адресовать их друзьям-приятелям из разных городов.

Спектакль «Шёпот сердца» становится всё более живым и точным, моя радость его исполнять только растёт. Такого длинного тура, какой мне предстоит по Западной Сибири, Сибири и Забайкалью, у меня раньше не было, даже побаиваюсь, но мне так нравится исполнять новый спектакль, что сил должно хватить.

Завтра лечу в Москву, буду играть «Дредноуты», которые давно не исполнял. Даже интересно, как спектакль прозвучит в столь изменившемся мире. Наверняка завтра почувствуются в старом спектакле новые смыслы.

В субботу сыграю «Прощание с бумагой» и на Пасху полечу в родные края. Хоть бы с погодой повезло!

11 апреля

Готовлюсь к спектаклю «Прощание с бумагой», два часа до выхода на сцену. Вчера играл «Дредноуты», которые не исполнял давно. Вчера и сегодня испытывал значительные трудности: когда делаю новый спектакль, он, грубо говоря, вытесняет остальные из активной памяти. С трудом вспоминал и восстанавливал текст до спектакля и во время. Правда, от этого появлялся чудесный эффект новизны, и в давно отработанном тексте появлялись неожиданные новшества.

Надеюсь, сегодня всё тоже пройдёт, хоть и не просто, но хорошо.

Последние недели три наблюдаю в зрительных залах по всем городам людей, которые практически сразу после начала спектакля начинают засыпать. Таких немного, но они всегда есть, вот что значит весна и авитаминоз. Трогательно за ними наблюдать. Человек очень хочет смотреть, слушать, давно купил билет, ждал, но дремота нападает... У человека слегка вытягивается лицо, мутнеют глаза, и веки предательски опускаются до середины глаз. Потом начинает расслабляться шея, голова падает вбок, на грудь или назад. Человек вздрагивает, глаза открываются, но веки почти сразу снова начинают опускаться. Человек борется со сном, хочет слушать, но сон побеждает. Он мучается, находясь и не здесь, и не во сне... Когда таких людей в поле моего зрения накапливается три-четыре, я приостанавливаю спектакль и бужу кого-нибудь одного, из тех, кто оказался ко мне ближе всего. В этот момент просыпаются все, и к ним больше сон не возвращается. Это я делаю из заботы о зрителях. Обидно за человека, который купил билет, а в результате пропустил полспектакля и измучился физически. Опыт показывает: такое будет наблюдаться весь апрель и до середины мая.

Люди не обижаются, они благодарны, а бужу я так, чтобы никто и не понял, на кого конкретно я смотрю... Вчера пришлось устраивать побудку три раза за спектакль. Москва. Пятница. Поздний вечер. Ничего удивительного.

Вчера был забавный и радостный момент в спектакле. Я играл «Дредноуты». Играл себе, играл и вдруг увидел в первом ряду мужчину, который положил ногу на ногу, и мне стали хорошо видны его носки, точнее, один носок, синий и в якорях. Меня это так удивило и обрадовало... Вот уже много-много лет, без малого четырнадцать, я исполняю спектакль «Дредноуты» в одних и тех же носках. Это носки с якорем. Этого никто и никогда не видел, я никому никогда об этом не говорил и делаю это только для себя, мол, спектакль про море, пусть будут хотя бы носки с якорями. А тут вчера увидел похожие в зале, в первом ряду... Не удержался! Сказал об этом публике и показал свои якоря. В зале случилась неожиданная радость и много смеха. Обладателю носков с якорями пожал руку, и спектакль пошёл своим чередом. Зато в этот момент проснулись точно все. А те, кто не спал, взбодрились...

Завтра лечу в Новосибирск — всегда на Пасху я в дороге, так что и крашенные моими детьми яйца получу только в виде фото, и кулич мне завтра, скорее всего, перепадёт случайный и явно не для меня испечённый. Но уж так повелось. Играть спектакль на Пасху, наверное, неправильно, поэтому в этот день я уже который год в пути, что тоже неправильно: в этот день надо быть с самыми близкими и родными.

14 апреля

Сижу в гримёрной театра «Красный факел», готовлюсь ко второму спектаклю для новосибирской публики. Завтра в это же время буду готовиться к спектаклю в Барнауле. Мне радостно говорить зрителям «дорогие земляки!» — так я могу обращаться к залу только от Новосибирска до Красноярска, дальше уже малой родиной пространство не ощущаю. Всё-таки Иркутск и Забайкалье хоть и Сибирь, но далёкая, и пейзаж другой.

Если кто-то собирается впервые побывать в Сибири, настоятельно рекомендую не ехать в марте и апреле, это самое неприглядное время в наших краях. Деревья голые, во дворах городов и перелесках за городом много тяжёлого, потемневшего, а то и просто грязного снега. Всё какое-то тёмное, неприбранное, усталое от зимы. В пейзаже совсем нет зелени, даже ёлки не зелёные, а тёмные.

Завтра поеду в Алтайский край, там паводки, потом в Кемерово, Томск и Хакасию, где страшные пожары, потом в Иркутск и Забайкалье, где тоже горят леса. Вот такая весна... Если ехать в Сибирь, то в середине мая... Хотя — в лес не сходишь: клещи просыпаются раньше, чем остальная природа. Наверное, лучше осенью, и клещи уже замёрзли, и грибы, и колба-черемша, и вообще осенью хорошо, только она очень короткая, сибирская осень, а то, бывает, и не случается её — дожди-дожди, а потом раз — и снег. Так что лучше в Сибирь ехать зимой, да чтоб ещё и морозец под тридцать. Чтобы прочувствовать, насладиться Сибирью, а потом хвастать южным своим друзьям: мол, видали мы сибирские морозы.

Из гостиницы, в которой остановился в Новосибирске, я вижу только здание Театра оперы и балета, которое прославилось на всю страну запрещённой постановкой «Тангейзера». Разумеется, меня об этом много спрашивали, тема обсуждаемая, Новосибирск эта опера встряхнула. История с «Тангейзером» вся какая-то ужасно неправильная. Вчера по телевизору смотрел пресс-конференцию великого и очень мною любимого спортсмена Александра Карелина, как раз по теме «Тангейзера». Разумеется, ни слова не было сказано о Вагнере. Говорил Карелин сдержанно, можно даже сказать, осторожно, говорил умно... Но только как же неправильно, когда борец и чемпион даёт конференцию по поводу оперы и занимается последствиями отвратительного скандала. Во всей этой истории плохи все: и постановщики, и попы, и местные депутаты, и Министерство культуры, и даже те, кто поспешил посмотреть спектакль только из-за скандала и из любопытства. Плохо даже то, что люди, которые никогда в жизни не были в оперном театре, никогда не слышали ни одной оперы, знать не знали Вагнера и слово «Тангейзер», узнали о композиторе и запомнили странное и звучное название только и исключительно в связи с позорной историей запрета постановки в Новосибирском театре оперы и балета...

15 апреля

Скоро выходить на сцену в Барнауле. Полночи ехал, полночи спал. Погода отвратительная: холодный дождь. Этот бы дождь да на горящую Хакасию с Забайкальем. В прошлый раз был в Барнауле при — 47°. Но чем хуже погода, тем приятнее людям в театральном зале. Кстати сказать, сибиряки на спектаклях не засыпают даже в такую сонливую погоду, в чём причина — не знаю. Может быть, они умеют лучше накапливать витамины в организме на зиму и рациональнее их расходовать... Сам бы я ещё поспал.

Завтра полдня буду ехать в Кемерово. Это самый ответственный пункт во всём туре. Даже не знаю, удастся ли мне написать что-то непосредственно из родного города. Боюсь, попаду в цепкие руки тех, кто меня с нетерпением ждёт, и на дневник не хватит сил, да и времени может не найтись. В родном городе время идёт иначе.

17 апреля

Сижу в гримёрной Кемеровского драматического театра имени Луначарского. Страшно волнуюсь — до пересыхания языка и гортани. Всё-таки Кемерово особая территория. И останется такой для меня навсегда. Погода чудесная. После Новосибирска и Барнаула Кемерово выглядит ухоженным, чистеньким. Приятно! Вчера ехали из Барнаула. Пока не покинули Алтайский край, дорога была ужасная, дважды совершенно беспричинно тормозили злые алтайские гаишники. А въехали на территорию Кузбасса — и дорога пошла ровнее, и машины почище, и дома поосанистей. Приятно!

Много людей, которые подходят подписать книги после спектакля, говорят одно и то же: что волновались перед спектаклем, боялись, что спектакль будет неудачный и им не понравится. Опасались разочарования, ведь нынче такие времена, времена разочарований... Думаю, сейчас мои дорогие земляки, которые идут с билетами на спектакль, тоже волнуются, по тем же причинам. Я волнуюсь в гримёрной, они — где-то там, в фойе. Такое тяжёлое волнение я не люблю, оно изнуряет. Это как в прекрасном море изнуряет морская болезнь.

19 апреля

Вчера приехал в Томск. Томск — после Кемерово — кружевной, основательный и местами элегантный, а местами завораживающе красивый. Но в это время года, после зимы, он выглядит потускневшим, неухоженным и обветшавшим.

Успел застать самый конец ледохода. Можно сказать, последние его крохи: основной ледоход был накануне. В Томске это зрелище потрясающее: в Кемерово Томь поуже и побыстрее, да и берега высокие — близко к воде не подойти, а в Томске река широкая, спокойная, плавная, поэтому лёд идёт большими пластами, и его можно наблюдать близко.

Самое забавное, что, в сущности, остатки льдин, которые я видел вчера, приплыли-то из Кемерово, так что я полюбовался кузбасским льдом в Томске.

Барнаул, Кемерово и Томск — города хоть и недалёкие друг от друга, но всё-таки очень разные. Томская публика, пожалуй, самая взыскательная в Западной Сибири. Томску нравится подчёркивать особую связь и схожесть с Санкт-Петербургом. Не внешнее сходство, а какое-то сущностное. А я и не спорю, так оно и есть. Томск для меня — это сибирский Питер.

Завтра еду в Красноярск. Когда строили гастрольные планы, мы рассчитывали на авиаперелёт Томск–Красноярск, но его отменили, так что все эти сотни километров сибирских просторов завтра — мои.

21 апреля

Вчера весь световой день ехал из Томска в Красноярск. Дорога, особенно по Томской губернии, вплоть до города Мариинска, не просто плохая, а ужасающая. Здорово устал. Но уже скоро выйду на сцену Красноярского театра оперы и балета. Сегодня и завтра там ни оперы, ни балета не будет, а будет «Шёпот сердца»...

В этом театре я ещё не работал. В прежние годы играл в Театре музыкальной комедии. Этот посимпатичнее и посолиднее, во всём заметны значительность и солидность. В общем-то, эти театры отличаются, как оперетта и опера.

У меня в гримёрной стоит рояль. В оперных театрах я играл редко, но в Днепропетровске всегда работал в оперном, и там у меня тоже стоял рояль. Там тоже из разных гримуборных и с разных этажей доносились голоса распевающихся или репетирующих певцов и певиц. Я тут же почувствовал, что очень скучаю по тому театру и по нарядной днепропетровской публике, скучаю по его чистому и аккуратному фойе. Вспоминается Днепропетровск. И то, что именно в этом городе и в этом театре ближе к концу спектакля в зал заходили два-три крепких мужчины, которые не были из одного рабочего коллектива, но выполняли одинаковые функции: они приносили жёнам своих боссов букеты цветов, которые потом этими дамами мне и вручались. Букеты и доставлявшие их мужчины были большими. Такого, кроме Днепропетровска, я нигде не встречал.

Мне вспомнился Театр драмы города Запорожье, обветшавший, но чистенький, с запахом вкусной еды за кулисами. Что, интересно, ели работники театра?.. Мне нравилось в театре то, что парадный выход у него на центральную улицу, а служебный — наоборот: на тихую, пустынную, приземистую, почти деревенскую, как будто находящуюся в другом городе. Я вспомнил и театр в Житомире со странным служебным входом и странным расположением гримуборных... Там мне предоставляли для подготовки маленькую гримёрку, стены которой были заклеены нарядными календарями с Юлией Тимошенко, и у меня возникало крепкое ощущение, что она — актриса этого театра, из года в год меняющая роли и образы.

Я вспомнил Одесский украинский театр, в котором всегда путался в странных коридорах, где всё безалаберно, но уютно. Вспомнил одесскую публику, которая всегда опаздывала, хотя их вальяжный приход невозможно было назвать опозданием: они просто не приходили вовремя, так что в Одессе спектакль всегда задерживался минимиум на полчаса. Одесская публика долго усаживалась, скрипела стульями, перешёптывалась, но потом ловила каждое слово, демонстрируя невероятно тонкое понимание смысловых оттенков.

Я вспомнил Донецкий драмтеатр, в точности такой же, как драмтеатр в моём родном Кемерово. Типовой и, в общем-то, удачный театральный послевоенный проект. Светская публика, пожалуй, была самая нарядная. А парад автомобилей, подъезжавших к театру, самым впечатляющим...

Со всей остротой я почувствовал, как соскучился по харьковскому театру, в котором от работников исходила такая любовь к нему, что я каждый раз чувствовал себя их родственником, которого долго ждали, и вот он приехал совсем ненадолго. А какая в Харькове приходила на спектакли публика! Харьковский зал так слушал и так дышал, что было ясно, что в этом городе театр знают и любят давно. Приятно было после спектакля в Харькове быстренько сбежать в бар под названием «Москвич» и повстречаться там с отдельными представителями той прекрасной публики.

Как же я скучаю по Театру имени Леси Украинки! Как к нему приятно было пройтись из гостиницы по улице Пушкина, зайти через служебный вход и оказаться, пожалуй, в самом чистом и удобном классическом театре из всех, в которых мне довелось работать. Я помню зелёную ковровую дорожу, лежащую в коридоре, ведущем к гримуборным. Скучаю по просторной и светлой гримуборной с удобным диваном и большим окном, выходящим на угол улицы Пушкина. Из него была возможность подглядывать за людьми, спешившими в театр, чтобы из пешеходов и просто людей за окном превратиться в публику, к которой я выходил на сцену.

Увидел рояль в гримёрной — и вспомнились театры, в которых я сыграю, наверное, нескоро...

Вот-вот выйду на сцену Красноярского оперного театра, на которой ещё не был. Большая. Волнуюсь. Но красноярцы как публика — прекрасны, одни из самых любимых. Очень надеюсь, что мы сегодня останемся довольны друг другом.

24 апреля

Вчера выехал из Красноярска и через пять с половиной часов прибыл в Абакан, столицу Хакасии. И в Красноярске, и в Абакане непонятная и непривычная для меня жара. Апрельская жара в Сибири случается, но в этот раз она совсем удивительная. Днём вчера было двадцать семь градусов, а ночью двадцать два. Думаю, что сейчас здесь самая тёплая погода во всей нашей большой стране.

Уезжал из Красноярска счастливый. Мне понравился Театр оперы и балета как рабочая площадка, и красноярцы своим приёмом и устроенными дважды овациями наполнили меня радостью и даже уверенностью в том, что удалось сделать хорошую работу.

В Хакасию и Абакан я приехал впервые. Уже почти не осталось территорий, где есть театры, в которых я ещё не бывал и не играл. Что я знал и знаю про Хакасию? К своему стыду, практически ничего. Я знал, что Хакасия недалеко от моих родных краёв, где-то там, юго-восточнее. Но что из себя представляет, не знал. Полагал, что, наверное, ничего особенного. То же, что и у меня в Кемеровской области...

С хакасами до недавних пор знаком не был, только недавно познакомился с одним в Москве, очень милый человек, получил прекрасное образование в Москве и Америке, вегетарианец. Он немножко рассказал про Хакасию и хакасов, но всё равно эти мои знания — ничто.

Сталбек, так зовут моего хакасского приятеля, сказал, что дорога из Красноярска в Абакан пойдёт через перевалы, и последний перевал перед степью и долинами стоит того, чтобы там остановиться. Само слово «степь» меня удивило, я не особенно представлял себе сибирскую степь. Разумеется, я очень хотел посмотреть вид, открывающийся с перевала. Но километрах в семидесяти от Карсноярска началась такая ужасная дорога, что поехали мы медленно. На некоторых участках трассы вовсе отсутствовало дорожное покрытие, эта рваная, то медленная, то быстрая езда и ухабы укачали меня, и я задремал, а потом и крепко уснул. И когда проснулся, машина ехала ровно, шелестели колёса, мы ехали быстро по практически идеальной дороге. Я, что называется, «продрал глаза», пришёл в себя и огляделся. То, что я увидел, меня потрясло.

Уснул я среди каких-то полухолмов-полугор, поросших довольно густым лесом, в котором ещё лежал нерастаявший снег... А тут вокруг меня было пространство, будто находящееся не то что в другой стране, а на другом континенте и чуть ли не на другой планете. Я давно так далеко вокруг себя не видел. И купол неба над нами был такой широкий, такой огромный, что не знаю, с каким местом в мире можно сравнить увиденное. Я видел степи, разные. А тут...

От горизонта до горизонта я видел рыжую поверхность... Я сначала не понял, что это сухая трава. Поверхность неровная, на ней удивительной красоты округлые холмы, которые идут грядами, и эти гряды тоже неровные, с разрывами. То, что я видел, больше всего напоминало застывшее море с огромными непостижимыми волнами, которые необъяснимым образом возникли на гладкой поверхности в полный штиль. Это очень красиво! Я не видел похожих пейзажей нигде.

Мест недавних пожаров мы не проезжали.

Приехали в Абакан вечером, уже темнело. В дороге, разумеется, проголодались. Очень хотелось отведать национальной хакасской еды, про которую мой приятель рассказывал и которая, разумеется, есть. Однако через час после прибытия нам однозначно сообщили, что ни одного заведения с национальной хакасской едой в городе нет. Как нам сказали, они были ещё недавно, но позакрывались. Пришлось ужинать пиццей в заведении под названием «Нью-Йорк». Но нам пообещали, что вечером, после спектакля, частным образом нам национальную еду приготовят.

Абакан — единственный город в длинном сибирском туре, в котором аншлага не будет. Зал будет заполнен процентов на семьдесят. Но я здесь в первый раз. Надо сыграть так, чтобы в следующий раз обязательно был полный зал.

25 апреля

Рано утром на стареньком «Ан-24» из Абакана прилетел в Иркутск. Думаю, самолёт был старше меня. Я себя пожилым человеком не считаю, но, очевидно, металл и разные конструкции изнашиваются сильнее, чем живой человек. Всё же мы взлетели, летели и приземлились в Иркутске. При посадке трясло здорово, как говорила моя бабушка, «мотыляло». Однако две юные стюардессы вели себя спокойно и довольно весело обсуждали какие-то повседневные мелочи. В салоне во время посадочной тряски спокойны были только они. Две эти очаровательные особы смотрелись какими-то новыми устройствами, чуть ли не апгрейдом, в конструкции старого, скрипучего и очень уставшего самолёта.

На подлёте к Иркутску наблюдали обширные лесные пожары, и по прилёте сразу ощутили в городе запах дыма. В Иркутске тоже жарко, ветрено, сухо — совершенно не ко времени.

В Абакане мне понравилось, хотя спектакль прошёл для меня довольно нервно. Всё-таки я не привык и трудно себя ощущаю в зале, где процентов тридцать мест свободно. Всем неуютно. Неприятно сидеть рядом с пустующими местами, равно как и играть для пустующих мест. По всему в театре видно, что город совершенно не театральный. Театр аккуратный, но уж какой-то слишком чистенький, безжизненный, особенно в гримёрных.

В гримёрных всегда видна жизнь тех, кто в них работает. Афиши, картинки на стенах, фотографии детей на столах, иконки, всякие штучки... А тут гримёрная была абсолютно пустой, можно сказать, стерильной, хотя рассчитана на одновременное пребывание четырёх артистов. Нигде ничего, даже календаря, даже календарика. Видно, и даже чувствуется по запаху, что там никто не работает. Нет внутренней жизни.

Во время спектакля в Абакане постоянно звенели и звенели телефоны. Это говорит только о том, что люди там редко ходят в театр. В Москве, Санкт-Петербурге, Екатеринбурге, Нижнем или Новосибирске, а также в других больших и вполне театральных городах, то есть Самаре, Саратове, Перьми, Челябинске и так далее, проблемы мобильных телефонов, по крайней мере у меня на спектаклях, практически нет. Так — случится раз-другой, да и то в самом начале. А там, где в театр люди ходят редко, от случая к случаю, и звучат эти никому не нужные трели.

С этим приходится бороться. Мне не доставляет радости делать людям замечание, а потом сводить к шутке, но делать это приходится: если упустить один, второй, третий звонок, их становится все больше и больше, люди начинают выбегать из зала по причине телефонного вызова, и делают это по несколько раз подряд. Если не реагировать на телефонные звонки, кто-то начнёт тихонько отвечать... А самое главное — многие и многие, уткнувшись в свои гаджеты, будут что-то читать или писать в ответ. Я видел и вижу это практически во всех театрах и на всех самых нашумевших и значительных постановках, про модные я даже не говорю.

Своего зрителя я слишком уважаю и ценю, чтобы позволить ему отвлекаться, разрываться между спектаклем и посторонней для театра действительностью, терять суть происходящего и в итоге получать не цельное впечатление от спектакля, а что-то дырявое и рваное.

Хакасская публика — та, что ждала, — была очень тёплой, люди огорчались тем, что так много земляков не выключили свои мобильные устройства. В итоге спектакль прошёл хорошо, и общая атмосфера сложилась как надо. Да! В Абакане мне подарили цветов намного больше, чем в большом и вполне театральном Красноярске или Томске вместе взятых.

Хакасской еды мы всё же хоть и немножко, но попробовали. Не без сложности! Гостеприимный мой хакасский приятель, который в Абакане уже не живёт, смог организовать в заведении под названием «Рафинад», чтобы туда пустили хакасского повара, который и приготовил нам два блюда.

«Рафинад» и национальная хакасская кухня не сочетались категорически, особенно в пятницу вечером. Заведение довольно большое, с данс-полом и большим диджейским пультом. Такое место в спальном районе для отчаянных танцев, а тут мы с их национальной едой. Но место, как мы потом увидели, было определённо хакасское.

Как нам сказали, в тот день для нас зарезали барана, и в итоге мы отведали бараний суп (не помню названия) и кровяную колбасу под названием «хан» (если не ошибаюсь).

Суп был очень простой, тем и прекрасен. Прекрасная нежирная баранина, совершенно без вульгарного бараньего вкуса, нежирный бульон и, думается мне, пшеничная каша мелкого помола. Несолёный. По всему ясно, что этот суп — простая и древняя еда. Равно как и кровяная колбаса. Бараней кровяной колбасы я прежде не пробовал, она не такая, как делают украинцы, литовцы или в наших деревнях. Никакой гречки или другой крупы, никакого чеснока или сала. Только баранья кровь, и всё. И опять же, совсем не солёная и без специй. Весьма жирная, должен вам сказать, штука. Я ее съел скорее из любопытства и запил кровянку местным самогоном, сделанным из молока, причём самогоном, доведённым до не очень крепкого состояния, скорее похожего на японское саке... Хороший напиток. Я ничего подобного не пробовал, по вкусу и по запаху мне не с чем это сравнить. Запивать им жирную пищу, к тому же без соли и специй, приятно и правильно, да и организм с этим как-то сразу согласился. Судя по всему, тоже давно разработанное сочетание. Древний народ хакасы!

Пока мы ели, музыку громко в «Рафинаде» не включали. Мы определённо всем мешали с нашей хакасской едой, но нас деликатно терпели, никто не подгонял, никто не стоял над душой. Когда же мы закончили с национальной кухней и пошли на выход, музыку, что называется, «врубили» и засидевшиеся в ожидании танцев хакасы буквально бросились на танцпол под музыку совсем не древнюю и далеко не местную... Хотя — песня «О боже, какой мужчина!» является народной на всей огромной территории нашей страны.

Как уже сказал, в Абакане мне понравилось. В четверг зашли в ещё одно заведение, а там — местный конкурс танцевальных коллективов. Современные танцы. Сидело жюри, было довольно много публики, участники очевидно волновались, публика болела за своих. Было видно, что люди относятся к происходящему очень серьёзно. Танцы в основном были вполне наивные, но ребята явно репетировали, готовились и относились к происходящему как к событию...

В другом заведении происходил финал конкурса караоке, было много нарядной публики. Конкурсанты были ещё наряднее, а пели наивнее, чем танцевали в предыдущем заведении. Однако меня потряс участник, который показался мне человеком определённо меня постарше, в нарядной рубашке, в нарядных светлых брюках, ослепительно блестящих туфлях и таком же блестящем ремне. Когда он запел, ремень и туфли померкли, потому что он ослепил всех золотом зубов. Все верхние зубы этого человека были золотые.

Он потрясающе исполнил песню «Я люблю тебя до слёз» — лучше оригинала. В его исполнении было больше жизненной правды и верности интонации. Все его интонации, а также жесты, осанка, повороты головы — как и его зубы, были золотыми. А ещё он неподражаемо вставлял в исполнение такие слова: «Добра и здоровья вам! Благополучия и счастья вам!» Я рукоплескал стоя. Рукоплескал без иронии и сарказма, потому что я видел чистый жанр в его первозданном виде. Такой чистоты я практически никогда не встречал, это было золото самой высшей пробы, с совершенно другой планеты, чем та, на которой живу я, мои друзья, коллеги, где живут мои зрители, читатели и происходит то, чем я вообще занимаюсь. Но тем не менее это было круто!

Я не поленился, подошёл и искренне поблагодарил исполнителя за песню. Он тут же пожелал мне счастья и здоровья, одарил золотой улыбкой, крепко пожал руку... Оказалось, что его зовут Вениамин, он цыган, почти на десять лет меня младше, и знакомые и друзья зовут его Вена.

Улетал я из Абакана, прижавшись к мутному, исцарапанному и давно тщательно не мытому иллюминатору старенького «Ан-24», стараясь рассмотреть город сверху как можно лучше. Улетал с самыми хорошими впечатлениями, а также с надеждой, что и я произвёл неплохое впечатление и мне доведётся ещё здесь побывать.

29 апреля

Три дня провёл в Иркутске: сыграл два спектакля, провёл один свободный день и в ночь улетел в Читу. Уже плохо соображаю, где нахожусь, в каком часовом поясе.

Сижу в гримёрной в читинском драмтеатре. В окно бьёт сильное вечернее солнце, а я даже не понимаю, какое время суток. Если б мне сказали, что сейчас седьмой час утра, я бы согласился и принял вечернее солнце за утреннее.

В Иркутске было хорошо. Люди очень ждали, это чувствовалось, все билеты были раскуплены сильно загодя. А главное — люди спектакль приняли. Приняли безоговорочно. Радость!

Съездил вчера и краешком глаза глянул на краешек Байкала, посмотрел, как идёт лёд по Ангаре, попарился в бане, съел копчёного омуля, то есть выполнил обязательную прибайкальскую программу, по минимуму, но выполнил.

Но главное, что произошло в Иркутске помимо спектаклей, — я познакомился с несколькими молодыми людьми, с которыми прежде знаком не был, хотя в Иркутске работал больше, чем в других городах, и благодаря «Сатисфакции» иркутяне считают меня земляком. В сущности, я же сыграл иркутянина.

Ребята произвели на меня радостное и светлое впечатление. Расскажу про одного из них. Зовут его Костя, Константин.

Вечером в маленьком баре ко мне подошёл молодой, можно сказать, юный человек и пригласил на следующий день непременно зайти и отужинать в его заведении. Приглашений где-то отужинать и отобедать я получаю много, практически во всех городах. Но приглашают меня, как правило, люди существенно старшего возраста. Или же дамы и барышни, которые занимаются пиаром каких-то заведений. Говорят они закреплёнными фразами и чаще всего заинтересованы только в получении фотографий небезызвестного лица в их интерьере, чтобы повесить это лицо в этом интерьере на стену. Я всегда от таких предложений отказываюсь.

В этот раз было по-другому. Во-первых, Костя очень молод и совсем не похож ни на хозяина заведения, ни на пиарщика. Костя среднего роста, застенчивый человек, русый, аккуратно подстриженный, с аккуратно же подстриженной, совсем не хипстерской бородкой. Румяный. И постоянно от волнения краснеющий. С очень добрыми светлыми глазами. Костя совершенно человек конца девятнадцатого века.

После всего он мне напомнил героев русской прозы — такой благовоспитанный сын мелкого помещика, приехавший в большой город с надеждами и светлыми планами.

Он определённо волновался, приглашая меня, и в то же время было видно, что он очень хочет, чтобы я пришёл. Я спросил его, какого рода у него заведение и действительно ли он его владелец. Он сказал, что он совладелец маленького гриль-бара, но он сам мне всё приготовит и что у него лучший гриль в городе. При этом он покраснел совсем, но было видно, что не врёт. А потом добавил, что он делает замечательные бургеры. Мол, поверьте... Я, разумеется, сразу решил к нему зайти, потому что такой искренности и при этом уверенности в своих силах на фоне застенчивости я почти не встречал. Короче говоря, вчера я ужинал у Константина. У него действительно крошечный гриль-бар, который они сделали своими руками с его другом и партнёром. Гриль-бар находится в подвальном помещении. Интерьер не бесспорен, мебель — тоже. Но это идеально чистое и тщательно сделанное пространство, в котором главным является тот самый гриль и Костя с двумя сотрудниками. Почему у них так чисто, выяснилось вскоре. Ответ очень простой: у них нет уборщицы, они моют всё сами.

Всё в этом заведении и сам Костя очень скромное, кроме непосредственно гриля и Костиного желания делать лучшие бургеры в Иркутске. Костя рассказал мне свои семейные истории, про работу с отцом, про одиночные попытки что-то делать, про учёбу на авиационного техника... Рассказал, как начал делать уличные хот-доги и понял, что не может продавать такое людям. Рассказал, как ему попала в руки книга про гриль и как он сделал свои первые стейки и бургеры. Не всякий космонавт расскажет про космос с таким азартом.

Когда дело дошло до еды, я испытывал волнение и даже страх: а вдруг всё то, что рассказывает Костя, только болтовня и фантазии молодого человека?

Нет! То, что написано в крошечном меню Костиного гриль-бара, приготовлено изумительно. Таких креветок на гриле я не ел, наверное, с лета, потому что ел их в Греции и у моря. Стейк Костя сделал так, как надо, и так, как на самом деле мало и редко кто готовит. А бургеры у Кости просто фантастические. Между бургерами из фаст-фуда и Костиными произведениями дистанция космического масштаба.

Я впечатлён этим парнем, который очевидно живёт этим своим делом, который уверен в себе и при этом застенчив и очевидно чертовски трудолюбив, да к тому же ещё и талантлив. Такие встречи возвращают веру в человечество. Кстати, его бар находится в Иркутске на улице Карла Либкнехта, дом номер 4. Называется «The grill». Просто и ясно.

За свой ужин мы заплатили, Косте я ничем не обязан, кроме того, что он произвёл на меня прекрасное впечатление. А о том, чтобы я о нём написал, он не просил и даже не намекал на такое. Я сам...

Кстати, ему двадцать четыре года.

Всё. Мне пора на сцену.

3 мая

Три дня назад улетел из Читы в Москву...

Спектакль там играл с особым азартом: по окончании долгого тура, в состоянии предельной усталости и предвкушении отдыха, играется особенно весело, куражно, и само собой получается остроумно. Читинская публика поддержала этот кураж в полной мере. Убеждён, что мы остались довольны друг другом.

Встретился с читинскими приятелями, но усталость была таковой, что за ужином с ними я был не в силах говорить, только и делал что слушал и улыбался.

Прилетел я в Читу из Иркутска рано утром. Сутки провёл в этом городе в полусне, днём перед спектаклем спал, а вечером и ночью, хоть и был вымотанным, уснуть не мог. Когда находишься в состоянии такой усталости, все кажутся такими же, как ты. Вот и город мне показался слегка заторможенным, молчаливым и уставшим. Уставшим от зимы, резко наступившей весны, от лесных пожаров, которые задымили и прокоптили город, от общей ситуации в стране и неопределённости грядущего.

Улетал из Читы ярким солнечным утром. Ехали в аэропорт в дымке, которая, если бы не запах гари, могла показаться утренним туманом. В районе аэропорта дым был плотнее. После взлёта долго смотрел в иллюминатор, картина пожаров катастрофическая, сгорело так много, что если бы это были не леса, а человеческая кожа, человек, наверное, и не выжил бы. А то, что ещё не сгорело, дымило так, что дым поднимался выше отдельно летящих облаков. Никаких противопожарных работ я не увидел. Может, они и велись, но только человек настолько ничтожно мал со своими противопожарными средствами, что и не видны были эти возможные усилия. Пожары наблюдал минут сорок полёта, пока поверхность земли не закрыла облачность...

Вот так закончился мой самый-самый длинный тур, от Новосибирска до Забайкалья. Таких больших расстояний за одну гастроль я прежде не преодолевал.

Позавчера ночью улетел из Москвы на остров Корфу, который мне так полюбился и на котором мне так жизнерадостно дышится. Здесь не жарко, с моря прохладный ветер. Всё безумно цветёт и пахнет. Всё ярко и контрастно. Море ещё прохладное и какое-то уж слишком прозрачное.

Вчера вечером впервые в жизни наблюдал в по-южному резко наступившей темноте танцы светлячков. Я видел светлячков в Африке, в Ботсване, но их было немного, столько же, сколько в августовском небе случается падающих звёзд... Так, одна-другая сверкнёт.

А тут было целое шоу или даже балет. Сонм!

В темноте, среди деревьев, десятки, сотни вспышек. Какие-то вспыхивают, оставаясь на месте, какие-то за время короткой вспышки успевают прочертить темноту. То все мигают по-разному, а то, будто руководимые неким дирижёром, вступают в резонанс и секунд десять–пятнадцать вспыхивают одновременно. Все и одновременно! А потом снова светятся каждый по-своему.

Наблюдать это можно бесконечно.

Отдельные светлячки подлетали совсем близко к глазам, можно было слышать их жужжание. Самого жучка рассмотреть в темноте невозможно, только зеленоватые вспышки.

Хотя поймать его совсем не трудно. Протягиваешь руку — и без труда ловишь маленькую звёздочку. На ладони у тебя оказывается жучок не более сантиметра длиной, который не сопротивляется и вспыхивает брюшком, если не сказать попой, но только не так ярко, как в полёте. Вспыхивает и почему-то не улетает. Но если на него подуть, начинает светиться ярче, как уголёк... Я испытал абсолютно детский восторг. Сегодня вечером и в начале ночи обязательно снова буду смотреть это шоу.

Я помню в Сибири, в детстве, мы называли светлячками малюсеньких жучков, которые появлялись в конце июня, если было тепло. Они были аккуратные, тёмно-бирюзовые, с оранжевым воротником и маленькой блестящей головкой. У них было оранжевое брюшко и маленькие деликатные лапки. Вот их и называли светлячками. Я знал из сказок и мультфильмов, что светлячки светятся ночью. Я ловил этих жучков, создавал для них в стеклянной банке замечательные условия со свежей травой и даже в крышечку от какого-то пузырька наливал им водичку, ставил банку на подоконник, приоткрывал окно, чтобы у светлячков был всегда свежий воздух, и полночи просиживал рядом с банкой, но ни разу ни один из них не засветился.

На жуков я не обижался, отпускал их, ловил новых. Результат был тот же, из чего я сделал вывод, что либо светлячки не светятся в неволе, либо являются выдумкой писателей, которые пишут для детей. А вчера я их видел бессчётное количество и наблюдал их упоительный фантастический танец.

Летом, когда придёт жара, светлячков не будет. Зато будут громко, весь день, орать цикады, да и ночью есть кому потрещать в кустах и на деревьях. Весной же здесь бесшумно царствуют светлячки.

Я проехал и пролетел от Новосибирска до Читы, и у меня есть ощущение, что я приобнял и прижался к огромному неохватному древу. Прижался крепко, обхватил его, как мог, руками, но даже не понял, сколько нужно ещё рук, чтобы обнять его целиком. Я прижался к этому древу, к его грубой, твёрдой, местами обгорелой, местами колючей, во многих местах истерзанной коре, почувствовал его непостижимую мощь и необъятные размеры, уходящие куда-то вглубь и вверх, в непонятную и невидимую высоту, и ощутил, что все мы, сейчас проживающие на нашей земле, — лишь несколько складок, выпуклостей и углублений на коре этого древа... А ещё мы в лучшем случае — пара колец на его срезе. Вот только я надеюсь, что этот срез никто никогда не сделает.

6 мая

Я вдруг понял, что впервые в жизни уехал на майские праздники, вместо дома, куда-то к морю. Давно хотел попробовать, как это — съездить на майские, незадолго до лета, туда, где лето уже в самом разгаре. Нынче приехал на свой любимый остров Корфу. Прилетел через Москву из Читы, а отсюда через Москву улечу в Самару. Получится, что дома, в Калининграде, я не буду полтора месяца.

Я соскучился по Корфу, хотел оказаться в настоящей жаре у самого лазурного и живого из всех известных мне морей, у Ионического. Хотел вкусной еды и вина... Но сейчас понимаю, что в рабочем режиме и между долгими и трудными гастролями настоящий отдых может быть только дома. Дома — и нигде больше.

В Калининграде в начале весны мы посадили три новых дерева. Больших. Алычу, сливу и плакучую иву. Я не видел, как они зазеленели. Не видел, как зацвели алыча и слива, как покрылась листвой и стала по-настоящему плакучей ива, о которой я давно мечтал. Плакучая ива — моё самое любимое дерево. Когда я вернусь, всё уже отцветёт и окончательно распустится. Так что в моём случае ехать куда-то между работой, а не возвращаться домой — ошибка.

Хотя здесь прекрасно!

Вчера наконец-то начали всей семьёй вслух читать лучшую прозу о Корфу — книгу любимого Джеральда Даррелла «Моя семья и другие животные». С первой же страницы стали смеяться в голос. Все! Потому что, по своей сути, тот предвоенный Корфу тридцатых годов XX века, атмосфера и, конечно, сами греки всё те же.

Жаль, что никакая фототехника и никакой самый талантливый фотограф ничего не смогут передать своими фотографиями. Я посмотрел массу фотографий, снятых на Корфу разного уровня мастерами своего дела. Ни у кого ничего не вышло. А вот литератор может передать точно и прекрасно, а главное — не иллюстративно суть, содержание, вкус и бесконечное количество оттенков того пространства и тех людей, с которыми встретился и которых полюбил. Дарреллу это удалось вполне.

Недавно мне удалось снять забавные так называемые сэлфи. Получилось неожиданно... В Перми сидел в гримёрной в ожидании спектакля. Я переодеваюсь в костюм уже после второго звонка, то есть буквально перед самым выходом на сцену. Это я делаю для того, чтобы не быть в образе персонажа вне сцены. Я стал торопливо переодеваться, потому что через три-пять минут мне надо было идти играть, как вдруг в окно ударил очень яркий свет: это вечернее предзакатное солнце вышло из-за низких ползучих облаков. И я увидел отчётливую, живую тень прямо на двери, в которую мне нужно было выходить, чтобы пройти на сцену. Я едва успел снять это сэлфи, как солнце снова зашло за тучи.

Подобное точь-в-точь произошло в Томске, ровно в то же самое время, когда я собирался облачиться в костюм Сердца для спектакля «Шёпот сердца». Тень была очень чёткой, а потом стала исчезать, таять, потому что солнце стало уходить за дома.

Осталось странное ощущение. Приятно было пообщаться с собственной тенью, прежде чем на два часа спектакля исчезнуть вовсе, превратившись в персонажа.

9 мая

С праздником вас! С прекрасным и бесспорным праздником!

С Днём Победы!

Кто-то радуется параду и беспрецедентным торжествам, которые происходят у нас, кто-то этим масштабом обескуражен или даже возмущён, кто-то считает приехавших и прилетевших к нам на праздник глав и представителей других стран, кто-то считает тех, кто не приехал и не прилетел, кто-то с отвращением смотрит снятые к юбилею Победы заказные фильмы, а кто-то смотрит их с удовольствием. Кто-то источает желчь, а кто-то напьётся до полусмерти, даже не задумавшись о том, что празднует...

Моя же семья и я — мы празднуем День Победы! Не день примирения, не день поминовения, не день скорби, не ещё какой-то день. Мы празднуем день Великой Победы в Великой Отечественной войне! В этой победе нет сомнений и в этой победе нет изъяна. Мой дед победил в той войне.

Он победил не абстрактного врага, не мифическое зло — он победил захватчиков, победил нацизм. Он победил Гитлера. Мой дед был солдатом. Солдат — защитник и освободитель, всякий солдат... Наш солдат той войны прекрасен и безупречен.

Я горжусь, помню и люблю.

Моего деда звали Борис Васильевич Гришковец.

Сегодня я посмотрю на его фотографию, вспомню его про себя и выпью за него водки. Выпью стоя. Выпью с любовью и гордостью.

Поздравляю всех-всех соотечественников и современников с этим всё ещё живым и важным праздником, праздником Победы.

С праздником Нашей Победы, Победы священной, праведной, справедливой, светлой и бесспорной! Ура!

11 мая

Вот-вот пойду на сцену в Самаре. Всю ночь был в перелётах. Вылетел вчера вечером с Корфу, долго маялся в аэропорту Афин, потом летел в Москву, маялся в Домодедово, проклиная тех, кто разрабатывал сиденья для аэропортов. Утром с потерей часа прилетел в Самару, долго ехал из аэропорта, поскольку самарский аэропорт максимально отдалён от города: он находится между Тольятти и Самарой и обслуживает два города. Двум городам неудобно. Мудрое решение!

По новому, совсем свеженькому и пока ещё совсем необжитому аэропорту Самары шёл в полусне. Как доехал до гостиницы — не помню. Как уснул — тоже не помню. Проснулся за полтора часа до спектакля, отдёрнул штору и зажмурился от яркого солнца... Увидел тёмно-синюю воду, белый теплоход и в первую секунду испугался, что никуда из Греции не улетел...

Ан нет, улетел! Просто широка Волга-матушка река!

Сейчас уже вот-вот пойду на сцену. Пойду с удовольствием. Здесь ждали, зал переполнен, приставных стульев не хватило. За двенадцать дней соскучился по новому спектаклю и по своему необычному и странному персонажу — Сердцу.

13 мая

За последние два дня ничего особенного не произошло. Единственное — перелетел из Самары в Нижний Новгород и опять сижу в гримёрной нижегородского ТЮЗа в ожидании спектакля. За окном надрываются птицы, в театральном дворе всё зелено и даже цветут розы. Это очень необычно для меня: когда я приезжаю в Нижний, погода всегда либо плохая, либо очень плохая. Снег для меня в Нижнем идёт и в начале октября и в апреле. А вот сегодня чудесно... Только однажды, когда играл в Нижнем, была хорошая погода. Это был мой первый спектакль в этом городе. Никогда его не забуду. Это было 11 сентября 2001 года.

Сегодня и завтра буду исполнять для нижегородцев «Шёпот сердца». Какая у меня замечательная и чудесная работа!

Вчера давал местным СМИ пресс-конференцию. Получился длительный приятный разговор, без каверзных вопросов, глупостей и подвохов. Уж не знаю, что из этих разговоров войдёт в материалы, но мне было хорошо, как давно не было. Видимо, даже журналисты устали от подвохов и каверз.

Послезавтра в Казань придётся ехать автомобилем, потому что авиарейс отменили. Что-то много их отменяется по стране. Но как известно и как говорят только по-русски: для бешеной собаки...

18 мая

Было несколько весьма трудных дней.

Прибыл вчера в Ульяновск, вечером спектакль. По дороге из блистательной Казани заехали к моему приятелю в марийскую деревню. Деревня очень понравилась. Дома статные, большие, хорошие ворота и заборы. Хоть дорога ужасная, мусора нигде не было видно. Посреди деревни хоккейная площадка, зимняя, конечно, не круглогодичная, но есть. Везде видна и слышна стройка, везде кто-то возится, что-то копает, снуют утки с курицами. Хорошо! Не ожидал.

Съехали с трассы, часа четыре провели на марийской земле, вернулись в Татарстан и поехали на родину Ленина. На трассе я задремал — хорошая дорога, гладкая, а проснулся от того, что мы въехали в Ульяновскую губернию: зубы клацнули, вот и проснулся. На границе Татарстана и Ульяновской области хорошее асфальтовое покрытие закончилось резко. Закончились аккуратные крепкие деревни, закончился порядок.

Ульяновск весь перекопан, дороги перекрыты. Вроде бы идут дорожные работы, но как-то вяло, неубедительно, люди ворчат.

По прибытии в Ульяновск мы кинулись искать место, где можно было бы посмотреть финал чемпионата мира по хоккею. Все заведения с экранами были забиты людьми. Кое-как нашли местечко в одном шумном заведении, финал посмотрели...

Мне нравится наша хоккейная сборная этого года, нравится тренер, нравятся игроки. И вчера они мне нравились. Просто они не могли выиграть. Канадцы были сильнее, веселее, свободнее, а нашим ещё и не везло.

Мне же не повезло в том, что за время чемпионата я смог посмотреть только два матча: нашу встречу с финнами, которую мы проиграли по буллитам, и вчерашний разгром. Победные матчи я не видел, сам играл в это время.

В том заведении, где мы смотрели хоккей, было очень много народу с флагами и разрисованными триколором лицами. Дружно кричали: «Россия! Россия!» Недолго. Многие покинули просмотр минут за пятнадцать до окончания матча. Грустные, они разбредались по городу, смотав флаги и отмыв лица.

Перед самым началом игры всем раздали бумажки, чтобы сделать прогноз на результат. Такого разгромного счёта не предположил ни один человек. Я же из любопытства после матча попросил показать мне те бумажки. Забавно, но подавляющее большинство людей, что пришли с флагами, кричалками и триколорами на физиономиях, поставили на выигрыш канадцев. Подавляющее большинство! То есть вчерашний результат почти никого не удивил, а вот огорчил также подавляющее большинство. Это значит, что болели искренне, не оголтело, не тупо. Просто очень хотели, чтобы случилось чудо, но оно не случилось.

Наши всё равно играли хорошо. Мне нравится наша нынешняя сборная. Единственное, что было отвратительно, — это комментарии комментатора Гусева, они мне доставили физическую боль. Когда русский язык используют дурно и глупо, меня это мучает. Комментарии же этого человека были отчаянно плохи с точки зрения языка и бессмысленны по содержанию. Видимо, сейчас требуется именно такое: пафосно, глупо и как можно громче. Ничем иным я не могу объяснить то, что именно этот комментатор является главным на главном канале страны.

Это далеко не единичное моё мнение. Вчера простые парни возмущённо орали по поводу его комментариев. В итоге звук был прибран, и за микрофон взялся местный комментатор, который тоже не блистал выдающимся знанием русского языка и остротой мысли, но всё же был лучше, чем голос Первого канала.

В Казани спектакль прошёл блистательно! Я всё больше и больше восхищаюсь этим городом. Из Нижнего выехали пораньше, хотел погулять вечером по Казани... Но на выезде собралась гигантская пробка: на трассе грузовик сбил столб, который упал в аккурат поперёк дороги. Пробка получилась исключительная. Минимум полтора часа ушло на неё. Ехали медленно, было много фур, возле Чебоксар тоже толкались в пробке. В общем, пораньше приехать в Казань не получилось, и мне вновь довелось подъезжать к Казани на закате.

Я много раз подъезжал к Казани и всегда на закате. В этот раз мы пересекали Волгу по мосту, и яркий закат был строго слева, а справа, вдалеке, открылся вид на город. Река в этом свете была тёмно-тёмно-синяя, а город на её берегу засветился и стал сахарно-белым. Всегда, когда подъезжаю к Казани, город светится белым светом. Удивительно!

В Казани я в тридцать первый раз сыграл спектакль «Шёпот сердца», и он мне запомнился. За час до спектакля мне сообщили, что управление нашим световым оборудованием не работает.

В «Шёпоте сердца» мы используем особое оборудование, которое возим с собой, равно как и систему управления этим оборудованием. Так вот, компьютерная программа, управляющая светом, не запустилась.

Я не понимаю технических тонкостей, я только узнал, что наш светооператор с утра пытался решить проблему. Он много времени говорил со специалистами из Лондона, авторами и продавцами программы, но ничего не помогло, и минут за сорок до начала спектакля стало окончательно ясно, что использовать нашу систему управления мы не можем.

Я был в шаге от принятия решения демонтировать декорацию, извиниться перед публикой и сыграть спектакль не как спектакль, а как некий творческий вечер, на голой сцене. Чего, конечно, делать мне ужасно не хотелось. Не хотелось категорически! Но без света декорация бессмысленна и непонятна. Надо отдать должное нашему светооператору Косте и операторам казанского Театра Камала, совершившим профессиональный подвиг: они смогли за час с небольшим соединить наш свет с местным оборудованием и провести спектакль, без единой репетиции и тренировки, в восемь рук. Это было чудо. Зрители ни о чём даже не догадались. Единственное, что намекало на то, что что-то не так, — получасовая задержка спектакля и моё нервное и напряжённое состояние первые полчаса действия.

Я, конечно же, выходил на сцену с большим волнением, поскольку не представлял, как будет всё работать и будет ли работать вообще. Моё волнение усиливало то, что в Казани был какой-то мощный, звенящий аншлаг, с людьми на приставных стульях и ступенях по всему залу.

Сегодня играю в Ульяновске. Местную публику люблю. Здесь всегда полный зал, всегда! Совсем рядышком находится Саранск, который побогаче Ульяновска, но там всё наоборот. Там ко мне на спектакли люди почти не ходят. Туда, наверное, больше не поеду. Пусть люди из Саранска приезжают в Ульяновск или Пензу, буду им рад.

Погода сегодня отвратительная, холодный дождь. Мне нравится! Когда хорошая тёплая погода, работать труднее, и люди какие-то несосредоточенные, так что сегодня буду играть с удовольствием.

19 мая

Сегодня в Пензе солнечно и свежо. Вчерашние дожди и ветер вымыли город и подмели. Пенза выглядит чистенькой, прибранной и даже нарядной. Это особенно заметно после Ульяновска, где весь город в вялых ремонтах, заборах, ямах и мусоре, дороги катастрофические. Мне кажется, что любой ульяновский водитель мог бы запросто участвовать в гонках на выживание или по бездорожью, так ловко они объезжают бесчисленные ухабы и дыры в асфальте.

Зато ульяновский театр — будто оазис чистоты, красоты и порядка. Он сам по себе очаровательный, старорежимный, да ещё чувствуется в нём какая-то своя жизнь и уклад.

И публика театру под стать. Вчера щедро дали мне смеха, аплодисментов, устроили овацию, завалили цветами. Я играл для них с особым азартом.

Сегодня спектакль в Пензе. Здесь много людей вчера и сегодня интересовались, не будет ли отмены, приехал ли я. Такое происходит нынче во многих городах. Очень много отменяется концертов, спектаклей, выступлений. Отменяются концерты известных классических музыкантов, концерты солистов балета, наряду с этим отменяются экзотические шоу. Отмена за отменой антрепризных спектаклей с участием известных киноактёров. Отменяются концерты юмористов и производных «Комеди клаба»… Зрители же узнают о том, что спектакль или концерт отменён, только когда приходят нарядные к театру или филармонии, приходят и читают табличку «Отмена». После такого у них пропадает желание снова покупать билеты и куда-то идти, утрачивается доверие к исполнителю…

Можно с уверенностью сказать, что прошедшей зимой и нынешней весной со зрителями остались те исполнители, которые ни разу их не подвели. Хотя — любая отмена наносит косвенный удар по репутации всех, кто занимается концертной и гастрольной деятельностью. В этом процессе может обнадёживать только одно: возможно, произойдёт чистка рядов.

Завтра к вечеру буду в Саратове, там меня ждёт мой любимый Театр имени Слонова и любимая саратовская публика. Саратов определённо входит в число городов, где знают, любят и понимают театр. В этом городе рождаются и вырастают замечательные артисты…

22 мая

Готовлюсь к спектаклю в Саратове, здесь аншлаг, и давно. Этим спектаклем заверщу Поволжский тур. Рано утром улечу в Москву, там завтра спектакль. В Москве «Шёпот сердца» сыграл четыре раза в марте. Московские друзья-приятели, родственники, знакомые уже начали на меня сердиться, обижаться, ворчать. В этот раз сыграю два спектакля подряд, а потом улечу на Венский фестиваль, в рамках которого мне предстоит дважды исполнить с переводом на немецкий «Прощание с бумагой».

В Саратове сегодня совсем летняя погода. По набережной ходят в шортах, в сарафанах. Волга спокойная-спокойная, тёмная. Облака над ней летят роскошные, причём возникает впечатление, что они летят именно над рекой: над городом облаков определённо меньше. Кто знает, может, им приятно отражаться.

Съел сегодня на воздухе на веранде с видом на реку первую в этом году окрошку. Именно с этого момента я всегда начинаю отсчёт лета.

23 мая

Рано утром вылетел из жаркого, залитого рассветным и сразу по-летнему жалящим солнцем Саратова в Москву, которая встретила холодным дождём. Я обрадовался дождю. Работать, когда жарко и на улицах люди ходят в шортах и во всём коротком, сложно — даже не по причине того, что обидно тёплым долгожданным летним вечером, вместо того чтобы гулять, сидеть в неудобной гримёрной, а потом играть в душном зале. Не в этом дело... Дело в том, что и публика, одетая в лёгкие ткани, пришедшая с тепла и света в тёмный театральный зал, чаще всего какая-то несосредоточенная, слегка опьянённая благодатью лета и солнца...

Только этим я объясняю повышенное количество звонков мобильных телефонов в те дни, когда за стенами театра тепло, солнечно и радостно.

Однако ничем я не могу объяснить идиотскую выходку саратовского зрителя вчера, почти в конце спектакля.

Саратовская публика одна из самых моих любимых. Театр здесь понимают, им гордятся, прекрасно зная, каких великих артистов породила саратовская земля. Вчера почти весь спектакль я нарадоваться не мог тому, как тонко и точно публика реагировала на детали или обороты, на которые в некоторых других городах никто и внимания не обращал. Я даже во время спектакля сделал несколько комплиментов публике... Играл самозабвенно и радостно. Спектакль шёл к своему завершению, а в этом завершении происходит несколько маленьких театральных чудес, которых я жду, зная, как они радуют зрителя. Эти чудеса подготавливают финал, к которому и я, и весь зрительный зал совместно движемся, проходя целый ряд душевных переживаний...

И вот в самый нежный момент спектакля из зала раздаётся абсолютно идиотская реплика. Громко, с желанием быть услышанным всеми. Обычно я готов к любым проявлениям и любому поведению, но не в такой момент. Я растерялся и переспросил, потому что неотчётливо расслышал сказанное. Человек самодовольно повторил. Кто-то машинально хохотнул, хотя в целом зал затих, возмущённый выходкой. Я увидел того, кто нарушил ход спектакля. Подошёл к авансцене и рассмотрел молодого, но совсем не юного мужчину во втором ряду. Он самодовольно улыбался. Отвратительно видеть человека с таким глупым и бессмысленным выражением лица и понимать, что почти два часа спектакля он занимался непонятно чем. Непонятно, зачем он здесь сидел, зачем слушал, зачем вообще пришёл. Наверное, он привык ходить на выступления бессчётных производителей смехового мусора, с которыми можно вступить в обмен репликами, и ждал удобного случая...

Я, разумеется, не опустился на его уровень и сделал так, чтобы он больше ничего не посмел сказать. Вряд ли он понял сказанное, но интонацию я подал такую, чтобы он остерёгся что-то ещё вякнуть. Зал меня дружно поддержал, спектакль продолжился, но он серьёзно споткнулся и на какое-то время потерял равновесие. Это ощутили все. И все, кто ко мне подошёл после спектакля, выражали сожаление.

Да, через наглость, глупость и мерзость нужно перешагивать, стараться не обращать на них внимания, но наглость на то и наглость, что делает всё, чтобы об неё споткнулись, а лучше — чтобы об неё разбились. При этом наглость почти всегда неразрывно связана с глупостью.

24 мая

Хочу поделиться историей забавного знакомства.

В Пензе остановился в гостинице, в которой всего два номера, куда селят известных артистов. При заселении мы узнали, что в соседнем номере будет жить Валерий Меладзе, его концерт должен был проходить параллельно с моим спектаклем. Заселился я в гостиницу, поужинал и, совершенно уставший, лёг спать.

Гостиничный номер в отеле ничем не особенный, просто у него, помимо спальни, есть маленькая комната, в которой зачем-то стоят диван, сервант, журнальный столик и чайник. Комната совершенно бесполезная, не думаю, что постояльцы в неё заходят. Лично я не заходил.

Уснул я хорошо, крепко, проснулся же от того, что услышал работающий телевизор и мужской голос. Мне показалось, что кто-то включил телевизор и говорит по телефону как раз в этой комнате с чайником. Я спросил: «Кто здесь?» — но ответа не получил, тогда накинул халат и заглянул в комнату. Там никого не было.

Спросонья я не понял, что звуки доносятся из соседнего номера. Просто стенка такая тонкая, а слышимость такая мощная, что я услышал, что постоялец смотрит канал «Россия 24» и при этом говорит по телефону. (Разрешение на этот рассказ я у Валерия попросил.)

Я услышал, как мой сосед возмущённо выговаривает кому-то в связи с тем, что ему привезли кухню, но какие-то ящики оказались выше на двадцать сантиметров. Дальше я вполне подробно слышал обсуждение этой проблемы. Говорил сосед настойчиво, твёрдо, но без мата и в самых убедительных выражениях.

Я не знал, куда деваться. Я не подслушивал — и не собирался, — но тем не менее невольно присутствовал при разговоре. А мой сосед не знал о том, что его кто-то слышит.

Тем временем разговор о кухне закончился, и сосед стал обсуждать покупку авиабилетов.

Тут я уже не выдержал и набрал по внутренней связи соседний номер. За стенкой громко зазвонил телефон. Сосед — а я знал, что это Валерий Меладзе, — поднял трубку и с удивлением сказал «Аллё!». Удивление объяснимо. В гостиницах артистам по внутренней связи не звонят. Администрация гостиницы всегда предупреждена... Я сказал: «Здравствуйте, я ваш сосед, звоню из-за стенки, меня зовут Евгений Гришковец». Он переспросил: «Кто?» Я снова представился. Тогда Валерий обрадовался, сказал, что хорошо и с почтением ко мне относится, и вообще очень рад. На что я ответил, что тоже давно и с почтением к нему отношусь, вот только я слышу всё, о чём он говорит, слышу, какую программу по телевизору он смотрит, и знаю, что его мебельщики ошиблись на двадцать сантиметров с кухней.

Валерий определённо растерялся, извинился за то, что громко говорит, и обещал говорить тише, на что я в свою очередь извинился и сказал, что он ни в чём не виноват, виноваты тонкие стены и что мы можем даже разговаривать не при помощи телефона. Я добавил, что цель моего звонка следующая: я хотел проинформировать его о том, что всё слышно, и если он намерен обсуждать какие-то секретные и закрытые темы, то за стенкой есть невольный слушатель. Мы оба посмеялись, пожелали друг другу удачных выступлений, и телевизор в соседнем номере был выключен, а сам Валерий, видимо, перешёл в комнату, где у него наверняка тоже стоял чайник, во всяком случае, мне стало его не слышно. В Саратов мы прибыли также в одну гостиницу, но в этот раз Валерий заселился раньше меня, я знал, в какой номер, и, когда мне выдали ключи от соседнего, попросил номер мне поменять. В Саратове мы тоже играли параллельно.

После спектакля в Саратове, весь в цветах, я пришёл поужинать в ресторанчик. Меня встретила сияющая управляющая. Я попросил пристроить мои цветы, и даже лучше оставить их себе, поскольку вылет у меня очень ранний, а в номере вазы нет. Она обрадовалась и сказала, что двадцать минут назад она подарила такие же прекрасные розы Валерию Меладзе. Круг замкнулся.

Из Саратова мы летели с Меладзе по соседству, через проход, уже добрыми приятелями.

Завтра лечу в Вену, буду исполнять «Прощание с бумагой». Два дня нужно будет репетировать с переводчиком этот во всех смыслах сложный для перевода спектакль, а тридцатого вернусь в Калининград, где не был уже больше полутора месяцев.

31 мая

Вчера наконец вернулся домой. Вылетел рано утром из Вены, а домой зашёл около полуночи. Непростая, нервная и тяжёлая выдалась дорога.

Почти два месяца не был дома, проехал бессчётное число городов и тысячи километров. Я просто рвался домой! И конечно же, возникли всяческие препоны и препятствия. Если чего-то страстно хочешь, такое случается почти всегда...

Лететь домой из Вены в Калининград нужно было через Берлин: через Москву много дальше и дольше, лишний крюк, лишние сотни миль.

Должен был вылететь рано утром, пару часов в Берлине, какой-то час лёта — и я дома.

За четыре дня до этого пришло сообщение, что вылет из Берлина перенесён на час. Неприятно, конечно, но чепуха: час туда, час сюда — всё равно быстрее, чем через Москву.

Отыграл спектакль в Вене, попрощался с фестивалем, немного поспал и почти на рассвете поехал на такси в аэропорт по субботней, утренней, совершенно пустынной Вене, которую из-за плотной работы в этот раз совсем не увидел. Дальше — аэропорт, кофе, самолёт, берлинский, совершенно не соответствующий сегодняшнему дню аэропорт «Тигель». Маялся в нём в крайне неудобном терминале, из которого улетают самолёты в основном в Россию и туда, где нужно проходить паспортный контроль, то есть за пределы Евросоюза. Маялся, мучимый дремотой и отчаянно неудобными сиденьями.

С удовольствием прошли мы, немногие желающие улететь в Калининград, в маленький самолёт, расселись, пристегнули ремни безопасности, посмотрели «маски-шоу» и выслушали инструкцию в исполнении нежного стюарда, отправили смс-сообщения тем, кто ждёт, что вылетаем, отключили телефоны... И так просидели час.

Никакой не было суеты в салоне, не приходили техники и люди в ярких жилетах, как бывает в случае технической неисправности. Мы просто сидели и сидели. А потом командир корабля по-немецки и по-английски сообщил, что наш рейс отменён. Не задержан по метеоусловиям Берлина или Калининграда или по техническим причинам, не перенесён на другое время, а попросту отменён. Дальше он сказал, что никаких комментариев дать не может, комментарии мы получим в аэропорту, куда нам следует немедленно пройти, получить багаж — и делать всё, что заблагорассудится. Представляете, да?!

В самолёте были люди, которые, например, летели из Израиля через Берлин. Пожилые дамы, которые летели от своих детей из немецкой глубинки в Россию и не понимали ни по-немецки, ни по-английски ни слова. И они решительно не понимали, что им дальше делать. Кстати, я тоже.

Со мной такое случилось впервые за мою многолетнюю разъездную практику. Я много раз сидел сутками в аэропортах из-за непогоды, попадал в тайфуны, много раз из-за неполадок самолёта меняли воздушные суда. Однажды из-за неосторожных действий стюардессы у нашего самолёта при выруливании на взлётную открылась дверь и вышел надувной трап. Чего только не было! Но такое случилось впервые.

Помимо прочего, нам нужно было снова пройти границу, которую мы только что проходили. Пограничники сначала не могли понять, откуда и почему мы явились. Потом нам долго не могли выдать багаж. Мы ждали представителя авиакомпании, но никто не явился, тогда мы уже сами нашли стойку представительства «Эйр Берлин».

Там нам были не рады.

Никаких извинений, никакого сочувствия, никаких объяснений причин. Рейс отменён — и шабаш.

Рейс отменён, компенсировать и вернуть деньги они не могут, посадить на самолёты других авиакомпаний, которые летят хотя бы до Москвы, не могут и не намерены, а могут заменить наши билеты билетами на аналогичный рейс на завтра. При этом они сказали замечательную фразу: «Надеемся, что этот рейс состоится».

У меня кругом пошла голова.

Я категорически, совсем, отчаянно не хотел проводить ночь нигде, кроме дома.

Быстро выяснилось, что у меня есть следующая возможность не ночевать в Берлине — купить билет и как можно скорее улететь в Москву, а оттуда — в Калининград. Но на Москву билетов не оказалось. Точнее, не оказалось билетов на вечерний рейс, а ближайший дневной уже был в состоянии посадки. Я готов был сделать рывок, чтобы успеть, как вдруг надменная дама, представлявшая авиакомпанию «Эйр Берлин», сказала, что может отправить желающих до Гданьска, и добавила: «Оттуда всего сто сорок километров до вашего Калининграда. Там, наверное, ходят какие-то поезда. Доедете, потом напишете на наш сайт, и мы по возможности компенсируем ваши деньги».

Про поезда звучало наивно. Дама представления не имеет о транспортном сообщении между Гданьском и Калининградом. Ей в Берлине, видимо, мерещится, что куда угодно можно доехать если не на метро, то прекрасным «Дойче Баном». Но я немедленно согласился лететь в Гданьск, потому что это было в сторону дома.

К моему решению присоединились ещё два человека, потому что я сказал, что могу взять двух желающих в машину, на которой поеду из Гданьска в Калининград.

Присоединился парень, совсем молоденький, с огромным рюкзаком, и дама моего возраста, которая летела из Копенгагена, где живёт, в Калининград, где жила. Так мы и полетели. Друзья прислали за мной в Гданьск машину. От Гданьска мы ехали по живописнейшим местам...

Парень оказался моим земляком из Томска, лингвистом, который год преподавал немецкий на берегах Рейна и впервые ехал в Калининград с желанием найти там свой жизненный интерес, работу и, возможно, аспирантуру. Я видел, что ему даже в радость такое приключение и удлинение путешествия. В Польше он прежде не был. Да и дама была рада. По дороге она рассказывала о своей жизни, детях, кошке... А мне было обидно за каждую минуту, проведённую не дома.

Сначала завёз попутчиков и товарищей по несчастью, хоть завозить их было не по пути, потом поехал домой. Я хотел подъехать степенно, солидно и без посторонних. Возвращение домой — это очень личное и сокровенное...

3 июня

В субботу, ближе к полуночи вернулся домой с Венского фестиваля. Сыграл в рамках фестиваля два спектакля — и улетел домой. Последний раз на этом фестивале и в Вене я был в 2006 году. Тогда мы представляли с Александром Цекало в небольшом театральном зале спектакль «ПоПо». А совсем в последний раз я участвовал в европейских фестивалях семь лет назад, тогда я решил ограничить своё участие в подобных мероприятиях и сосредоточиться на литературной работе. Это был период активного писательского труда. Я не делал новых спектаклей и всё писал, писал, писал.

Ещё я ограничил свои поездки на европейские фестивали — которых на самом деле очень много, разного уровня, содержания и масштаба, — по той причине, что местная, то есть национальная публика на спектакли практически не попадала.

Я приобрёл известность на Родине, которая дошла уже и до эмигрантских кругов, поэтому билеты на фестивальные спектакли раскупались в основном бывшими соотечественниками, и исполнение спектакля с переводом на местный язык становилось бессмысленным...

Было обидно. Мы с переводчиком и фестивалем готовили перевод, репетировали, я делал особую редакцию спектакля, которая существенно отличалась от той, что я играл в России, Украине, Белоруссии, Казахстане. Получалась какая-то ерунда. Спектакль, приготовленный для восприятия немцами, французами, финнами, венграми, австрийцами, швейцарцами, бельгийцами... проходил для бывших граждан России, Украины, Белоруссии и Казахстана в адаптированном для европейцев виде, да ещё и с ненужным им переводом. Смысла в этом не было никакого, одно мучение для переводчика, зрителей и меня. Так что я решил прикрыть эту практику...

Для эмигрантов я играть не хочу по целому ряду причин, которые излагать сейчас не считаю нужным. Иногда играю в Израиле, где бывшие наши сограждане эмигрантами не являются, да и то с целым рядом серьёзных условий и оговорок.

Короче, на Венском фестивале я не был давно, а это крупнейший театральный форум Европы. Шутка ли, полтора месяца сплошных драматических спектаклей, балетов и опер. Если бы вы сейчас были в Вене, вы бы увидели, что афиш фестиваля гораздо больше, чем любой рекламы вместе взятой. Венские радиостанции говорят о фестивальных событиях в новостных блоках как о спортивных. Венский фестиваль — это главное событие австрийской столицы почти на весь май и большую часть июня. Быть участником этого фестиваля — круто, без дураков.

Однако это совершенно не значит, что, если тебя пригласили на фестиваль, в Вене тебе обеспечен успех. Я ехал и очень волновался. Мне казалось, что я потерял навыки работы с переводчиком и переводом. Я отвык от европейской публики, которая всё же другая. Я попросту давно не стоял на европейской сцене.

К тому же в этот раз меня ждала такая большая сцена, на которой я прежде не был.

В первый раз в 2002 году я играл в Вене «Как я съел собаку» в подвале великого Бургтеатра для семидесяти зрителей. Сейчас же меня ждала главная сцена венского Музейного квартала, то есть бывший Императорский манеж и 800 зрителей каждый вечер.

В Германии, Австрии и Швейцарии меня всегда переводил мой драгоценный друг и переводчик Штефан Шмидтке.

Мы познакомились шестнадцать лет назад, буквально за несколько дней до моего московского триумфа с моим первым спектаклем на «Золотой маске». Тогда же меня увидела и безоговорочно мне поверила Мария Циммерман, великий театральный деятель, которая была тогда директором Ганноверского фестиваля.

Именно Мария стала прообразом Юли в моём романе «Асфальт», именно её портрет я со всей тщательностью выписал и описал её трагическую судьбу. Я всегда буду ей благодарен за открытую дверь в европейский театральный мир и за то, что она придумала тот способ перевода моих спектаклей, который мы со Штефаном Шмидтке осуществили и который впоследствии часто применялся при переводе живых спектаклей с одного языка на другой. Мы просто показали пример.

Мы показали, что такое возможно. А придумала возможность присутствия переводчика прямо на сцене Мария Циммерман, которая после Ганновера долго была директором драматической программы Венского фестиваля и именно с этой должности ушла из жизни.

Прошло девять лет с того момента, как я в последний раз был на Венском фестивале. И теперь тот самый Штефан Шмидтке, который младше меня на год, весёлый, чувствительный, невероятно остроумный Штефан является директором драматической программы крупнейшего в Европе Венского фестиваля. И он переводил мой спектакль, несмотря на свою громкую должность и безусловный статус. Переводил, одетый в рубашечку с закатанными рукавами, чёрные брюки и кеды, не в маленьком подвале великого театра, а на большой сцене для почти тысячи зрителей. Годы прожиты не зря!

В огромной программе Венского фестиваля в этом году только два российских спектакля. Кирилл Серебренников представлял «Мёртвые души» до меня. В России я спектакль не видел и прессу не читал, в Вене же он прошёл с большим успехом, четыре раза, в переполненном более чем тысячном зале. Знать об этом было приятно.

Я представлял спектакль «Прощание с бумагой», премьера которого состоялась больше трёх лет назад. Для Вены, в расчёте на перевод, я подготовил редакцию на треть короче и легче, чем та, что я исполнял дома.

Я волновался по любому поводу. По всем возможным поводам!

Будут ли понятны и интересны венцам мои промокашки, черновики, кляксы, гусиные перья, почерки, конверты, телеграммы, берестяные грамоты, телефонные книги... вся моя бумага. Я волновался ещё и потому, что сомневался, что крайне занятый директор драматической программы фестиваля Штефан Шмидтке сможет сосредоточиться и перевести все тонкости.

Волноваться очень полезно! Но волнения мои были напрасны. Штефан всё блистательно перевёл, а венская публика не хуже нас знает, что такое промокашка, тубус, готовальня, ватман, клякса и прочее.

Минуте на тридцатой спектакля я чувствовал восторг, который не скрывала публика, когда слышала от человека из России темы, которые для них одинаково знакомы, понятны и дороги, но которые ими забыты, возможно, раньше, чем нами.

Люди радовались некоторым нестыковкам в переводе, радовались тому, что Штефан забыл слово «кобыла», удивлялись и радовались тому, что слово «клякса» звучит в немецком языке так же, как и в русском, и, оказывается, подарено немецким языком русскому. Люди радовались не только самому спектаклю, но и нашему со Штефаном диалогу, диалогу двух языков и двух культур.

На поклоны мы со Штефаном выходили вдвоём, нас не отпускали минут десять. Это было здорово!

Наших бывших граждан было совсем немного, в первый день меньше, чем во второй, потому что одновременно с моим спектаклем проходил концерт «ДДТ» — сугубо для бывших сограждан и совсем не в рамках фестиваля. Поэтому эксперимент в первый день носил почти чистый характер.

Пресса о спектакле выходит хорошая, неумная, но вполне хвалебная и, можно сказать, восторженная.

Я отдаю себе отчёт в том, что мой скромный спектакль не являлся центральным или особо важным событием фестиваля. Мои спектакли выходили, помимо концерта «ДДТ», параллельно с премьерой «Братьев Карамазовых» знаменитейшего берлинского режиссёра Франка Касторфа. Вот было главное событие!

Спектакль шёл шесть с половиной часов, исполнялся на бывшей фабрике по изготовлению гробов. На сцене висел портрет молодого Сталина... Были в спектакле диссиденты, Советский Союз, красные спортивные костюмы, щи и DJ Stalingrad... То есть отчаянно смелая и даже бесстрашная постановка. Какое тут «Прощание с бумагой»!

Но мне было приятно...

Мне было радостно приехать в Вену, где давно не был. Приехать совсем на другом уровне и в другом возрасте, а главное — в состоянии совершенно другого опыта.

Мне было приятно, радостно и гордо, что команда работающих со мной техников: звукооператор, светооператор, два монтировщика — совсем молодые ребята, у которых был первый международный фестиваль, справились со своей технической задачей блестяще и были не лучше, но и совсем не хуже матёрых местных техников, привыкших решать технические задачи любого уровня и пользующихся оборудованием, которое нашим ребятам и не снилось, и видевшим и работавшим со всеми возможными звёздами мирового театра.

Должен сказать, что техники на Венском фестивале — это самые лучшие люди, я от них в восторге. Но мои, то есть наши, были не хуже. Смонтировали спектакль меньше чем за пятьдесят минут, разобрали даже быстрее. Подружились с местными мастерами и произвели на них самое лучшее профессиональное впечатление.

Я очень гордился!

Хорошо получилось: приехали, не создали никому проблем — ни бытовых, ни технических, ни человеческих, ни, главное, художественных, произвели на всех приятное впечатление — и улетели. Почти как Карлсон. Почему почти? Карлсон же обещал вернуться, а мы нет. Ну и на приглашение не напрашивались.

Хорошее осталось ощущение. И за державу не обидно.

4 июня

В Вене я был довольно коротко. День прилёта, точнее, вечер, не считается. Зачем его считать? Вечер был очень ветреный... А если в Вене дует ветер, от него обязательно болит голова. Венские ветра такие, я их хорошо запомнил с прошлых визитов и длительных периодов работы.

Поэтому в первый вечер в Вене нужно было быстро адаптироваться, а стало быть, съесть венский шницель и выпить белого вина с газированной водой. Это сугубо венское. Ещё можно было съесть штрудель или захер, но настроение было не то...

Потом было два дня репетиций и два дня спектаклей. От общения с любой прессой я отказался. С прошлых лет помню, что местные журналисты с удовольствием говорят о чём угодно, только не о театре. Теперешняя же ситуация предполагала непременные вопросы о Путине, Украине и так далее, а я приехал на театральный фестиваль.

Однако мне довелось несколько раз нарваться на околополитические разговоры.

Я прекрасно помню пресс-конференцию в Цюрихе перед моими гастролями в Ноймарк-театре. Тогда шла к концу страшная Вторая чеченская кампания. Все вопросы на пресс-конференции были в основном о Чечне, о войне, и ни одного — о предстоящих спектаклях. Я тогда был совсем не опытен и старался отвечать на те вопросы, отвечать вдумчиво, сложно, пытаясь растолковать спрашивающим, что проблема совсем не так однозначна, проста и уж точно не такова, как её видят в Европе. Мои ответы не нравились, они раздражали, и в итоге, после очередного моего ответа в том духе, что в Чечне всё намного страшнее, запутаннее, чем видится из Цюриха, один журналист раздражённо сказал: «И после того, что вы тут нам говорите, вы пытаетесь считать себя европейцем?»

Этот вопрос поверг меня в изумление. Я не ожидал от этих улыбающихся, кивающих и благообразных людей, которых к тому времени знал очень плохо, такой наглости, высокомерия и пренебрежения... Неприкрытого высокомерия!

Думаю, что у меня побелели губы, и я ответил: «На этом считаю пресс-конференцию исчерпанной, потому что если задан такой вопрос, то вы меня европейцем не считаете. И смею вас уверить, заданный вопрос говорит о том, что это вы проводите границы, а не я».

Об этом я когда-то писал, но просто вспомнилось. То, каким образом демонизирована Россия сейчас, сравнивать с тем, как было тогда, нельзя. Во времена Советского Союза я не бывал за границей и уж тем более в капиталистических странах. Я не знаю, как тогда формировали образ Советского Союза и России. Но уверен, что сейчас нас рисуют и видят куда более страшными и мрачными, как и то, каким образом мы здесь, у нас, живём.

Я встретил в кулуарах фестиваля довольно много людей из всегдашней фестивальной публики, которых давно не видал. В той же одежде, тех же очках, тех же компаниях. Они не изменились, разве что поседели, или покрасили волосы, или облысели окончательно. В Европе мало что меняется.

Когда меня видели, они вполне убедительно радовались, отводили в сторонку, задавали дежурный вопрос про дела, ответ на который их не интересовал, а потом обязательно интересовались, мол, как я там живу, как я там работаю, неужели мне по-прежнему удаётся что-то делать в страшной и задушенной России. Я говорил, что вполне хорошо работаю, что у меня недавно вышел спектакль, что с тех пор как мы не виделись, у меня родилась ещё одна дочь. Мой ответ они слушали с недоверием, видимо, полагая, что я настолько запуган, что даже в кулуарной беседе не могу позволить себе признаться в своём отчаянном положении.

Одна дама, которую тоже знаю давно, не выслушав меня сколько-нибудь внимательно, предложила мне остаться и сказала, что сейчас самое благоприятное время, чтобы получить политическое убежище.

Тонкости, сложности и мои переживания, моё трагическое ощущение происходящего в России и с Россией их, разумеется, не интересовали. Никакие тонкости и сложности в вопросе с Россией сейчас не подразумеваются и даже не допускаются. Для моих собеседников про нас всё ясно, и ответы мои им не понравились, как и тогда журналистам в Цюрихе.

Но такой глупой, грубой и бессмысленной однозначности тогда всё же не было.

И ещё у меня случился неожиданный разговор с одним венцем.

Типичный венский мужчина лет пятидесяти-шестидесяти в тёплое время года обычно одет в хороший, чаще всего чёрный, мятый пиджак, светлую, чаще белую, сорочку и хорошие, давно не помнящие утюга брюки, иногда джинсы. Обут в отличные, не новые туфли или ботинки. В руках у такого жителя Вены всегда потёртый дорогой портфель, а также пара газет и журнальчик, сложенные вдвое. Такой мужчина невысок, но и не низок ростом, с крупной головой, взъерошенными волосами, на носу у него хорошие или очень хорошие очки... Чаще всего он к тому же тонкорук, тонконог и имеет крепкое округлое пузцо.

Такой венец выглядит независимым, умным, ироничным. Он похож на редактора журнала или любимого студентами профессора, хотя вполне может быть представителем фирмы, выпускающей моющие средства, или продавцом стройматериалов. Такой человек много проводит времени в беседах с похожим на него мужчиной в каком-нибудь кафе. Он аппетитно ест, аппетитно пьёт кофе, очаровательно курит, он даже читает меню так, что у наблюдающего за ним просыпается аппетит.

Мне всегда такие персонажи казались людьми содержательными, интересными, обладающими глубоким собственным мнением и взглядом. И вот такой человек поздно вечером совершенно неожиданно обратился ко мне в кафе, после того как услышал, что я говорю по-русски по телефону. Он попросил разрешения подсесть, я позволил. Попросил разрешения закурить... Кстати, в Вене, несмотря на запрет, курят практически везде. Я позволил ему закурить. И тогда он мне задал вопрос, чем я занимаюсь и что я делаю в Вене. Я ответил. У него поднялись брови, так как быть участником Венского фестиваля в сознании любого венца — это очень и очень круто.

Но у него определённо не вязались мой вид, причина моего пребывания в Вене и то, что я русский из России. Он выдал мне весь набор самых ожидаемых, типичных и хрестоматийных вопросов. Ответов он не слышал и не слушал, ему они были, в сущности, не нужны. Однако после ряда вопросов о Путине, Украине, Крыме он неожиданно задал вопрос, почему и за что мы в России притесняем геев.

Вопрос был для меня неожиданный, и я задумался, а потом задал ему встречный вопрос: «А вы гей?» Реакция его была следующая: он слегка оттолкнулся от пола ногой, его стул со скрежетом подвинулся назад, он вскинул обе руки вверх и сказал: «Что вы, что вы! Нет-нет! Ни в коем случае!»

Тут мне стало так смешно! Я не удержался и стал смеяться в голос. Мне стала видна вся глупость, типичность и несамостоятельность этого столь независимого, словоохотливого, хорошо одетого, любящего поесть и выпить и, конечно же, любящего себя венского жителя, который, наверное, каждый день, глядя в зеркало, радуется тому, что он настоящий европеец.

Поверьте, я не рассердился, у меня не было никакого раздражения, мне просто стало смешно.

В субботу лечу в Москву играть спектакли. Потом любимый Ярославль, потом заеду в Плёс, потом — спектакль в Иванове. Дальше Владимир, Рязань, Калуга... Хоть бы с погодой повезло!

7 июня

Вчера утром летел из Калининграда в Москву, но перед вылетом испытал то, что называется нелюбимым мною иностранным словом стресс.

Дорога в аэропорт в Калининграде для меня как для кого-то дорога на работу или учебу. Я её знаю досконально. Знаю, сколько она займёт времени утром, в будни и сколько — в выходной, знаю, сколько она займет днём или вечером. Утром в выходной это максимум шестнадцать минут, в будни — максимум двадцать пять.

Это, конечно, приятно по сравнению со столицей: выходить из дома за полтора часа до вылета и ехать не торопясь. Мне нравится приезжать не то чтобы впритык, но и не сильно загодя. Жаль, конечно, что калининградский аэропорт находится в состоянии бесконечной реконструкции и всё время претерпевает какие-то дурацкие метаморфозы. Но мне нравятся люди, которые работают у нас в аэропорту. Многие меня знают уже много лет как очень регулярного пассажира. В общем, мне нравится всё, что связано с дорогой в аэропорт, с тем, как из Калининграда вылетать, хотя прилетать в Калининград мне нравится существенно больше.

Вчера я приехал в аэропорт за час до вылета, дождался своей очереди к стойке регистрации, подал паспорт, поздоровался и пошутил с барышней за стойкой и стал ждать свой посадочный талон, поставив чемодан на ленту. Но вскоре я увидел, что у барышни лицо стало озадаченным, она минуту напряжённо смотрела в экран, а потом сказала, что меня нет в списке пассажиров. Я снова пошутил, сказал, мол, где-то затерялся. Она ещё минуту смотрела в компьютер, а потом снова сказала, что меня категорически нет в списке пассажиров на этот рейс. Также меня нет в списке пассажиров на следующий рейс и на вечерний рейс тоже. Я всё равно попытался пошутить, хотя мне было уже не до шуток: вечером меня в Москве ждала публика.

В итоге выяснилось, что мой билет куплен не на шестое июня, а на шестое июля. До вылета самолета оставалось сорок пять минут.

По билету на шестое июля я не мог лететь шестого июня, так мне объяснили. Билет можно было сдать или не сдавать, но в любом случае следовало купить новый. Я помчался в кассу, где стояла и сидела очередь. До вылета оставалось сорок минут. Я взмолился, и очередь очень легко, без раздражения меня пропустила.

Разумеется, просто так и по-быстрому билет я купить не смог. То ли завис компьютер, то ли случилась обычная компьютерная путаница, то ли система работала не очень. В общем, билет мне выписывали и продавали мучительно долго. Очередь безропотно ждала. Наоборот, люди выражали за меня беспокойство, а время шло.

Когда мне выписали билет, до вылета оставалось двадцать четыре минуты. По идее, никакой билет мне и продать-то уже не могли, за такое время до вылета никого уже никуда не пускают, разве что депутатов.

Но для меня оставили барышню и не закрыли регистрацию. Представитель авиакомпании что-то кому-то говорил про меня по рации, за моим чемоданом пришёл парень и унёс его... И я улетел! Улетел нужным рейсом, никуда не опоздал и всем был крайне признателен — ещё и потому, что воспоминания о Берлинском аэропорте ещё очень и очень свежие, а там было всё ровно наоборот.

10 июня

Скоро пойду на сцену в городе Иваново. Позавчера играл в любимом Ярославле, были нарядный аншлаг и прекрасная атмосфера.

Всем и каждому рекомендую, если будет время, хотя бы свободный день, съездите в Ярославль. Если не хотите колесить по всему Золотому кольцу, если вас не особенно интересуют православные святыни и подлинные чудеса православной архитектуры, а просто хочется на что-то посмотреть, погулять, вкусно поесть, весело выпить, удобно переночевать и всем этим ограничиться, да ещё уложить это всё в одни сутки, Ярославль — то, что надо.

К тому же, уверен, многие любители советского кино Ярославль видели, просто не знают, что видели именно Ярославль. В фильме «Иван Васильевич меняет профессию» роль древней Москвы исполняет Ярославль... А любимой многими и многими народный наш телесериал «Большая перемена» снимали аккурат в Ярославле, и в этом фильме Ярославль таков, что в нём хочется жить. В этом смысле Ярославль в картине исполняет роль советского города или всех советских городов. Да и фильм «Афоня» — это тоже Ярославль, именно в нём проживает медсестра, которая такая — что хочется, чтобы она ждала.

Из Ярославля в Иваново ехали, дав крюк, чтобы побывать в Плёсе, там открылся фестиваль имени Андрея Тарковского, девятый по счёту. Прежде я на этом фестивале не был, вчера удалось побывать только на открытии.

Фестиваль, судя по всему, хороший, не суетный. Собравшийся определённо не для того, чтобы в очередной раз «пофестивалить». Присутствие Александра Сокурова в жюри уже многое определяет. Алисе Фрейндлих вручали вчера награду «За вклад в киноискусство». Правильно! Кому ещё вручать? К тому же она работала с Тарковским, и работала блистательно.

Смотрел на неё вчера... Такая она чудесная! Ни за что себе не прощу, что отказался сниматься в фильме режиссёра

Худякова «На Верхней Масловке». Сценарий мне не понравился, а фильм получился хороший. Главное — если бы я не отказался от съёмок, мне посчастливилось бы сыграть пару сцен с самой Алисой Фрейндлих. Не довелось. Сам виноват.

Атмосфера на открытии фестиваля мне понравилась. И хоть сам Тарковский никогда не бывал в Плёсе и никакие конкурсные фильмы близко даже не смотрят в ту сторону, в которую смотрел гениальный Тарковский, всё равно его имя придавало происходящему сосредоточенность, серьёзность. Даже губернатор Ивановской области говорил на удивление хорошо, умно и на хорошем русском языке.

Побыл я там три с небольшим часа и смертельно устал, ехал в Иваново абсолютно измождённый. Всё-таки фестивали, журналисты, стая кинокритиков и фестивальные люди для меня компания непривычная. Театральный мир совсем другой. Хотя что я могу сказать про театральный мир... Я на сцене почти всё время один.

Кстати, «Иваново — город невест» в нынешних реалиях — это миф.

15 июня

Сегодня весь день звоню в Тбилиси. До многих дозвонился...

Часто бывает, что СМИ преувеличивают случившиеся катастрофы и беды. Очень часто сама картинка случившегося из новостей выглядит страшнее действительности. Но наводнение в Тбилиси, судя по подавленным и крайне опечаленным голосам моих друзей и знакомых, действительно было страшным и нанесло ужасные раны столь любимому мною городу. Бодрые мои друзья, спешащие обычно сказать, что у них всё хорошо, в этот раз не скрывали печали и переживаний.

Ни до кого из «Мгзавреби» пока не дозвонился: звонки проходят, ответа нет. Надеюсь, что с ними всё в порядке.

Рад, что закончились затяжные выходные. Не люблю эти периодические перерывы в работе для всей страны. Затяжные праздники стали такими частыми, что у людей не хватает фантазии на то, как их отмечать и чем себя занять.

Одиннадцатого числа, перед началом празднеств ехал из Иванова во Владимир, это сто тридцать километров. Ехали ужасно долго, объезжали пробки, и я едва не опоздал к спектаклю, который прошёл прекрасно, но начинался нервозно.

Город представлял собой сплошную, наглухо забитую в бутылку пробку. Последние полтора километра до театра я шёл пешком, машина подъехала минут на пятнадцать позже меня. Многие зрители — тоже. Опаздывали, нервничали...

Двенадцатого июня, в День России, я поехал в Суздаль погулять. Город всегда меня поражает, даже не красотой церквей и монастырских стен, не извилистой речкой с кувшинками, не нарядными, порой чересчур, домами — но непонятностью того, почему именно в этом месте люди когда-то решили понастроить такое количество церквей. Для меня Суздаль так же непонятен, как Венеция. Возле него есть точка, с которой можно увидеть, не крутя головой, двадцать семь церквей. Как такое возможно?!

Народу в Суздале в День России было ужасно много, и народ этот был в основном из Москвы и Подмосковья, судя по номерам автомобилей. Иностранцы затерялись среди нашего туриста. А наш автомобильный турист одного дня представляет собой весьма комичное и печальное зрелище. Автомобильный турист из спальных районов Москвы — это обычно бодрый румяный мужчина среднего роста в длинных шортах до колена и иногда в рубашке с коротким рукавом и пальмами, но чаще — в туго обтягивающей упругое пузо майке с двухглавым орлом или другими гордыми признаками его гражданской принадлежности. На ногах у него чаще всего длинные белые носки и сандалии на литом спортивном ходу. Такой турист громогласен, весел и тороплив. С ним обычно приземистая женщина в чём-то светлом и спортивном и пара упругих детей. Случается, что такие туристы выезжают несколькими семейными парами, тогда они очень веселятся.

Бегло осматривают и фотографируют несколько храмов, фотографируются на их фоне и направляются к гостиному двору и другим сувенирным лавкам. Там покупают магнитики, подкову, колокольчик и какую-нибудь совершенно непредсказуемую дрянь кому-то в подарок. Детям они покупают снеди и сразу бросаются в поиски места, где можно поесть. Везде толпа, они нервничают, а когда находят место и еду, усаживаются и разглядывают покупки, поругивая детей за то, что снедью перебили себе аппетит. А многие привозят с собой и еду и термосы с чаем.

Выезжают они из Суздаля в одно и то же время, устраивая друг другу такую же пробку, как и ту, что была на въезде. Суздаль быстро пустеет и как бы переводит дух.

Кстати, многие побывавшие в Суздале почему-то называют город Суздалью, видимо, по аналогии с Рязанью, хотя Суздаль мужского рода.

Скоро у меня спектакль в Калуге. В первый раз за весь длинный тур здесь куплено процентов шестьдесят билетов. Во Владимире, Рязани, Иванове были аншлаги, в Ярославле тоже. Раньше в Калуге такого не было, но кризис ударил именно по этому городу сильнее и адреснее всего. Город-то автомобилестроительный, здесь чувствуется подавленное настроение. Что ж, пойду на сцену, порадую тех, кто преодолел общее настроение и решил в театр пойти.

17 июня

Вчера вечером записал видеообращение к петрозаводским зрителям: поступила такая просьба от организаторов моих гастролей. Там всё в порядке с продажей билетов, но довольно много людей выражают беспокойство и сомнение в том, что я приеду и спектакль состоится. Такие сомнения сейчас повсеместно, я уже писал об этом. Петрозаводск — не исключение. Много спектаклей, концертов и заявленных выступлений за последнее время отменены, вот люди и сомневаются, что вполне понятно.

Смею заверить всех во всех городах, что если мой спектакль заявлен, есть афиши и продаются билеты, он обязательно состоится. Обязательно! На мой неприезд могут повлиять только экстраординарные и скорее трагические обстоятельства, о которых ни думать, ни говорить не хочется. Но транспортные, погодные и экономические причины на него не повлияют.

В Петрозаводске, например, закрыли аэропорт. По этой причине мне не удастся после спектакля провести приятный вечер в столице Карелии. Придется ехать в Санкт-Петербург, чтобы добраться, как намечено, до Москвы. Жаль. Я хотел весело отметить окончание сезона, а в Петрозаводске у меня последний в этом сезоне спектакль. После Петрозаводска выйду на сцену только в конце августа, в Южно-Сахалинске.

Кстати, в Южно-Сахалинск декорации пойдут на корабле Северным морским путем — и обратно тем же макаром. Вот такая у нас страна.

Завтра полечу в Питер. Опять мои июньские гастроли совпали с экономическим форумом. Опять по городу будет невозможно проехать, и весь Питер будет заполнен чёрными автомобилями, кортежами разного уровня и значимости. Но и мне с моим спектаклем всё-таки местечко нашлось в великом БДТ.

19 июня

Постараюсь больше никогда не совпадать с экономическим форумом в Питере: возникает сильное ощущение, что искусство как таковое, по крайней мере на несколько дней, в Санкт-Петербурге неуместно, хотя разнообразных артистов приехало развлекать участников форума неимоверное количество. Компании, богатые персонажи и даже некоторые госструктуры всерьёз подошли к своему вечернему досугу на время форума. Для них поют и пляшут, по-моему, все, кто может петь и плясать.

Охранников сейчас в Питере, по-моему, больше, чем милиционеров. Вокруг каких-то заведений устраиваются тройные кордоны спецслужб. В общем, если вы хотите посмотреть белые ночи и насладиться бесспорно прекрасным городом на Неве, постарайтесь не приезжать сюда в дни экономического форума. Ни к чему! К тому же будет сильно дороже, чем в другие дни. Гостиницы просто озверели, такое впечатление, что они хотят восполнить все потери от экономического кризиса за счёт тех, кто этот кризис устроил, то есть участников экономического форума.

Маленькая питерская зарисовка с полей экономического форума.

Обедал сегодня в ресторане, куда меня не сразу пустили, но всё же позволили по-быстрому пообедать. Ресторан определённо готовился к приёму важных гостей. У дальней стены сервировали большой стол, и я послушал такой диалог, точнее, монолог, короткий. Барышня-хостес громко говорила официанту: «Костя, бл... Ну кого я тут могу подвинуть, бл...?! Сечина?!»

21 июня

Скоро выйду на сцену петрозаводского музыкального театра, это будет последний спектакль уходящего театрального сезона, но мне в это не верится: по всем моим ощущениям, лето ещё не началось.

Приехали вчера в Петрозаводск — точнее, сегодня, после полуночи. Наблюдали бесконечный прекрасный закат: белые ночи в Карелии — это что-то особенное. Такое, что даже описывать не берусь. Кстати, дорога отличная. Как въезжаешь в Карелию, так просто... не знаю, что сказать. Обычно в таких случаях говорят: Европа. То есть упомянутые в романе «Асфальт» плохие дороги у Петрозаводска хотя бы на какое-то время остались в прошлом.

Из-за всех этих дорог, переезда и усталости совершенно сломал сутки и до четырёх утра не мог уснуть. Не спал и смотрел, и смотрел в окно. Наблюдал беспрерывную смену света в небе и соответственно на чудесном озере Онего. Никак не могу описать то, что видел. Для меня такое небо и такая вода непривычны. Это совсем не наше сибирское небо, это не небо над Балтийским морем, не небо над тёплыми южными морями. И вода в этом великом озере совсем особенная, точнее, её цвет. А как описывать особенное? Надо подумать, пожить и привыкнуть. Только тогда и удастся хоть что-то как-то описать.

После спектакля поеду в Питер, чтобы улететь самолётом в Москву. Ещё одну ночь проведу в машине, снова полюбуюсь карельской июньской белой ночью. В каком буду ехать состоянии и настроении, пока не знаю. Думаю, что буду усталый и счастливый. Хотелось бы ехать с улыбкой, с какой уезжал после премьеры «Гамлета» Юрий Деточкин в фильме «Берегись автомобиля». Правда, он уезжал в тюрьму, а я поеду к отдыху.

Сегодня после спектакля расстанусь до августа с моим маленьким коллективом, буду по ним скучать. Во-первых, привык, во-вторых, уважаю их очень, в-третьих, они дали мне в этом сезоне много возможностей ими гордиться, а в-четвёртых, мы работаем вместе, и этим всё сказано.

1 июля

Сегодня посмотрел выступление Жванецкого на нынешней церемонии «ТЭФИ». Выступление целиком удалили из записи, однако его можно найти в сети. Пребываю в подавленном состоянии — не из-за самого выступления и даже не из-за того, что его вырезали, нет! А только из-за лиц в зале. Вот где был мрак!

В 2005 году, десять лет назад, моё выступление на «ТЭФИ» не состоялось вовсе. Меня пригласили выступить как раз вместо Жванецкого, который традиционно дарил «ТЭФИ» своё выступление, а в тот раз не мог. Я текст написал и послал организаторам. Они решили, что такое выступпление неуместно. Правда, мой текст неожиданно для меня и для организаторов прочёл на церемонии, как запомнил, Михаил Козырев, которому я его показывал и с которым обсуждал. Текст был посвящён перерождению телевидения. Тогда это перерождение стало страшно видимым, особенно после беды в Беслане. Текст был не смешной, горький... Ничего особенного, как мне казалось. Его не захотели — ну и ладно.

С Жванецким случилось иначе. Совсем!

Михаил Михайлович Жванецкий, конечно, мастер и человек такого масштаба и уровня, что не обязан согласовывать и визировать свои выступления заранее. Его участие в любой церемонии и мероприятии — это честь мероприятию и подарок всем участникам. Он заработал себе такое право своим безупречным путём в профессии и жизни. Авторитет его бесспорен, и на телевидении он не чужой человек. Он имел право говорить то, что сказал, как великий автор и как человек не со стороны.

Я знаком с Михаилом Михайловичем много лет — уже пятнадцать. Мне посчастливилось видеть его выступления в разных городах, на разных мероприятиях и концертах. Я видел его перед выступлениями и после. Видел его волнение перед выходом на сцену, видел его радость после... И мне довелось видеть его неудовлетворённость выступлениями тоже. Он никогда не выходит на сцену формально. Никогда!

Представляю его волнение перед выступлением на нынешнем «ТЭФИ»...

А чего он ждал? Чего он хотел? На какую реакцию рассчитывал?

Уверен, что он ждал дружного смеха в зале. Смеха понимания и узнавания, смеха профессионального сообщества, которое готово, а главное — способно узнать себя в написанном, узнать и посмеяться.

Узнавание и понимание случилось. Смеха не произошло. Почему?

Всю жизнь Жванецкий верил в умного человека. Во многих его текстах, интервью и высказываниях эта вера внятно озвучена. Он свято верит в то, что человеческий ум прекрасен, и ум как таковой спасает человека, в каком бы обществе он ни жил. Для Жванецкого умный человек по определению прекрасен и свободен.

Он всегда адресовал своё слово умным людям и всегда получал в ответ смех понимания.

На «ТЭФИ» он получил в ответ холодную, гробовую тишину понимания же.

В том, что в зале «ТЭФИ» сидели умные люди, я не сомневаюсь. В том, что они понимали всё, что говорит Жванецкий, тоже не сомневаюсь. То, что он говорит правду и говорит смешно, они, без сомнения, слышали. То, что он свободен и смел, наверняка оценили... Но молчали.

Лица в зале, почти сразу после начала его выступления, потеряли улыбки и стали отрешёнными. Собравшиеся сидели, как бы ничего не слыша, или будто Жванецкий говорил не про них и на непонятном языке.

А блестящий, смешной, точный, прекрасно исполняемый, едкий текст звучал в безмолвии, разбиваясь не о непонимание, не о страх, а о полное отсутствие самоиронии.

Самоирония — это главный и ярчайший признак свободы. Её в зале не было вовсе. Свободы!

Великий Михал Михалыч ошибся в том, что полагал и, надеюсь, будет полагать, что умный человек по причине своего ума способен на самоиронию, а стало быть, на проявление свободы. Я хочу, чтобы он оставался в этой уверенности, но не в ситуации, когда перед ним люди, делающие наше сегодняшнее телевидение, и когда перед ним они и только они, когда они все вместе.

В зале сидели разные телевизионные люди, умные, дерзкие, опытные, много знающие, известные, весёлые, строгие, остроумные, недобрые и добрые, тонкие и категоричные... Разные! Но несвободные. Без самоиронии, но с корпоративной и крайне избирательной глухотой.

Жванецкий, написав то, что написал, и выйдя на сцену «ТЭФИ», переоценил ум как таковой и ошибся в своей вере в homo sapiens.

Как же ему было трудно и тяжело! Даже представить себе не могу.

Я рад, что он прервал своё основное выступление. Он это сделал как абсолютно свободный человек и мастер, который просто милосердно сжалился над аудиторией и не захотел длить своё мучение. Это было мощно!

А потом он щедро, опять же как свободный человек подарил залу возможность посмеяться. Продемонстрировал блеск своего остроумия, своих возможностей и удалился.

Удалился одинокий, как всякий по-настоящему свободный человек, оставив несвободных успокаивать друг друга...

30 августа

Лето закончилось. Каждый год в дневнике я пишу в последний или предпоследний день лета эту грустную фразу: лето закончилось.

Сегодня пишу её с особенной печалью, грустью и неудовольствием.

Прошедшее, уходящее навсегда лето 2015 года я решил отдохнуть в полном смысле этого слова: не вести дневник, не вести рабочую переписку, не брать с собой на отдых работу, ничего не писать и, по возможности, ни о каких творческих и не творческих делах не думать. Я попробовал сделать такой эксперимент — два месяца без черновиков, без рукописей, без сосредоточенной и одиночной работы, без обсуждения старых и новых планов, без засиживаний до утра за рабочим столом... Наоборот — море, спокойствие, вкусная еда, вино, друзья, веселье, совершенно не обязательная для прочтения книга и не обязательное для просмотра кино — полноценный, настоящий и восстанавливающий силы отдых. Отдых, который прочистит организм и голову.

Эксперимент оказался неудачным, ошибочным и глупым. Я недоволен тем, как провёл это лето. Накопилось ощущение пропущенного времени, тревога по поводу несделанных, недодуманных и нереализованных планов и дел.

Всегда летом удавалось что-нибудь написать, придумать, наметить...

Но когда я что-то писал и делал летом, в конце августа возникало горькое ощущение пропущенного и нереализованного купания, загорания, веселья. А теперь наоборот.

Теперь я понимаю, что было много моря, много времени с детьми, много-много летних радостей. Была даже тягучая лень... Однако ничего сделано не было. И вот сейчас я понимаю, что лето совсем без работы для меня хуже, чем лето с рукописями, черновиками и планами.

Лето закончилось. Я вернулся домой. Вернулся к дневнику, к чистым белым листам бумаги, которые летом не были тронуты. Вернулся к планам.

Здравствуйте!

2 сентября

Тревожно моё осеннее ощущение. Снова есть предчувствие чего-то очень нехорошего и крайне нежеланного. И как иллюстрация к тревогам, ночью в Калининград пришёл циклон. А вчера был рекордно тёплый день, больше пятидесяти лет не было такого тёплого первого сентября в здешних краях. Ночью всё изменилось. Вчера вечером цветы в саду как-то отчаянно сильно, будто напоследок, благоухали.

Больше половины лета снова провёл в Греции. Приезжал, уезжал. Многое видел, прожил вместе с греками это трудное для них лето, которое выдалось, помимо прочего, изнурительно жарким даже по греческим меркам.

Я общался с ними в конце июня, когда они готовились к своему референдуму, когда они беспрерывно спорили друг с другом, многие совершенно не понимая сути происходящего и того, что им грозит. Кто-то храбрился, кто-то наоборот, но боялись все. Однако подавляющее большинство преодолевали страх и в итоге сказали Евросоюзу твёрдое охи (то есть «нет»). Сказали, потому что были уязвлены и оскорблены. Это было «нет» униженных и оскорблённых, но при этом гордых.

Я не раз слышал от греков, что Ангелу Меркель они не могут видеть и слышать, после того как она назвала греков лентяями. К тому же почти всякий грек вам скажет, что во всей Европе с немцами всю войну сражались только греческое Сопротивление да югославы (СССР само собой, а англичане долго тянули).

Я могу с уверенностью сказать, что неплохо знаю греков, и категорически не согласен с теми, кто считает их ленивыми. Они точно не ленивые, они просто ужасно неэффективные и какие-то бестолковые, что ли. Они не самые на свете аккуратные, не самые пунктуальные и не самые обязательные. Чаще не со зла и не корысти ради, а именно по причине своей бестолковости, южности своей. Среди них, конечно, хватает прохиндеев, но с нашими прохиндеями их не сравнить.

После своего референдума они были горды собой, горды своей страной и с замиранием сердца ожидали последствий. У них ненадолго случилась паника в связи с закрытием банков и ограничением выдачи наличных денег. Кое-кто кинулся покупать по безналу бытовую технику, но это не было так массово, как у нас в прошлом году. Греки сказали своё «нет» и мужественно ждали последствий, они приняли решение и готовы были к испытаниям.

И как же они были оскорблены, унижены, подавлены после того, как их артистичный, похожий скорее на поп-звезду премьер прогнулся, по их мнению, под давлением Евросоюза и, как убеждено большинство греков, под давлением Меркель. Они поняли, что их обманули, что их ещё больше унизили и унижение продлится неизвестно сколько.

Об этом говорили все: водители, повара, продавцы на рынке, водопроводчики, электрики и самые разные случайно встреченные люди разных профессий и возрастов.

Потом я наблюдал в местных новостях, догадываясь о том, что говорят журналисты — однако по картинке было понятно...

Потом Греция наблюдала, как были заполонёны беженцами из Африки и Сирии и истерзаны острова Кос и Лесбос.

Я был на Корфу, которого волна беженцев не коснулась, но тревога коснулась всех. Местные люди говорили, что даже в самый горячий сезон в августе приехали процентов на тридцать меньше людей, не говоря уж про июнь и июль. Не только наших сограждан и украинцев, которые не смогли приехать по причине курса национальных валют. Но и привычных немцев, англичан, бельгийцев, голландцев, которые не поехали по причине тревожных новостей. Тридцать процентов неприехавших для большинства греческих островитян означает, что они не смогут пережить осень, зиму и начало весны.

На островах иноземные владельцы домов, вилл и бизнеса многое активно продают. И, конечно, никто ничего не покупает. Ситуация удручающая.

Если вы приехали в Грецию на пару недель и в гостиницу, вы, разумеется, не поймёте, что в стране беда, улыбчивые, весёлые и гордые греки вида не покажут. Но если иметь знакомых и ещё убедить греков в том, что ты не праздный слушатель, а участливый собеседник, можно понять всю глубину того, что переживают эти славные и бесконечно расположенные к нам, россиянам, люди.

Греки сегодня не только ощущают себя униженными, но и определённо брошенными один на один с бедой нарастающего цунами беженцев из Сирии, Ирака и Северной Африки. Греки даже лучше итальянцев понимают, что с этой жуткой волной не справиться ни им, ни всему Евросоюзу. И в греках сейчас нет ни капли той бессмысленной и гибельной демагогии, которой болен весь Старый Свет.

Я прожил лето с греками, живя их страхами, бедами, их гордостью и отчаянием, а также питаемый всеми бедами и горестями, которые переживает Родина и Украина. От наступающей осени веет холодом непонятной, непредсказуемой беды. Очень хочется надеяться, что эти предчувствия и тревоги беспочвенны и связаны только с резким изменением погоды и внятным окончанием лета.

4 сентября

В 1992 году в Кемерово я сделал свой самый весёлый спектакль «Титаник». Самой смешной фразой в этом спектакле была: «Мир гибнет». Когда персонаж — добрый безумец, озабоченный судьбой мира, произносил эту фразу, зал очень смеялся, особенно в конце спектакля, когда герой произносит: «Ну что же вы хихикаете, мир гибнет прямо сейчас...» Мы веселились, когда делали спектакль. Это у нас в стране и в Кемерово тогда творилось чёрт знает что, а мир вокруг казался благополучным и незыблемым. Сейчас я не стал бы делать такой спектакль, мне не хватило бы иронии.

Совершенно не могу поверить в то, что происходит.

Сегодня итальянка Федерика Могерини предложила начать военную операцию в Средиземном море по обезвреживанию и даже уничтожению судов, перевозящих нелегальных мигрантов. Понятное дело, что она не предлагает топить суда вместе с мигрантами... А недели три тому назад во многих храмах Италии были отменены воскресные мессы. Вместо месс поминали задохнувшихся в трюме нелегалов, в большинстве своём женщин и детей, которые пытались пересечь Средиземное море. Я смотрел эти новости в Греции, обсуждал с греками, ни они, ни я ничего не могли понять.

Как можно понять то, что Европа устроила смертельную полосу препятствий в Средиземном море, а тех, кто не смог преодолеть эту полосу, поминает в храмах? Дикость, безумие, чудовищные ханжество и цинизм.

Мы видим в новостях, что творится на будапештском вокзале, видим жалкий забор, который венгры строят на границе Сербии, слышим, как еврочиновники осуждают Венгрию за эти бесчеловечные действия, слышим от европейских лидеров, чьи пиджаки и галстуки одинаковы, а физиономии настолько безлики и невыразительны, что нет никакого желания и смысла запоминать их фамилии и вникать, какие страны они представляют. Они все говорят со сдержанными улыбками, что необходимо ситуацию обсуждать, что надо пересматривать миграционную политику, что надо изобретать некие меры и так далее.

Смотрю я на них и вижу, что эти люди либо ничего не понимают, либо, что скорее всего, изо всех сил стараются улизнуть, спрятаться от принятия ответственных решений.

Европа образца нынешнего лета и начинающейся осени у меня вызывает серьёзное недоумение и абсолютное отвращение. Евросоюз делает вид, что то, что происходит, — набор крайне неприятных частностей, а не глобальная беда, если не сказать катастрофа.

Люди, которые сейчас бегут из Афганистана, Сирии и Африки, — это совсем не те люди, которые десятилетиями уверенным потоком прибывали в Европу. Они прибывали разными способами, но в основном легальными или окололегальными. Ехали к родственникам, типа учиться или жениться. Целые поколения детей бывших мигрантов родились в Европе, но даже не пытаются выглядеть как британцы, австрийцы, немцы, бельгийцы, французы. Они уже изменили лицо Европы и даже архитектуру, но многие из них являются в той или иной степени законопослушными гражданами Евросоюза.

Те же, кто сейчас прорывается через Средиземное море, — совсем другие люди. Часть из них знает, куда едет, и едет за лучшей жизнью. Но очень многие садятся на надувные лодки, в душные трюмы и на плоты, потому что бегут от смерти, от войны. Это люди, которые не собирались никуда ехать, как бы бедно и плохо им ни было при Саддаме, Каддафи или Асаде. Эти люди отдают последние деньги за то, чтобы поучаствовать в смертельно опасном путешествии через Средиземное море. Они видели смерть у себя дома, они, если не умерли в пути, видели смерть детей, женщин, своих родственников, друзей, попутчиков. Они попадают на острова или в Сербию с Хорватией, где для них начинается изнурительный и страшно унизительный квест, состоящий из лагерей, кордонов, регистраций, непонятных для них условий, железнодорожных контейнеров, душных фур, и в итоге — тоннеля под Ла Маншем.

Если, точнее когда, они всё преодолеют, эти измученные, напрочь обозлённые и униженные люди, не имеющие никакого представления о европейских ценностях, традициях и устоях, о мультикультурности и толерантности, они никогда не будут соблюдать никаких европейских законов. Мало того, они даже изображать соблюдение законов не станут. И они приедут не как раньше, поодиночке или семьями, они нахлынут волной. Волной мутной, голодной и злой. У них не будет никакой благодарности к тем, в чьи страны они с таким трудом пробились, потому что эти страны для начала устроили кровавый кабак там, откуда эти люди бежали.

Сейчас пока мигранты не задерживаются, не хотят оставаться в бедных южных странах Европы. К счастью для греков и граждан бывшего соцлагеря, их небогатые страны мигрантов пока не интересуют. Мигранты знают, что, чем севернее, тем жирнее. Но Европа, как сосуд, не бездонна, а волна миграции, которую мы видим, — это только начало. Спокойно не отсидятся ни латыши, ни эстонцы, ни болгары, полякам тоже недолго ждать.

Ангела Меркель заявила, что современное немецкое общество и Европа готовы к трудностям. Это ложь и чушь собачья!

Ни один немец, датчанин или голландец, никто из исконных европейцев не хочет людей, которые плывут, ползут, лезут сейчас в Европу, никто не желает их видеть соседями и согражданами. И я уверен, что многие французы, итальянцы и немцы, изображая сострадание и горестно покачивая головой при информации об очередных утонувших, задохнувшихся, погибших в пути мигрантах про себя радуются и говорят, так же глубоко про себя, что-нибудь вроде: «А вот нечего! Пусть другим неповадно будет!»

Европа давно заварила кашу мультикультурализма, сейчас эта каша кипит, бурлит, плещет через край, но Европа её не расхлебает. Почему?

Да она представления не имеет, что с этим делать. У Европы нет воли для того, чтобы начать думать о том, что со всем этим делать. Прекрасная, демократичная, мудрая Европа сама дала мощнейшие козыри правым, даже самым радикальным из них. Не удивлюсь, если норвежское чудовище Брейвик вскоре станет героем и иконой стиля.

Мы привыкли знать и верить, что европейцы мудры и разумны во всём, что они ориентир и бесспорный пример для подражания. И что мы видим сейчас?

То, что я вижу, я не могу понять. Если бы Европа была отдельным, конкретным человеком, мне хотелось бы взять его за плечи и хорошенько встряхнуть, чтобы опомнился. Мне хочется сказать: если вы не цените свою Европу, которая за последние двадцать лет и без того изменилась до неузнаваемости и сохраняется какими-то отдельными кусками и островками в том чудесном и столь любимом нами виде...

Так вот, если вы её не цените и вам всё равно, попытайтесь её сохранить и сберечь не для себя, а для мировой культуры. Возьмите Европу под защиту ЮНЕСКО, защитите не только архитектурные ансамбли, но традиции, уклад, образ жизни, свой европейский уклад и образ жизни, чтобы нам было на что ориентироваться и с чего брать пример.

Нет! Не сохранят! Как и беспомощная ЮНЕСКО никаким образом не могла защитить от уничтожения ИГ античных памятников в Сирии. В сущности, памятников европейской культуры.

Глупость, демагогия, безответственность, безволие и абсолютная аморфность — вот что можно сейчас говорить о Европе. Европе нечего противопоставить происходящему. Европа продолжает улыбаться.

Нам всегда нравилась европейская улыбка. Мы знали, что эта улыбка не более чем форма повседневной вежливости. Мы знали, что европеец улыбается постоянно, но нам это нравилось, потому что мы не улыбчивы. Но сейчас европейская улыбка выглядит только и исключительно фальшиво, да к тому же глупо и бессмысленно. Чему улыбаться-то?

Серьёзные рожи только у европейских военных, которые устраивают свои смешные учения в Прибалтике и Польше. По их физиономиям видно: они убеждены в том, что серьёзно занимаются европейской безопасностью, защищают европейский порядок, ценности, образ жизни, свободы и традиции. От кого? От меня?

Я ничего не понимаю! Мне нравилось многие годы верить, что европейцы умнее, лучше, я к этому привык, и мне не хочется видеть их такими беспомощными и бездарными дураками. Не хочется ещё и потому, что у меня на Родине всё сложно, тревожно и во многом бездарно. Мне не нравится терять простые жизненные ориентиры...

А ещё я не привык стоять в стороне, когда рядом беда. Я привык попытаться помочь, принимать участие. Невыносимо тяжело быть беспомощным свидетелем происходящей беды, если не сказать катастрофы.

Но моей помощи и даже моего мнения никто не ждёт и не желает... Хорошо хоть у Европы, в случае с нынешней страшной волной миграции, нет ни малейшей возможности обвинить в происходящем нас. Если была бы хотя малейшая возможность, она непременно и в полной мере ею бы воспользовалась.

Мир гибнет... Сейчас я не сделал бы такого спектакля. Не хватило бы иронии. Спектакль получился бы просто страшный.

Да и зачем играть спектакль о том, что и так понятно разумным людям? Для дураков же спектакли играть бессмысленно.

7 сентября

Недавно давал интервью хорошему журналисту, по-моему, получилась интересная беседа.

Текст:
Ярослав Забалуев

Евгений Гришковец рассказал «Газете.Ru» о планах на театральный сезон, новом спектакле «Шёпот сердца» и принципах редактирования собственных текстов, а также объяснил, почему не хочет рассказывать со сцены о себе.

— *Начинается новый театральный сезон. С чем вы в него вступаете? Что было летом?*

— Весь июнь были гастроли. На открытии джазового фестиваля в Калининграде мы сыграли концерт с группой «Мгзавреби», потом я побывал на фестивале короткометражных фильмов «Короче» и показал спектакль «Шёпот сердца» на Сахалинском кинофестивале «Край света». На этом, в общем, всё.

— *Расскажите про этот спектакль. Как появился его замысел? Я знаю, что вы работали над ним очень долго.*

— Замысел пришёл лет пять тому назад благодаря случайности. Есть такой фильм студии «Гибли» «Капельки воспоминаний», который какие-то пираты с особо лирической душой перевели под названием «Шёпот сердца». Он недолго в таком виде просуществовал в Сети, но мне так понравилось это словосочетание, что у меня появилась идея написать монолог человеческого сердца. Мысль была в том, что сердца слона, собаки и человека устроены одинаково, но то, что отличает человека от животного, для сердца вредно. Об этом я и начал писать, но вскоре столкнулся с целым рядом трудностей.

Прежде всего очень сложно было придумать форму сценического существования сердца, долго не получалось понять, к кому оно обращается.

Я разбил об это голову, отложил до поры в сторону и быстро, всего за год, сделал спектакль «Прощание с бумагой». К тому моменту, когда он вышел, у меня накопилась масса черновиков «Шёпота сердца», и вдруг пришло простое и ясное решение — обращаться нужно к человеку, то есть буквально: «человек мой». Как только появилось обращение, сразу сложился и текст спектакля, существующий почти в неизменном виде на протяжении многих показов — на Сахалине «Шёпот сердца» игрался в сорок девятый раз.

— *Да, но ведь «Прощание с бумагой» тоже вышло уже три года назад...*

— Вы правы. Довольно долго мы решали проблему организации сценического пространства. Вариантов было множество. Один из первых включал экран, на котором на протяжении всего спектакля живёт тень человека — спит, ест, курит, ходит туда-сюда. Но, во-первых, для этого требовалось фактически снять двухчасовое кино, а мне на сцене — очень плотно к нему привязаться. А во-вторых, я понял, что экран сегодня не использует только ленивый. Хотя нет, даже ленивый уже пользуется этим приёмом. Я был одним из первых — в спектакле «+1», но сегодня это стало общим местом. В итоге я придумал хирургическую лампу и сыплющиеся из неё лепестки, на этом варианте мы и остановились. Наконец, было и ещё одно препятствие. Мой монотеатр включает в себя декорации, костюмы, но при этом у него нет своего помещения. Фактически я могу пользоваться только залом Театрального центра «На Страстном», где работаю уже десять лет, — да и то очень недолго. Но на репетиции и выпуск «Шёпота сердца» было всего три дня.

Наверное, никто из тех, кто занимается театром, таких сроков представить себе не может.

Это всё равно что учиться вождению на тренажёре и по учебнику, а потом сесть в автомобиль и поехать. Я полностью отрепетировал всё у себя в голове, нарисовал раскадровку, как перед съёмками фильма, а потом за три дня подготовил спектакль к выпуску. На первых показах, правда, случались накладки. Очень сложно два часа говорить о себе в среднем роде, всё время сбиваешься. А один раз я забыл снять обручальное кольцо, которого у сердца не может быть, у него ведь и пальцев-то нету. Пришлось извиниться, уйти за кулисы, вернуться и продолжить.

— *Мне показалось странным, что в спектакле сердце выступает с рационалистических позиций, хотя за разум вроде бы отвечают другие органы...*

— Ну да, это такие человеческие представления, а у меня сердце выступает как абсолютное рацио. Текст построен таким образом, что сначала с ним поспорить невозможно, а во второй половине с ним практически невозможно согласиться. Это такая провокация, которой мне приятно заниматься. Люди, которые полагают, что на сцене не сердце, а Евгений Гришковец, после спектакля подходят и начинают со мной спорить.

Приходится объяснять, что это не я сказал, а сердце — главный герой. Если вы будете внимательно смотреть спектакль, то увидите, что мало того что я играю роль, так ещё и человек, к которому я обращаюсь, не имеет ко мне никакого отношения. Он живёт в провинции, любит рыбалку, болеет за футбольную команду. Это сердце совершенно другого человека, в котором большинство зрителей может узнать себя, своего мужа, сына.

— *Если я не ошибаюсь, это первый за долгие годы спектакль, в котором между вами и персонажем настолько большая дистанция. Зритель ведь привык, что на сцене вы, Евгений Гришковец.*

— Это, конечно, не вполне верное ощущение. Если в «Как я съел собаку» и «Прощании с бумагой» есть некоторые автобиографические вкрапления, то в спектакле «Планета», скажем, речь о человеке, который точно не женат, у которого нет и не было никаких детей — это совершенно на меня не похоже. Или в «Дредноутах» герой — человек, живущий серой жизнью, в которой ничего не происходит, а у меня крайне необычная, невероятно насыщенная жизнь. На самом деле эта ситуация похожа на отношение слушателей к песням Высоцкого. Я как-то, довольно давно, читал очень хорошую диссертацию одной томской дамы-литературоведа, которая утверждала, что Высоцкий не написал около тысячи песен, а сделал около тысячи моноспектаклей. Это очень точно. Ну а зрителям и слушателям свойственно сращивать автора и персонажа — это ведь культивируется ещё со школы. Висит в классе портрет Горького, под которым написано: «Человек — это звучит гордо», но ведь это сказал не писатель, а не самый симпатичный на свете персонаж его пьесы «На дне» Сатин. Или, например, моя бабушка, когда смотрела фильм «Противостояние», говорила про прекрасного Андрея Болтнева, что он актёр плохой, потому что играл негодяя Кротова. А вот актёры, которые играли положительных председателей колхозов, были для неё хорошими.

— *И тем не менее здесь вы действительно едва ли не впервые, очевидно, играете не просто персонажа, а вообще другое существо.*

— Да, конечно! И это для меня огромный шаг в неведомое, в непробованное.

— *Это сознательный шаг? Вам надоело заниматься одним и тем же?*

— Да нет, монотеатр неисчерпаем, просто художественную форму диктует замысел. В начале 2002 года я выпустил спектакль «Планета», а потом до 2008-го, семь лет, занимался только литературой. Почему? Потому что придумался роман «Рубашка», а театральные замыслы не приходили. Потом вдруг возник спектакль «+1», и я вернулся на сцену в новом возрасте, новом состоянии, но том же художественном жанре, которым только я в России и занимаюсь.

— *А что дальше? У вас уже есть замысел следующего спектакля? Каким он будет?*

— Да, у меня есть идея, я хочу сделать спектакль на двоих. И это уже будет театр, который не развёрнут в зрительный зал, как все привыкли в случае с моими спектаклями.

— *Но это, как я понимаю, не прямо сейчас. А какие планы на ближайший сезон?*

— В этом сезоне хочется заниматься только «Шёпотом сердца». Дело в том, что я единственный, как это сказать, человек-театр, который играет спектакли даже в самых дальних уголках страны ровно в том виде, в каком они исполняются на столичных площадках. На будущий сезон запланировано более восьмидесяти показов, в том числе в Хабаровске, Владивостоке, Чите, Благовещенске. Я мог бы больше играть в Москве, не имея сложностей, но вижу свою задачу в том, чтобы обязательно довезти спектакль до максимального количества зрителей, хотя это и связано со сложностями в логистике и значительной потерей времени. Но для меня это важно. И азартно. А в процессе гастролей будет осуществляться редактура, уточнение текста спектакля, его структуры и композиции. В конце сезона я планирую записать и опубликовать его.

— *Насколько, кстати, меняется спектакль за этот период?*

— Довольно существенно. Для примера: сейчас есть как минимум три варианта литературного текста «Как я съел собаку», а кроме того, есть ещё и две видеоверсии, отличающиеся процентов на пятьдесят. Просто не может один и тот же текст произносить человек, которому тридцать с небольшим, и человек, которому сорок девять, это ненормально. Спектакль «Планета» я поэтому вообще убрал из репертуара: в тридцать пять играть человека, у которого нет жены и детей, можно, а в сорок два этот человек уже просто мудак. Тут ещё вот какая вещь. Понимаете, совершенство литературы заключается в том, что, взяв книгу, читатель оказывается с автором наедине. Театр — это другое. В зале сидят около тысячи человек. И вот я произношу какой-то текст и понимаю, что он не услышан.

Разумеется, есть какие-то куски, на которых я настаиваю, но принципиально важно, чтобы зритель мог присвоить себе мой текст, проассоциировать себя с ним. Если этого не происходит, я пытаюсь понять, в чем дело: то ли мысль недостаточно хорошо сформулирована, то ли речь идёт о каком-то настолько экзотическом индивидуальном переживании, что оно людям просто не близко. Тогда я этот фрагмент убираю, поскольку на сцене такого быть не должно именно из-за того, что происходящее должно быть доступно для понимания сотням людей разного пола, возраста, социального положения и так далее. Но без замещения такую операцию произвести, естественно, тоже нельзя, приходится придумывать замену. Этот процесс длится довольно долгое время — как раз около полного театрального сезона. Когда текст приходит к окончательному варианту, я его записываю и снимаю на видео, расширяя таким образом аудиторию. Ведь сколько спектаклей я могу сыграть? Ну тысячу. А книжка за месяц может быть продана тиражом 50—60 тысяч экземпляров, и прочитать каждую из них может не один человек, а, скажем, десять.

— *А что происходит с вашим проектом с группой «Мгзавреби»?*

— Дело в том, что это сотрудничество никогда не задумывалось как основное ни для меня, ни для них. Просто когда мы записали первую песню, всем так понравилось, что было решено сделать альбом. При этом мне страшно захотелось помочь «Мгзавреби» пробиться на российской сцене, поскольку я понимал, что самим им это будет трудно сделать. Поэтому я позвал их сыграть ряд концертов, благодаря которым их услышали. Но у них настолько превосходный собственный материал, что сейчас уже достаточно собственных концертов. Мы запланировали сделать ещё один альбом и даже записали для него три трека, но недавно мне позвонил лидер группы Гиги и сообщил, что не может продолжить запись, поскольку испытывает определённые творческие трудности. Это понятная вещь — Гиги переживает такое впервые, а у меня этих кризисов была уже куча. Если выйдет из кризиса — допишем альбом, не выйдет — не допишем.

— *Ну и давайте напоследок вернёмся ещё раз к «Шёпоту сердца». Вы говорите, что писали текст не о себе. А почему? Считаете, что ваша жизнь никому не интересна?*

— Я написал какое-то количество текстов о себе вчерашнем — о тех годах, когда я ещё был нормальным человеком, до тридцати двух лет. О сегодняшнем писать мне кажется неправильным. Я убеждён: человек хочет читать про себя, а люди моей сегодняшней профессии или журналисты, олигархи — это люди экзотической судьбы, которых очень немного. Книжки или фильмы о конченых наркоманах из предместий — это тоже экзотика, потому что эти герои книжек не читают. Я делаю спектакли и книги о людях нормальных, которых хорошо знаю, — я живу в провинции, это мои друзья, знакомые, родители одноклассников моих детей.

Они любят рыбалку, футбол — я их и сам когда-то любил. А если я начну рассказывать про себя, это будет любопытно, но точно не художественно, потому что будет непонятно — мне и самому непонятно, как я так живу.

10 сентября

13 сентября во многих губерниях будут выбирать губернаторов, а точнее, в основном будут утверждать в правах губернаторов действующих, а ещё точнее — тех, кто временно исполняет обязанности губернаторов. Наверно, это будут самые дурацкие и формальные выборы в новейшей истории нашей любимой Родины. У моей мамы 13 сентября день рождения. Понятное дело, что для меня и нашего семейства это более важное событие, чем эти, с позволения сказать, выборы.

Зато под выборы многие мои коллеги: артисты, музыканты и люди, способные проводить торжественные мероприятия, очень активно задействованы. Многие ездят по городам, по областным и районным центрам, не гнушаются посёлков или выступления в спальных районах городов. Артисты и ведущие рады: многие за лето поиздержались, а тут такая удачная оказия.

Целые десанты вполне циничных рок-музыкантов летят на восток, на юг, на север, им всё равно, они знать не знают кандидатов в губернаторы, чьи избирательные штабы их вызвали в губернию. Их не просят агитировать за кого-то из кандидатов, они отыграют, отпоют, им заплатят, и они уедут или улетят.

При их помощи хотят призвать людей выйти в воскресенье из дома не для того, чтобы сходить в магазин, в кино, прогуляться с собакой или ребёнком, но — заглянуть на избирательный участок, пусть даже с собакой или ребёнком, и как-то проголосовать.

Как? По-моему, это не важно. Главное — чтобы люди пришли, чтобы возле избирательных участков были если не очереди и толпы, то хотя бы людской ручеёк, а то приписывать и сочинять цифры проголосовавших будет труднее.

Под выборы придумываются разные праздники по всей стране: дни-юбилеи городков, сёл, городских районов, предприятий.

Параллельно с циничными и равнодушными к происходящему в стране музыкантами едут в разные города политически активные пожилые актёры и актрисы ещё советского кинематографа. Им всегда рады, их любят, и вполне заслуженно. А они рады, что их позвали, что о них будут заботиться и принимать на губернаторском уровне. Они будут дополнительной радостью для жителей глубинки и, возможно, по мнению организаторов выборов, для кого-то — дополнительной причиной проголосовать.

Не понимаю, зачем это делается, зачем тратятся колоссальные средства на все эти мероприятия, фейерверки, встречи. Чего могут опасаться временно исполняющие обязанности губернаторов люди? Да им нечего и некого опасаться!

По всем губерниям, где происходят выборы, на плакатах, помимо знакомого лица ВРИО губернатора, никому не известные физиономии, незапоминающиеся и невыразительные. Это либо ухари из ЛДПР, либо увальни от компартии или «Справедливой России».

Денег жалко. Не то время, когда можно себе позволять дорогие глупости. Ну очень жалко денег.

А глупости во всём. У нас в Калининграде зазывают людей на выборы, например, так: тем, кто придёт на избирательный участок, дадут билеты на концерт группы «Винтаж» и диджея Цветкова. Опасаюсь, что люди, которые могут захотеть пойти на такой концерт, пребывают ещё в том возрасте, который не позволяет им голосовать, а их родители и бабушки с дедушками вряд ли побегут голосовать только по той причине, что их внуки хотят на такой концерт. Налицо глупый просчёт тех, кто выборами занимается и старается привлечь людей. Понимаю, если бы на избирательных участках раздавали билеты на дискотеку восьмидесятых, или на сеансы Кашпировского, или на то и другое вместе — возможно, это бы и сработало.

Почти уверен, что это будут самые немноголюдные выборы, самые предсказуемые, немноголюдные именно по причине своей предсказуемости. В понедельник посмотрим, какие цифры явки на участки нам нарисуют, и сравним их с тем, что увидим собственными глазами.

Хотя как мы сравним? Мы же сами этого не увидим.

Возможно, в каких-нибудь регионах какая-то интрига есть, но что-то я сомневаюсь. Я не против давно действующих или недавно действующих губернаторов, их индивидуальные качества, в сущности, не так уж важны. Мне денег бюджетных жалко, особенно в такое время, накануне долгой и трудной зимы.

Но хотя бы часть этих денег попадёт моим коллегам — артистам и музыкантам. Однако в основном они вылетят, как в трубу, в наше осеннее небо как минимум в виде фейерверков, к которым мы уже так привыкли за последние годы.

12 сентября

Прошлой ночью у меня дома, в моём кабинете случилась музыка...

Странно звучит, но именно так и произошло. Собираясь ложиться спать, я взял в руки пульт и машинально включил телевизор.

По обыкновению телевизор был выставлен на канал «Культура». В ночном эфире я ожидал увидеть какое-нибудь чёрно-белое американское или европейское кино, многофигурную оперу или неизвестного мне, но всемирно известного дирижёра за пультом перед оркестром в зале, который обязательно посещали знатоки-любители симфонической музыки, то есть ожидал увидеть то, что обычно через пару секунд переключаю или выключаю телевизор вовсе.

Но тут я увидел и услышал другое. Я услышал тягучую, неспешную музыку, а на экране, как мне сначала показалось, — виолончель и виолончелиста. Музыка и изображение были такими удивительными, что я сел напротив телевизора и замер.

Я увидел почти тёмный экран, в центре которого ярко высвечивался музыкальный инструмент, на первый взгляд виолончель, смычок, две руки, видные от локтя до кончика пальцев, пюпитр с нотами, и над всем этим менее рук, инструмента и нот освещённое лицо с седой небольшой бородой и в обрамлении длинных седых волос. На лице были очки: тонкие, круглые. Лицо было наклонено вперёд и устремлено взглядом на пюпитр. Кто этот человек, какое произведение он исполнял, где и когда это происходило, мне было неизвестно. Но то, что я увидел и услышал, было завораживающе прекрасно.

Музыкант играл в каком-то средневековом сводчатом пространстве, скорее всего, в церкви или обители. За спиной у него — то ли распахнутая дверь, то ли открытое очень большое окно. А в этом окне или двери были видны едва различимые в темноте очертания гор.

Музыкант был освещён четырьмя небольшими софитами, всё остальное помещение было тёмным, едва угадывались стены и своды. Он как будто завис в тёмном воздухе, в небольшом тёплом шаре света. Не было видно, на чём он сидит, и сидит ли вообще... Были видны только руки по локоть и лицо.

Лицо его было столь значительно, сосредоточенно и прекрасно, что оторваться от него было невозможно. Но кроме сосредоточенности, оно практически ничего не выражало. Губы были неподвижны, человек не качал головой, никакие мышцы на лице не сокращались... Волосы, обрамлявшие лицо, не качались ни от движений человека, ни от дуновений воздуха. Рука же со смычком и рука, двигающаяся по грифу, существовали будто отдельно от лица и были, наоборот, напряжены и выразительны.

Однако, присмотревшись и привыкнув к тому, что вижу, я разглядел удивительное выражение лица неизвестного музыканта. Это было выражение могучего внимания и бесконечного интереса. С таким лицом мудрые люди и большие учёные читают глубокие тексты или научные труды.

Музыка была необычная для виолончели, в ней не было высоких и торопливых звуков. Смычок двигался замедленно, да и держал музыкант его странно. Только спустя какое-то время я увидел, что виолончель — не совсем виолончель. Какая-то она небольшая, не изящная, без характерной талии... Гриф у неё широкий, и струн очевидно больше, чем четыре. Уже потом я поинтересовался и узнал, что смотрел и слушал концерт великого гамбиста, каталонца, Жорди Савáля. А инструмент, на котором он играл, называется гамба.

Я не знаток симфонической музыки, камерной тоже. Старинную музыку знаю ещё хуже. К тем, кто играет на старинных музыкальных инструментах, испытываю искреннее почтение и уважение. Это бескомпромиссные люди, но от меня всё это очень далеко.

В данном же случае мне было не важно, на каком человек играет инструменте, чьи произведения исполняет, как его зовут... В интернет я заглянул после того, как концерт уже закончился, — я попросту не мог оторваться.

Я неожиданно нажал на пульт телевизора и увидел и услышал чудо. Ночью. Перед сном.

Музыка была прекрасная, но, совершенно уверен, если бы я не видел человека, исполнявшего её, если бы это происходило не под тёмными сводами, не на фоне окна, не в свете четырёх маленьких софитов, если бы её исполнял какой-то другой человек или он был бы иначе одет... Наверное, через пару секунд я выключил бы телевизор и лёг спать.

Я увидел невероятное единение человека с инструментом, музыкой и пространством. Было видно, что, если не существовало бы инструмента под названием гамба, этот человек ни за что бы не стал тем, кем стал. И если бы не было этого человека, гамба ни за что бы так не прозвучала. Стало быть, не случилось бы чуда, которое я наблюдал. То же, что я видел и слышал, было торжественно, мудро, печально и... прекрасно.

Это потом я прочитал и про инструмент, и про музыканта, но мне уже хватило жизненного опыта и мудрости не начать искать других исполнений концертов этого музыканта и не пытаться начать слушать музыку, исполняемую на

273

гамбе. Я понял сразу, как только концерт по каналу «Культура» закончился, что такое чудо повторить и продлить невозможно.

Мало того, что музыкант совпал с инструментом, музыкой и пространством... Это ещё совпало с моим ощущением времени, жизни, возраста, начинающейся осени и прочее, и прочее, и прочее.

Когда концерт закончился, музыкант встал со стула, зазвучали аплодисменты, исполнитель кланялся, а потом экран почернел и по нему поползли титры, я понял, что чудо музыки в моём кабинете, в моём доме и в моей жизни на данный момент закончилось, и неизвестно, когда случится снова с такой силой.

Музыка закончилась, и надо было ложиться спать, а сон казался совершенно недоступным. После музыки навалилась ночная тишина уснувшего дома, уснувшего города, но сон исчез, улетучился... А спустя какие-то минуты пришла радость: я вдруг подумал, что буквально через каких-то три дня выйду на сцену один к зрителям, в своём пространстве, своём времени, со своими словами... Музыка, конечно, прекраснее, но я не музыкант. И я буду делать то, что умею и люблю.

Я соскучился по сцене.

15 сентября

Вчера был в Кирове (исконное название — Вятка) по причине приятной и радостной: мне вручили литературную премию Салтыкова-Щедрина за сборник прозы «Боль». Хотя, думаю, премию мне вручили не именно за эту книжку, а за совокупность литературных работ.

Я был рад ее получить, мне давно уже премий не давали и очень давно ни на какие премии не номинировали. Давно не видел себя не только в шорт-листах, но и в лонг-листах основных литературных конкурсов и премий. А тут, как я понимаю, не было ни шорт-листа, ни каких-то других листов, потому что в этом году никто другой в качестве кандидата на получение премии Салтыкова-Щедрина не рассматривался. Так что поехал я в Киров в хорошем настроении и без малейшего скепсиса.

Премию мне вручили в приятном маленьком Доме-музее, где жил во время ссылки совсем молодой чиновник Салтыков, псевдоним Щедрин он увёз с собой из Вятки. Городу посчастливилось в том, что дом, который снимал ссыльный Салтыков, сохранился практически в первозданном виде. Этот дом интересен скорее как памятник и музей провинциального быта середины XIX века. Любопытно посмотреть, как тогда жили ссыльные, а жил конкретно ссыльный Салтыков очень неплохо. Написал совсем юный и критически настроенный Миша Салтыков неполиткорректную повестушку, напечатали её в журнальчике, разгневались на него и сослали двадцатидвухлетнего полулитератора-получиновника в Вятку. Ссыльный прибыл, снял себе большой дом с подворьем, поступил на должность... Приехал со слугой, впоследствии были у него, насколько я понял, и кучер, и кухарка. Сделал он себе в Вятке быструю карьеру, стал советником губернатора, а под конец ссылки женился на дочери вице-губернатора — и уехал. Судя по всему, ссылка была неплохая, да и ощущается, что литератор, даже юный, заслуживал внимания... Известно, что в Вятке Салтыков ничего не написал. Был занят службой, служил рьяно, накопил большой опыт, а также материал для дальнейших своих литературных шедевров. Слово «шедевры» я употребляю без малейшей иронии.

Встречали меня у входа в Дом-музей с хлебом-солью барышни в национальных одеждах, спели мне песню, я ужасно смущался, потому что, по правде сказать, никогда меня с хлебом-солью нигде не встречали. Видел много раз, как это происходит, видел в кино и по телевизору. А тут было со мной, и впервые. Чувствовал себя совершенно не в своей тарелке, но всё равно было приятно.

Вручали мне премию и поздравляли и глава города, и губернатор, было много прессы и были, собственно, те люди, которые меня на премию Салтыкова-Щедрина выдвинули... Все говорили какие-то небессмысленные слова, в основном не про меня.

Я видел, что для людей, которые присутствовали на церемонии, да и для города в целом, происходящее было событием, приятным, радостным... Премия существует не так давно, я четвёртый лауреат, и людям было важно, что я приехал, что не отнёсся к их премии как к чему-то провинциальному и незначительному, а я всячески старался подчеркнуть, что для меня это тоже важное событие, и при этом ни капли не лукавил.

С Вяткой связана жизнь не только Салтыкова-Щедрина, были и другие ссыльные. В их честь в Кирове также существуют премии: Александра Грина и Александра Герцена. Но премия Александра Грина вручается за детско-юношескую литературу, а в этом направлении я не преуспел. Премию же Герцена... сами посудите, где я и где Герцен.

Киров в этот раз встретил меня прекрасной погодой, я в первый раз видел этот город без снега. Увидел, что люди по улицам ходят нарядные... И вообще я провёл хороший, радостный день. Вчера в кукольном театре дал творческий вечер, которым вполне удовлетворён, потому что были глубокие и настоящие вопросы. Вопросы, на которые хочется отвечать. После вечера слышал забавные комментарии. Люди удивлялись самим себе и радовались тому, что в городе живут умные и интересные люди.

Я хорошо понимаю, что премия Салтыкова-Щедрина, которая вручается за сатиру — так звучит само определение и назначение премии, — попала мне не совсем по адресу. Я никогда даже не думал в направлении сатиры. Но всё-таки в своих лучших произведениях Салтыков-Щедрин не был сугубо сатириком, и его «Господа Головлёвы» — это просто большая русская литература. И в «Селе Степанчикове» Достоевского я вижу глубокую связь с теми же «Господами Головлёвыми».

Я с детства не любил Салтыкова-Щедрина, мне не хотелось читать его сказки, которые входили в школьную программу. Мне было неинтересно следовать указаниям учителя и понимать, как «автор бичует» российскую действительность, мне было жалко и Премудрого Пескаря, и мужика, который прокормил двух генералов. В сегодняшней российской действительности мне тоже многих жалко и также не хочется следовать указаниям.

На третьем курсе университета мне пришлось пересдавать экзамен по русской литературе XIX века как раз из-за Салтыкова-Щедрина, которого я игнорировал. Только потом я пришёл к восторгу от чтения удивительной литературы, написанной Салтыковым-Щедриным. Берусь утверждать, что все авторы антиутопий в XX веке просто дети по сравнению с Михаилом Евграфовичем.

Вручённая премия меня вдохновила, а общение с кировскими-вятскими читателями порадовало.

...Завтра у меня начинается театральный сезон, сыграю в Москве подряд четыре спектакля: «ОдноврЕмЕнно», «Прощание с бумагой», «+1» и «Как я съел собаку». Давненько не играл эти спектакли, очень по ним соскучился и жду от грядущих четырёх вечеров того, что всегда происходит в начале сезона после длительного перерыва. То есть жду от самого себя новых интонаций и каких-то новых смыслов в давно сделанных и много раз сыгранных текстах. Вот, собственно, всё, что я хотел написать сегодня и чем хотел похвастаться.

18 сентября

Как же я рад, что этот дневник не интерактивен! Я уже неоднократно выражал свою радость по этому поводу и теперь выражаю её снова. До меня только едва-едва и совершенно случайно долетают какие-то отклики обсуждений моих высказываний. Да и обсуждается обычно то, что перепечатывают газеты.

Здорово, что я не знаю, как меня в очередной раз поливают грязью те, кто называет себя и числит либералами. Мне совершенно неинтересно то, какими клеймами меня клеймят.

Я с удовольствием открыл сезон и сегодня в третий раз пойду на сцену исполнять спектакль «+1», про одиночество. Вчера играл «Прощание с бумагой», завтра буду исполнять «Как я съел собаку», где в сегодняшней версии главным мотивом является тема свободы и природного страха человека перед государством. Эти спектакли для меня актуальны, живы и содержательны вне зависимости от того, что происходит в нашей внешней политике, что творится в экономике и чем живёт мир за нашими пределами.

Одно неприятно, и весьма! Я устал оказываться прав в конечном итоге и по прошествии времени. Мне очень хочется ошибаться в своих оценках, и особенно в прогнозах. Когда я ошибаюсь, часто радуюсь. Но, к сожалению, — я это совершенно искренне говорю — прогнозы мои и оценки почти всё время оказываются некой печальной констатацией.

По этой причине я постараюсь в ближайшее время воздерживаться от оценок, прогнозов и чувствительной реакции на происходящее.

19 сентября

Хочу дать несколько рекомендаций и обратить внимание тех, кто прочтёт эту запись, на несколько фильмов, которые я видел в программе Сахалинского кинофестиваля в августе. Эти картины вряд ли увидят широкий экран и, боюсь, могут пройти мимо людей, которые любят кино. Эти фильмы могут затеряться среди более громких кинособытий, и те, кому, возможно, они нужны, останутся без них. А их лучше посмотреть сейчас, потому что это кино сегодняшнее, свежее. Живое.

Очень рекомендую посмотреть картину «14+» Андрея Зайцева. Картина простая и ясная, в которой простота совсем даже не хуже воровства. Это история первой любви в четырнадцать лет, сделанная без сладости и умиления перед нежным возрастом и при этом без ненужной грубой «социалки». Любовь эта случается в точно снятом и отображённом городском пейзаже, в обычном спальном районе, не прекрасном и не ужасном, а просто таком, какой есть. В такой среде живёт подавляющее большинство городских жителей нашей страны.

Картина трогательная, точная и позволяющая вспомнить свою первую любовь в этом возрасте, если таковая случилась. Я свою вспомнил, вплоть до мельчайших деталей, а до фильма казалось, что забыл.

Я вспомнил, что был влюблён в девочку на полгода меня младше, а мне тогда было четырнадцать. Я даже вспомнил её имя: Юля Костенко. Это была летняя влюблённость в Жданове. Было море, купание на закате, робкие прикосновения и целый океан фантазий и желаний. Я переписывался с ней всю зиму и ждал следующего лета, а когда снова приехал из Сибири, увидел Юлю Костенко с парнем шестнадцати лет, с которым я даже рядом не мог постоять. Он был загорелый, упругий, с золотой фиксой и наколкой на левой руке «Толя».

Фильм «14+» — точная история, очень сегодняшняя, при этом, по причине своей точности, — вечная. Картина сделана в лучших традициях фильмов семидесятых и восьмидесятых о школьном возрасте.

Очень рекомендую посмотреть фильм Михаила Местецкого «Тряпичный союз». Это крайне самостоятельная и жизнерадостная картина. В ней много такого, что может оттолкнуть чистоплюев, тем не менее это необычное произведение можно назвать нежным постпанком. Фильм самобытный, я бы даже назвал его этаким подмосковно-дачным «Бойцовским клубом». Картина почти наверняка удивит и, надеюсь, многих порадует. А ещё в этом фильме вы можете увидеть классных молодых актёров.

Всячески рекомендую потратить полтора часа жизни на фильм Вани Вырыпаева «Спасение». С уверенностью могу сказать, это не лучшая его работа, но первое его настоящее кино. Я знаю историю трансформации художественного замысла этого фильма. Начинал смотреть с серьёзным предубеждением, а к концу был счастлив. Счастлив тем, что не одинок... Только должен предупредить, что первые полчаса могут от картины оттолкнуть. Но если перетерпеть, будет возможность получить большое жизнеутверждающее впечатление. События происходят немножко в Польше, а потом в основном в Тибете. Герои фильма говорят по-польски и по-английски, нужно быть к этому готовым. Фильм Вани Вырыпаева не пытается изображать некое иностранное кино, это очень наше кино, просто снятое не в России. Главную героиню играет не профессиональная актриса, а театральный художник. То, как ей удалось исполнить свою роль и как режиссёру удалось её снять... В случае, если досмотрите фильм до конца, вы эту героиню не забудете.

На Сахалинском фестивале у меня сложилось радостное ощущение оттого, что тренд в современном российском кино, который был возглавлен пресловутой Валерией Гай-Германикой, перестал быть трендом. Презрительное отношение к презренным людям на экране перестало быть желанным теми, кто сейчас делает новое кино. Я не увидел на фестивале героизации мерзости.

Не могу сказать, что то, что происходило на Сахалинском фестивале, говорит о начавшемся процессе, некоей новой волне... Но новый контекст начинает складываться. И это меня радует, даёт мне надежду. К тому же я видел и ощущал, как перечисленные мной новые картины видел, слышал и воспринимал зритель. В зале на семьсот мест было немного участников фестиваля и профессиональных кинематографистов, в своём большинстве там были жители Южно-Сахалинска — так называемые обычные зрители.

И эти зрители не очень приняли новый фильм Меликян «Про любовь», который недавно получил гран-при фестиваля «Кинотавр», где его с восторгом смотрели люди, занимающиеся кино, а не «обычные» зрители. На Сахалинском фестивале зрители ждали этой картины, знали, что фильм удостоен гран-при авторитетнейшего в России фестиваля. Они помнили предыдущий фильм Меликян «Звезда», который им полюбился... Но именно в такой, «обычной» и провинциальной, зрительской среде выявляются фальшивки.

Я рад тому, что увидел и почувствовал на Сахалинском фестивале, и надеюсь на то, что самобытное отечественное кино не будет тяготеть к тому, что не свойственно русской культуре, русскому искусству.

Есть, определённо есть международное распределение труда и обязанностей. То, что умеют делать японцы, совершенно необязательно могут сделать аргентинцы, и наоборот. Никак не могут в России понять, что не надо нам играть в футбол на европейских и мировых чемпионатах. А итальянцам, испанцам и португальцам нечего даже пробовать играть в хоккей. Но только испанцы с португальцами это понимают и не пытаются, а наши про футбол не понимают.

Жёсткое, сугубо социальное, беспросветное, человеконенавистническое искусство прекрасно умеют делать немцы, англичане, скандинавы. Они это делают так, как никакой Гай-Германике никогда не удастся, к тому же они это делают давно, а у нас в связи с этим всегда будет «вторяк».

Зато так, как у нас делали, писали, снимали, ставили неспешное, глубокое, тонкое, крупноплановое, а главное — гуманистическое искусство, никто делать не умеет. И именно этого от нас ждут. И мы тоже этого ждём от нас самих.

У меня есть друг. Давний, хороший друг. Его основное занятие и профессия — он делает водку. Делает он её не на кухне, не в гараже, а масштабно, поэтому он человек состоятельный, и я всегда становлюсь в тупик, когда случается его день рождения или есть другой повод подарить ему подарок. Не знаю, что ему дарить! Все мои книжки у него есть, все спектакли мои он смотрел по несколько раз...

Короче говоря, я дарю своему другу литературные тексты, посвящённые водке.

Я уже написал и подарил ему два эссе про водку. Первое называлось просто «Эссе про водку», второе — «Водка и коллективная память».

Наконец-то я закончил и подарил моему другу новое эссе «Водка и география». Писал я его долго, оно всё не складывалось: не получалось таким, как задумывалось. Хотелось написать лирический текст... Но в августе удалось завершить работу.

Я очень хочу, чтобы вы его прочли и кого-то этот текст порадовал. Правда, хоть и написал его я, мне он не принадлежит: я подарил его другу. Уверяю вас, это не реклама. Название водки, которую делает мой друг, ни в одном эссе не упоминается, в эссе вообще не подразумевается конкретная водка. Это литература.

Водка и география

Занятно наблюдать за русским человеком, который, не торопясь, слоняется по магазину в аэропорту перед вылетом на отдых за границу.

Лето. Летит человек откуда-то из-за Урала, или с северов, или из дальних далей... Летит через Москву. Ждёт его пара недель зноя, моря, каких-то экскурсий... Ждёт его незнакомая или малознакомая страна, в которой у него ни друзей, ни приятелей, а только гостиничный номер да завтрак с обедом, оплаченные заранее.

Жена его ходит поодаль, рассматривает духи и прочую косметику... Дети плетутся за ней или сидят где-то, что называется, «на вещах». А он...

Он медленно и как бы безучастно ходит и глазеет на бесконечные ряды бутылок с разнообразным алкоголем. Этот алкоголь сделан в дальних или не очень дальних странах, разлит в бутылки на разных континентах, закупорен пробками, завинчен крышечками, запечатан сургучом, упакован в красивые коробки... Стекло бутылок всех оттенков зелёного и коричневого... Белое же стекло то отдаёт голубоватым, а то грани сосудов кажутся хрусталём или вообще чистейшим льдом, от которого, кажется, веет холодом. Такие бутылки искрятся. Все полки с бутылками хитро подсвечены, и содержимое бутылок то светится медовым, благородным светом, то демонстрирует такую прозрачность, что может показаться, что воздух именно внутри бутылки, а не снаружи.

Идёт человек мимо полок с виски, читает названия. Губы его почти незаметно что-то беззвучно прошевеливают. А уж что получается прочесть и что у человека звучит в голове в процессе чтения, думаю, сильно озадачило бы шотландцев, ирландцев и прочих производителей виски.

Смотрит человек на эти шедевры изобретательности, на эти этикетки и бутылки, вид которых даже у трезвенников может вызвать серьёзные сомнения в правильности своего трезвого образа жизни, а у детей прямо-таки уверенность в том, что взрослые им всегда запрещают всё самое интересное и вкусное... Бутылки круглые, квадратные, плоские, треугольные, гранёные, пузатые... Все хороши!

Но человек смотрит на них независимо, даже слегка высокомерно. Он успокаивает себя тем знанием и уверенностью, что вся эта красота не что иное, как красиво оформленная и упакованная дрянь. И как он не раз слышал и даже имел возможность по случаю убедиться — весь этот виски просто голимый самогон. Вот только очень раскрученный.

Проходит человек мимо виски, наклоняясь к наиболее нарядным и гордым бутылкам, чтобы рассмотреть наверняка цену и убедиться, что ему не померещились эти дикие цифры, ухмыльнётся он этим цифрам, едва заметно мотнёт головой и проследует к рому или коньяку или к бутылкам текилы, на дне одной из которых разглядит разбухшего дохлого червяка. Подивится он этому и даже по-детски посмотрит по сторонам, мол, неужели только он один видит эту дикость, мол, как такое возможно и до чего могут дойти люди. Передёрнет человека, брезгливо скривит он губы и пойдёт дальше.

Как цветная политическая карта развернётся перед ним весь мир, представленный не очертаниями континентов, островов и стран, а бутылками и этикетками. Вот Япония в виде бутылок с саке, Португалия в виде портвейнов, острова Карибского моря и Латинская Америка в виде рома, Франция, Италия, Аргентина, Чили в виде бесчисленных бутылок с белым, красным, розовым вином... Диковинные ликёры, как диковинные уголки мира, вызовут удивление своими яркими цветами. Бурбоны, бренди, шнапсы... Всё это в какой-то момент запестрит, закружится, зарябит в глазах, будто крутанули перед человеком большой, яркий, блестящий глобус, наполненный коктейлем из бесконечного набора ингредиентов.

И именно в аэропорту покажется человеку весь этот мир доступным. Покажется доступным под постоянные объявления о вылетающих рейсах во все стороны и страны, откуда привезли эти бутылки в этот магазин. Любую из них можно взять с полки, стоит только руку протянуть... Словно бы вылететь туда, откуда бутылка прилетела.

Но не захочет ничего наш человек. Пройдёт мимо. Пройдёт мимо, да и упрётся в полку с водкой.

У этой полки остановится он, лицо его совершенно изменится, и глаза обретут иное, осмысленное выражение. Увидит человек знакомое, понятное и имеющее к нему, к его жизни непосредственное отношение. Взгляд его быстро скользнёт и не задержится на водках дорогих иностранных или роскошно украшенных отечественных, с предательски написанным на этикетках латинскими буквами родным словом VODKA, чтобы соблазнить заезжего верхогляда. Нашего человека роскошью и иностранными буквами не соблазнить. Наоборот, устремит свой взгляд человек вниз, на нижнюю полку, туда, где скромно, у самого пола, стоят простые, белого стекла, узнаваемые, кажущиеся знакомыми с незапамятных времён бутылки. Наклонится к ним человек, будто отвесит земной поклон, возьмёт бутылочку, как берутся за ручку двери своего жилища или как пожимают руку старинного друга, да и пойдёт с ней к кассе, уже по сторонам не глядя.

Зачем и почему взял человек перед вылетом на отдых к морю, в незнакомую страну, бутылку водки? Чтобы выпить её в самолёте? Да нет! Не любитель он выпивать без компании, назло жене и на горе детям, да ещё в нарушение требований авиаперевозчика... Или взял он её, чтобы выпить в гостиничном номере, закусив орешками, шоколадкой или чипсами из мини-бара? Выпить из экономии, чтобы не тратиться в баре? Да нет... Не привык он её, родимую, пить без застолья и правильной закуски, пить не из маленькой, ловкой рюмочки, а из стакана для воды или зубной щётки...

Для чего ж тогда взял он её? Неужели из-за того, что

насмотрелся на заморские дорогие бутылки и захотелось ему выпить, засосало под ложечкой... Или купил он самую простую и знакомую водку, недорогую, чтобы всем и самому себе доказать, что он может себе позволить покупку в этом магазине?..

Конечно, хочется человеку и приятно ему купить что-то, порадовать себя покупкой в красивом магазине и как бы тем самым начать летнее путешествие и отдых... Это да!

Но покупает он бутылку водки не чтобы выпить!

А чтобы подарить!

Кому подарить? Он же летит в незнакомую страну, где его никто не ждёт. Он не знает ни одного иностранного языка. Когда бывал за границей, он проходил мимо магазинов и ресторанов исключительно потому, что не мог решиться на общение и контакт с иноземцами, как не решался взять в руки и купить иноземные ром, виски или ликёр... Для кого он взял бутылку водки? На какое знакомство он надеется? Кому он хочет её вручить, какой встречи ждёт? Какой?! Да никакой конкретно... А вдруг! Вдруг случится!

Потому что, если вдруг случится, что он сможет предъявить, чем сможет порадовать нового чужестранного знакомца? Чем произведёт впечатление? Да и как можно лететь куда-то, хоть и неизвестно к кому, но с пустыми руками? Это не по-нашему!

И что, в сущности, есть у русского человека такого, что все знают именно как наше? Что, по мнению нашего человека, все от него ждут, чему все рады и чего все поголовно хотят? Водки, конечно!

Водка и именно водка во всех странах, на всех широтах, во всех пределах, по нашему глубокому убеждению, — главное русское достижение, изобретение и изделие.

Есть, конечно, ещё балалайка. Но человек наш сам играть на ней не умеет, да и в руках её не держал. Икра? Она дорогая. Да и положа руку на сердце, та, что он едал, была то несвежей, то ненастоящей, то слишком солёной, то какой-то клейкой, то её было так мало, что и не понял он ничего. К тому же каждому понятно, что икру без водки использовать неправильно и глупо. А вот водку без икры — вполне...

Вылетающий за границу человек ещё может в раздумье остановиться возле матрёшек. Матрёшка тоже вроде наше изобретение, но только не станет он её покупать... Нет и не было у него дома отродясь матрёшки, да и сомневался он всегда, что кому-то может нравиться странная кукла без рук, без ног и с глупой улыбкой. Списывал он известную страсть иностранцев к матрёшкам на их, иностранцев, странность и наивность. К тому же как дарить матрёшку мужику, если он с таковым познакомится?.. Водка! Только водка! Она русская, родная, всем известная, и она реальная. Честная она. Потому что он сам, наш человек, её любит, знает и честно пьёт.

Однако заранее понятно, что, скорее всего, ни с кем он за границей не познакомится... Кроме как с соотечественником, у которого такая же бутылка пролежит все время отдыха в чемодане. И потому дарить водку земляку нашему человеку в голову не придёт... Возможно, выпьют они привезённое как-нибудь ночью, когда уже бары отеля закрыты. Выпьют без радости и напрасно во всех смыслах. Но, скорее всего, подарит он свою бутылку улыбчивому гиду или симпатичному администратору гостиницы, который изобразит удивление и восторг. Изобразит потому, что не знает уже, куда девать эту водку, которую везут и везут наши люди в его тёплую приморскую страну. На худой конец, отдаст наш человек заветную бутылочку в знак завершения отдыха водителю автобуса или таксисту, чтобы обратно не переть водку домой.

Но когда он покупал её... Грезилась ему встреча, знакомство... Виделось ему, как научит он какого-нибудь немца, англичанина или американца тому, как надо правильно пить родимую, как правильно выдыхать и вдыхать, как запрокидывать рюмку, как глотать и закусывать. Представлялось ему то впечатление, которое произведёт водка на иноземца, как будет он до слёз моргать, как будет морщиться и как при этом наш человек сам выпьет и при этом бровью не поведёт, да только смачно крякнет. Мечталось ему, как за водочкой покажет он подлинную свою силу и стойкость.

А главное, покупал водку в магазине аэропорта наш человек, ощущая, что берёт верительную грамоту, лучшую рекомендацию и самый надёжный русско-иностранный разговорник и словарь.

В такой бутылке водки, купленной в аэропорту, содержится великая вера и иллюзия нашего человека, что его где-то ждут, что ему везде рады, что он интересен, и то, что дорого ему, непременно полюбится, придётся по вкусу и обрадует кого и где угодно! Покупает наш человек водку и везёт с собой свой дом, свою географию, образ жизни свой... Везёт, чтобы подарить... Чтобы открыть двери в своё... Чтобы распахнуться со своей самой щедрой, весёлой и сильной стороны.

Наивен и прекрасен наш человек, покупающий бутылку водки перед вылетом в чужие края. Прекрасны его иллюзии, которые движут им при покупке...

Вот только не понимает он, что бутылку водки купить, привезти и даже подарить он может, однако дом свой, свой

образ жизни, географию родную предъявить он не сможет...
А как?

Как сможет он, даря бутылку, объяснить и описать то,
как, когда, из чего, с кем и с чем её следует распить? Как
объяснить, что при этом надо говорить и что делать? Подарит он её, а тот, кому она досталась, откроет её, тёплую,
нальёт в стакан, из которого обычно пьёт виски или джин
с тоником, понюхает, весь сморщится, глотнёт, скривится
ещё сильнее и убедится, что водка — это кошмар, а русские
как минимум — странные и непостижимые люди. В лучшем
случае смешает он водочку с каким-нибудь соком, да и за-
мучает. Или поставит бутылку среди привезённых из других
стран сувениров и будет аккуратно, по-иностранному сти-
рать с неё пыль.

А если нашему человеку доведётся всё же привезённую
бутылку с иноземцем распить, то что он сможет на чужбине?
Разве сможет он накрыть правильный стол, найти правиль-
ную закусочку, да так, чтобы никто не помешал? Максимум
сможет он договориться в баре или в кафе, чтобы остудили
водку, дали более-менее подходящие рюмки и позволили
выпить свою бутылочку. Будет он в процессе всё время пытаться объяснить, что хлеб должен быть другой, что анчо-
ус — это не то, что сардины не такие, а надо бы селёдочки...
будет сокрушаться, что лук должен быть не такой сладкий,
а маринованный корнишон — это вовсе не солёный бочковой
огурец. Картошка фри не заменит рассыпчатой варёной кар-
тошечки, а испанский хамон — кусочек сала с прожилками,
прозрачной шкуркой и запахом чесночка.

Поймёт человек наш, что зря он затеял презентацию
родимой водки в знойный вечер у моря, под пальмами или
кипарисом, осознает, что водка, как он её знает и любит, тре-

бует не отдельных деталей и элементов, а всей могучей родной географии, с воздухом, запахами, пейзажем, с широтой и долготой.

С удивлением осознаёт он, что не может быть понята водка, как он сам её понимает, в отрыве от всего того, где эта водка была придумана и где её сделали.

Разве заменит в Испании холодный гаспаччо в жаркий воскресный полдень холодную окрошечку на остром домашнем квасе, со сметанкой, горчичкой, телятинкой или язычком... да хоть с докторской колбаской... с зелёным лучком и прочей зеленью, чёрным хлебушком... А под неё — ледяная водочка! А потом безмятежный послеобеденный воскресный сон... Разве можно сравнить его с сиестой?

Разве можно выпить водки под французский хвалёный буйабес, пусть даже по самому старому и верному рецепту? Водку надо под уху! Под ушицу! Прозрачную, золотистую, с кусками окушка, судачка, щучки или, если бог послал, осетринки.

Самые шикарные креветки, лангустины, омары... Как они могут быть закуской к водке? Разве сравнить их со сваренными в простом рассоле, с укропчиком, или в молоке раками, которых привёз с озёр кум, брат, сват или сосед да прямо в ведре и сварил? Сначала, правда, с этими раками пьётся пиво... Но потом, конечно, водочка.

Никакая итальянская паста, никакие спагетти карбонара или болоньезе не годятся. Если под водку макароны — то только макароны по-флотски!

В меню Италии, Испании, Франции, Греции, да хоть Болгарии, не отыщете вы салата, чтобы закусить первую в трапезе рюмочку. Где, в какой стране можно найти «Оливье», «Столичный», «Мимозу», «Селёдку под шубой»? Под названием же «винегрет» вам во Франции подадут такое — не то что водки, воды не захочется.

Тепличные шампиньоны можно есть так, сяк, и даже в сыром виде, но их не засолить, как грузди, опята, волнушки или рыжики. Их можно запечь или пожарить... Но разве то, что из них получится, будет пригодно, чтобы после леса и бани выпить водочки? После леса и бани нужна жареная грибная смесь, где вместе на чёрной сковороде сошлись лисички, свинушки, подосиновики, моховики и даже хрупкие сыроежки.

Никакая иная география, кроме нашей, не годится для выпивания водки в её исконном, изначальном и первородном виде.

Кто-то скажет, что шведы и финны делают отличную водку. И селёдка у них есть, и лосося они солят, коптят и вялят замечательно. И суп с этим лососем у них превосходный... И выпить, говорят, эти викинги не дураки. Да, всё так! А поговорить?! Как поговорить с ними за водочкой? Никто из них в погранвойсках или в десанте не служил...

Вся наша география, все наши озёра, моря, реки, степи, горы, сады и огороды — всё только и родит то, что необходимо, чтобы послужить закуской, застольем, трапезой с водочкой.

В наших пределах не растут оливки, артишоки, не выращивают у нас широко, и не привыкли мы пока, не приспособили к водке спаржу, фенхель, кольраби, савойскую и брюссельскую капусту, а также лук-порей и прочий сельдерей. Нет в наших водоёмах сибаса, дорады, марлинов, тунца, осьминогов, омаров и устриц. Ни в Волге, ни в Каме, ни в Амуре не сыщете вы ни одного кальмара. Зато хрустящего, зажаристого карасика вам предоставят где угодно — и на Кубани, и в Карелии. Строганину из мороженого муксуна вы отведаете от Урала до Забайкалья. Раки — в Поволжье, хариус — в Сибири, грузди, опята, маслята — везде.

Не йогурт, не сливки, а сметана!

Горчица не сладкая, не дижонская, не жёлтенькая, а ядрёная, до треска лобовой кости и до слёз. Хрен — тоже до слёз. Редиска наша — острая. Капуста у нас не цветная, а квашеная. Помидоры у нас, даже зелёные, маленькие, незрелые — всё равно годятся для засолки. И всё — под водочку! Кабачки и баклажаны вроде бы не водочная еда, но сделаешь из них икру... на вид не очень прилично, но если положить на чёрный хлебушек, закуска верная.

Свиньи у нас не такие, как в Голландии, не породистые, не такие большие и не такие мясные. Зато наши свиньи весёлые, шустрые, самостоятельные, и сала много. Сало от них копчёное, солёное, мороженое — какое угодно и в любом уголке и районе. Картошка со шкварками, жареная, варёная, толчёная — идеальна под водочку. А экзотический батат под неё, родимую, не годится решительно.

Виски, ром, бренди, текила... Их можно пить где угодно и в любую погоду. Текилу в Мексике сделали, отвези хоть в Африку, хоть в Индию — пойдёт нормально. Даже на Аляске или в Якутии... Виски — то же самое. Эти напитки где-то согреют, где-то освежат. Никаких особых условий не надо. Можно вообще их из горлышка... Так и мексиканцы живут себе в Штатах, не чувствуя, что живут на чужбине, а для британца вообще полмира — его бывшая колония.

Для нашего же человека всякий отъезд из родных пределов, если не в отпуск и ненадолго, — сразу эмиграция. Вот и не вкусна, горька и не светла водка на чужбине для нашего человека, как ностальгия, которая, думается мне, голландцу или бельгийцу вовсе неведома.

У китайцев есть своя рисовая, крепкая, с позволения сказать, водка. Она даже хороша с их едой... Но если нашу водку пить с их китайской едой, то тоска по Родине может начаться, даже если это делать в китайском ресторане в центре Москвы.

Японцы своё саке нагревают и пьют тёплым. Страшно даже подумать о таком способе употребления водки.

Множество, великое множество факторов, деталей и нюансов указывают на то, что водка могла быть создана, задумана и рождена только в наших пределах и нашим человеком.

Поляки претендуют... Умеют делать. Но для того чтобы из глубин жизненных процессов, жизненного уклада и условий родилась водка в её безупречном виде, необходим бескрайний простор. Простор в Польше есть, но до бескрайнего ему далеко. Может, поэтому поляки так претендовали на наши просторы?

Кочевник знает бескрайние просторы, но для того чтобы сделать водку, простор должен быть родным, и чтобы где-то в этом просторе был дом родной, речка студёная, родная, поле родное, лес, околица, поворот дороги... Свой! Особенный! Кочевнику же нужен путь. Кочевник — он и есть кочевник. Для того чтобы сделать водку, нужно останавливаться.

А наш человек... Выпьет он водочки да и запоёт... Может, и не был он нигде, кроме города, посёлка, деревни, где родился и вырос, не видел толком ничего, не летал за границу, не посещал столицы своей, никогда всерьёз не думал о дальних дорогах, не запрягал коня, или вообще живого коня видел только изредка и знать не знает, как к нему подходить... Но выпьет — и запоёт про мороз, про коня, про жену, которая ждёт дома... Запоёт, почувствует себя ямщиком, замерзающим в далёкой глухой степи, запечалится человек, всплакнёт по своей жизни, пустит слезу хмельную и чистую, да и выпьет ещё водочки.

Согревала она, родимая, путников, успокаивала, давала надежду, сокращала вёрсты, ускоряла путь, приближала дом... Да и продолжает это делать.

Сел человек в поезд в Новосибирске, достал и выложил на стол то, что собрали ему в дорогу, познакомился с попутчиком, открыли они по такому случаю бутылочку... Раз — а вот они уже и в Омске! В Омске вышли они на перрон, подышали воздухом, дождались, пока поезд тронется, вернулись в купе, открыли, налили — вот тебе уже и Челябинск!

В поезде дальнего следования «Новосибирск — Адлер» можно, конечно, пить виски или ром... Но на столике купе, рядом с курицей в фольге, консервами и порубленной колбасой, среди скорлупы яичной, на газете, бутылка виски или рома будет выглядеть неорганично, вызывающе, неуместно, глупо, противоестественно.

А водка? Если путники ведут себя спокойно, солидно, не шумят, так почему бы и нет? Кому же она мешает? Как без неё? Если страна такая огромная? Самолётом?

А если человек летать боится? Да к тому же алкоголь в самолётах и аэропортах запретили. Это раньше человек мог выпить в столице: раз — и он уже в Хабаровске или наоборот... Водка сокращала тысячи километров, стирала часовые пояса... А кто-то без этого летать не может.

Вне нашей географии человек наш может даже и вовсе не желать выпить водки. Порой сама мысль о ней на жарком пляже у ненашего моря может вызвать содрогание и неприятные мурашки по спине. Неуместна она, родимая, там, на чужбине. Нет там для неё условий, нет посуды, нет нужной компании, а главное — настроение там не водочное.

Или в лондонском баре — паче чаяния, наш человек в таковом окажется и увидит среди прочих бутылок знакомую, стройную, беленькую, в привычных одеждах... Обрадуется он бутылке водки как земляку, как давно не виденному соотечественнику, улыбнётся, потеплеет его лицо, но закажет он всё же скотч, или бренди, или что-то с джином... Поймёт он, что не хочет пить родимую у барной стойки тёмного дерева, у которой он сам, как и водка, только гость, только вкрапление чего-то нездешнего в местный уклад... Поймёт он, что если пить водку, нужны к ней друзья-приятели, закуска, тема для разговора и уж точно не лондонский пейзаж за окном.

А когда будет возвращаться наш человек домой, восвояси, из другой, чужой, страны, купит он в аэропорту чего-нибудь местного... Местной виноградной граппы, или ципуры, или анисовых ракии, пастиса или узо, а то и чего-то более экзотического... Прихватит вина, оливок, сыру, местной колбасы... Или от щедрот купит бутылку чего-нибудь дорогого, многолетней выдержки. Повезёт это с собой, чтобы угостить друзей, рассказать о том, как путешествовал, отдыхал, и проиллюстрировать свои фотографии и рассказы «ихними» напитками и вкусами.

Соберёт он друзей, заведёт рассказ о том, что видел, едал и пивал, будет живописать... Но скоро увидит и поймёт, что не очень внимательно его слушают, из вежливости смотрят фотографии, без восторга едят и пьют привезённое. Почувствует наш человек, вернувшись в родную географию, что рады друзья ему самому и его возвращению, а не его рассказам и гостинцам. И увидит, что передёргивает их от привезённых крепких и не очень напитков.

Увидит он это, поймёт, почувствует и перейдёт с друзьями на водочку, на домашнюю закусочку. А главное — на здешние, местные, родные новости и темы. Новости о том о сём... О том, что произошло, пока его здесь не было.

5 октября

Вот и начался рабочий сезон. Сыграл два спектакля в Санкт-Петербурге и один в Твери. Завтра выйду на сцену в Липецке, из Липецка поеду в Тамбов — и пошло-поехало. В этом году сезон начался резко, будто окунулся в холодную воду, но выскочить из неё нельзя, наоборот, надо плыть...

По работе соскучился, но за лето так много всего произошло в мире, стране и в том, как изменились ощущения людей — ощущения происходящего, ощущения собственной жизни, тревог, будущего — что я, готовясь к первому в этом сезоне спектаклю «Шёпот сердца», понял, что, даже если и хочу исполнять его как прежде, он по-прежнему не прозвучит. Так и произошло.

Первого октября вышел на сцену Театра имени Комиссаржевской в Питере, а перед выходом вспомнил, что буду спектакль исполнять в пятидесятый раз. С первого марта, со дня первого показа, по двадцать третье мая плюс один спектакль в Южно-Сахалинске в августе — это довольно много, спектакль уже сложился, уплотнился, заработал... Но первого октября вышел на сцену как будто с премьерой. Текст мной, конечно, очень хорошо изучен, и воспроизвёл я его как в прошлом сезоне, но прозвучал он иначе, много острее, жёстче, и его определённо лучше и внимательнее слушали.

Самым удивительным было то, что тема гнева и ненависти, которым в спектакле посвящён целый эпизод, зазвучала мощно, этот эпизод стал, наверное, важнейшим, если не кульминационным в спектакле. А весной и летом он был скорее проходным. Что весной, что сейчас я исполнял его одинаково, но люди слушали по-другому: от меня в спектакле зависит далеко не всё.

Значит, что-то произошло с людьми, тема гнева и ненависти к осени вызрела и стала более понятной (чуть было не сказал «более близкой»).

Мне предстоит исполнять спектакль осенью и зимой много и в разных городах. С большим интересом и вниманием буду изучать и вслушиваться в реакцию людей. Вот я и говорю, что начало сезона ощущаю как прыжок в холодную воду и дальнейшее плавание по студёным волнам.

А первого октября, помимо начала сезона и пятидесятого спектакля «Шёпот сердца», старшей дочери Наташе исполнилось двадцать лет. У меня в голове это не укладывается. Не в том смысле, что ещё совсем недавно она бегала маленькая, нет-нет, маленькая она была давно. Но просто — двадцать лет. Мне мои двадцать лет помнятся очень хорошо. Про моё двадцатилетие я когда-то написал рассказ «Последний праздник». Я подробно, кристально, анатомически точно помню этот день. А если я его так отчётливо помню, значит, я не чувствую, не вижу разрыва связи меня, двадцатилетнего и сегодняшнего... Проще говоря, во мне остался я, двадцатилетний, у которого старшей дочери первого октября исполнилось двадцать лет. Это очень странное ощущение.

Я очень хотел, чтобы она приехала отметить свой день рождения в Питер, ко мне на гастроли, на открытие сезона, чтобы посмотрела пятидесятый спектакль «Шёпот сердца» в прекрасном театре, но она решительно и определённо захотела провести свой последний околодетский день рождения дома, в своей комнате, которую она сменила на комнату в московском студенческом общежитии. Я её понимаю. Если бы у меня в мои двадцать лет была такая возможность, я сделал бы то же самое.

12 октября

Интервью «Новым известиям»

Текст: Татьяна Филиппова

В Москве в восьмой раз проходит международный театральный фестиваль моноспектаклей «SOLO» — уникальный проект, благодаря которому на московской сцене были представлены спектакли ведущих европейских режиссёров: Роберта Уилсона, Ромео Кастеллуччи, Яна Фабра, Даниэле Финци Паска и других мастеров. В этом году программу фестиваля завершит спектакль Евгения Гришковца «Шёпот сердца». В интервью «Новым известиям» Евгений Гришковец рассказал о том, как в одиночку в течение пятнадцати лет он удерживает внимание публики и как создаёт свои успешные спектакли.

— *Евгений, почему вы так мало бываете в Москве?*

— Я не мало бываю в Москве, но, может быть, недостаточно. Я играю с сентября по июнь два-три спектакля в месяц в Москве, и, конечно, этого мало, поскольку те, кто ходит на них в Москве, наполовину не москвичи, а приезжие, которые решили устроить для себя обязательное посещение театра. Но мне важно, как человеку провинциальному, много играть в провинции. Почему? Потому что экономическая модель моего театра позволяет мне исполнять по всей стране спектакли ровно в том виде, в каком они существуют в Москве и Санкт-Петербурге. Это полноценные спектакли московского репертуара. Такого никто себе позволить не может.

— *Вы никогда не пытались стать москвичом?*

— У меня не было даже такой мысли. Я не пытался стать москвичом так же, как и петербуржцем. Родители мои хотели стать ленинградцами, но я этого не хотел никогда.

— *Мне запомнились слова Виктора Астафьева, который как-то сказал, что очень трудно, живя в провинции, оставаться в центре событий. Там, где вы живёте, это не чувствуется?*

— Я могу назвать себя земляком Астафьева, хотя он ещё дальше родился и работал, чем я, и я тоже писал, что, когда живёшь в провинции, есть ощущение, что ты находишься в стороне от процесса, и это не очень хорошо. Но когда ты оказываешься в Москве и попадаешь в некое плотное театральное сообщество, или литературное сообщество, или кинематографическое, ты видишь его границы. Ты видишь, насколько там мало людей, и качество этих людей, как правило, невысоко. Ты видишь целиком этот процесс, и он кажется тебе убогим. Поэтому лучше ощущать себя в стороне от процесса, но знать, что он существует. Когда ты попадаешь внутрь, ты видишь, что нет никакого процесса, есть суета и какой-то нелепый попкорн с отдельными выхлопами художественных произведений. Лучше ощущать иллюзию процесса, чем знать, что его нет.

— *В недавнем интервью вы назвали «Шёпот сердца», спектакль, который будет закрывать программу фестиваля «SOLO», одним из самых сокровенных и необычных для вас. После таких работ человек чувствует опустошение и необходимость двигаться в каком-то другом направлении. Вы уже знаете, что будете делать дальше?*

— Все спектакли, которые я делал после 2002 года, для меня этапные и программные. Был период, когда я сделал сразу пять спектаклей, с 1998 по 2002 год. Я выдавал по спектаклю в сезон, а потом возникла пауза на восемь лет, от «Дредноутов» до «+1», когда я не знал, что мне делать. Я даже предполагал, что спектаклей вообще больше не будет, потому что у меня не было никакой идеи развития. Я не видел, как развиваться в области этого странного театра, где автор и исполнитель — один человек и, собственно, только он и может быть на сцене. Потом пришло решение, и появился спектакль «+1». То есть мне нужно было перейти из одного сценического возраста в другой. После спектакля «+1» только через три года я показал «Прощание с бумагой», и это была совершенно ясная тема, практически лекция. Спустя ещё три года я выпустил «Шёпот сердца», где впервые исполняю роль не человека, а органа. Я выступаю от имени человеческого сердца, которое не всегда согласно с человеком. И здесь впервые зритель не может сказать, что со сцены Гришковец говорит то или другое. Он должен сказать, что это говорит сердце. Самым сложным оказалось говорить о себе в среднем роде. На одном из спектаклей — а я сыграл его уже пятьдесят один раз — я вдруг увидел, что забыл снять обручальное кольцо. Я прервал спектакль, чтобы снять его, потому что не может быть обручального кольца у сердца, у него и рук-то нет.

— *И всё-таки — что дальше? Вы уже знаете, каким должен быть следующий спектакль театра Евгения Гришковца?*

— Нет. Я знаю, чем буду заниматься, но какое развитие получит мой театр, я не знаю. Когда я сыграю «Шёпот сердца» в сотый раз, мы наметим план записи его видеоверсии, потому что к этому моменту спектакль приобретёт некое композиционное совершенство, и после этого я запишу его в виде книги, которую можно будет опубликовать. Текст есть, но за год существования спектакля он сильно изменится. Я его опубликую весной, к этому моменту спектаклю исполнится год. После этого мои обязательства по отношению к этому спектаклю будут закончены, и я смогу позволить себе думать о следующем.

— Я видела «Шёпот сердца» в феврале, и он мне показался живым и даже пульсирующим, что ли, потому что реакция зала в некоторых местах была совершенно неожиданной. Вы вступали в диалог со зрителями, и это тоже становилось частью действия. Очевидно, что спектакль меняется. Он сильно изменился за полгода?

— Да, конечно. Каждое выступление становится новой редакцией. Каждый спектакль, исполненный в тот или иной вечер, является новой редакцией, которую зафиксировал для себя только зритель, видевший этот спектакль. В другой вечер другой человек увидит другую редакцию. По-другому быть не может, потому что я же текст не выучиваю, во время спектакля я его даже не вспоминаю. Мне его не нужно вспоминать. Он мой. Я говорю смыслами в рамках очень жёсткой композиции и времени. Потом это будет задокументировано, потому что художественным произведением является не текст, а сам спектакль. Но я хочу сказать, что внедрение зрительного зала с любыми репликами спектаклю мешает. Когда зрительный зал внедряется в ткань спектакля чем-то непредвиденным, чаще всего это бывает ярче, веселее, чем то, что задумано мной. Людей это отвлекает, они запомнят скорей эти вот забавные моменты, чем художественное высказывание. Я этому не рад, но я вынужден защищать свой театр, и я его защищаю всегда живым откликом на всё, что происходит, потому что мой театр не может пропустить мимо ушей звонок мобильного телефона или какую-то реплику из зала. Мой театр не закрыт четвёртой стеной, а, наоборот, всё время обращается к зрителю. И если зритель ведёт себя неадекватно, мой театр должен отреагировать.

— *Вы как-то говорили, что хотите выйти за рамки моноспектакля, сделать спектакль на двоих.*

— Получится у меня такой спектакль или нет, я не знаю. Мне нужен соавтор. В идеале два писателя должны быть на сцене. Для моего театра очень важно, чтобы именно автор выходил к публике. Если бы публика знала, что для меня, стоящего на сцене, пишет другой человек, никто бы на меня не пошёл. Как никто бы не пошёл на исполнителя-Окуджаву или исполнителя-Высоцкого. Людям необходимо знать, что перед ними автор, только в этом случае возникает то доверие и та ответственность, которые здесь необходимы.

— *Предполагаете ли вы продолжить работу с грузинским ансамблем «Мгзавреби»?*

— От них зависит. Мы разные по возрасту, эти ребята все на двадцать лет младше меня, они находятся в процессе становления и решают собственные задачи. Музыкальные, художественные. Мы не планировали делать целый ряд альбомов или создавать какую-то совместную стратегию существования. У меня есть другие предложения, люди показывают мне свою музыку, но пока из этого ничего не выходит. Но я не существую в разных жанрах, я существую как писатель, который выступает с группой, или писатель, который делает свой театр.

— *А я читала где-то, что вы мечтаете поставить оперу. Или это была шутка?*

— Я такого не говорил никогда. Если вы прочитаете где-то, что я ставлю оперу или ставлю кино как режиссёр, знайте, это значит, что Гришковец сошёл с ума и больше им интересоваться не стоит.

— *А если вам предложат возглавить театр? Настоящий театр, с труппой.*

— Я никогда за это не возьмусь. Художнику это не нужно. Художнику не нужны никакие структуры, художественные мощности, коллективы. Ему это только мешает. Есть большие артисты, которые руководят театрами, но это именно артисты. Мы знаем, что Олег Павлович Табаков руководит театром. Но он артист, а не автор. Есть режиссёры, которые руководят театрами. Когда это театры, в которых весь репертуар сделан этим художником, такое можно допустить. Но когда это театр, в котором работают разные режиссёры, — это чушь собачья, и ничего из этого не выйдет. Чем крупнее режиссёр как художник, тем хуже он как художественный руководитель. Потому что он не должен допускать инакомыслия или ему нужно отказаться от художественного руководства. Вообще стремление возглавить какие-либо структуры пагубно для художника. У меня был такой опыт, и я знаю, что руководить коллективом — это большой грех, и не надо брать его на душу.

— *Трудно ли даётся переход от театра к литературе? Приходится ли вам, как некоторым известным писателям, привязывать себя к стулу, чтобы написать очередной текст?*

— Поскольку я объехал всю страну и сыграл во всех театрах, которые можно назвать театрами, это уже замкнутый круг. Зимой и летом, во время пауз, я пишу, если есть замысел, либо планирую спектакль. Довольно длительное время у меня нет больших литературных замыслов, поэтому я впервые за пятнадцать лет думаю взять отпуск на полгода, а может быть, и год. Сделать перерыв в гастролях, чтобы продолжить литературную деятельность.

— *Всегда интересно, как вам удаётся поймать мысли и ощущения, которые люди в зале воспринимают как свои. Человек из зала говорит себе: «Надо же, я тоже мог бы такое написать. Но не успел». Как вы это делаете? Есть ли у вас какая-то фокус-группа, в которой вы отрабатываете свой замысел?*

— Спектакль «Как я съел собаку» как раз на это и был рассчитан, мне хотелось проверить, насколько человеческие переживания, человеческий опыт универсален. Проверить это можно было только в театре. Литературный опыт не дает такой возможности, потому что человек покупает книгу, уносит ее домой, и что с ним происходит в процессе чтения, мы узнать не можем. У меня уникальный писательский опыт, поскольку я сто вечеров в году, то есть каждый третий вечер, провожу в огромной аудитории, где семьсот—восемьсот, а то и тысяча человек демонстрируют мне свою реакцию на сказанное мной. Если читатель остаётся с книгой один на один, здесь совсем другое дело. В зале сидят люди разного возраста, разного опыта, разного пола, в конце концов, но во время спектакля они должны быть единой публикой, и я должен найти такое художественное высказывание, чтобы оно было понятно и могло быть присвоено человеком. Тем, который пришёл в театр. Иногда, если у меня есть сомнения, я проверяю свой текст в какой-нибудь компании. Просто рассказываю фрагмент будущего спектакля и смотрю, работает или не работает. Я иногда думаю: а может быть, это мои экзотические мысли и другому человеку они будут непонятны, неинтересны и не близки. У меня нет редактора, нет советчиков, нет человека, мнение которого было бы для меня авторитетно. Потому что свой театр я знаю лучше всех в мире. И текст, который я пишу, я тоже знаю лучше всех в мире. Я очень уверенный в себе автор. Я не очень уверенный в себе человек, который много сомневается и совершает очень сомнительные поступки, но автор я очень уверенный. Я одиночка. Те люди, которые занимаются коллективным творчеством, которые делают коллективный театр или кино, или уж тем более те, которые занимаются коллективным эстрадным творчеством, представить себе не могут тот способ, которым я делаю спектакли. Я один. Совсем один. Это не очень весело, и тем не менее это кристально. Потому что мне никто не может помочь и никто не может помешать.

— В «Шёпоте сердца» сердце критикует человека, спорит с ним и многим в нём недовольно. А ваше сердце? Вы всегда с ним в ладу?

— Во время спектакля, во время исполнения я всегда с собой в ладу. Это настолько чудесное существование... Мне доводилось играть спектакли с высокой температурой, и как только я выходил на сцену, я начинал чувствовать себя прекрасно. После спектакля я ставил градусник, и он показывал 36,6. Через час температура снова поднималась, и хворь возвращалась, а на сцене все было идеально.

16 октября

Много было приключений за последние две недели, в основном мелких, но всё — неприятных. Весь прошедший тур прошёл под знаком неприятных неожиданностей. Однако были и серьёзные нервные встряски.

Когда тур проходит хорошо — а что значит хорошо: без транспортных и технических накладок, без проблем с гостиницами и организаторами, без погодных фокусов — мы всегда радуемся. Спектакли в гастрольной деятельности — самое приятное и радостное дело, а время на сцене для меня — самое лёгкое и счастливое.

Начинался тур радостно. В Санкт-Петербурге, в общем-то, повезло с погодой. Играл я в Театре имени Комиссаржевской, в котором не работал года четыре, а то и больше. Это очень приятный театр, красивый и расположенный в чудеснейшем месте. То есть театр удобен и артистам, и зрителям, он даёт ощущение события похода в театр.

В Питере сходил на концерт симфонической музыки, впервые был в концертном зале Мариинки, впервые слушал оркестр Мариинки под управлением Гергиева, по его же личному приглашению. Впервые слышал звучание оркестра в столь совершенном акустическом пространстве. И, опять же впервые, был на столь мощном симфоническом концерте. Я слабо знаю симфоническую музыку, можно сказать, совсем не знаю. Бывал на нескольких великих балетах, в Европе несколько раз бывал в опере... Впечатление я получил огромное!

В первом отделении маэстро исполнил симфонию Брукнера. Не помню какую, для меня — первую. Пережить мне её было непросто. Несколько раз я совершенно уходил от музыки во внутренние блуждания и дебри собственных размышлений. Потом мне сказали, что именно так и надо слушать большую симфоническую музыку, а я переживал, что не могу сосредоточиться.

Во втором отделении концерта тощенький лауреат последнего конкурса имени Чайковского, невероятно длиннопалый француз, весьма нервно, нарочито артистично и страшно фальшиво исполнил несколько произведений Листа в сопровождении гениально звучащего гергиевского оркестра. А в фортепианной музыке я уже кое-что понимаю.

Меня удивила записная симфоническая публика, она внешне очень отличается от той, которая ходит в театр. Я с благоговением смотрел на неё и был уверен, что незаслуженно занял чьё-то место в зале.

Однако многие во время исполнения Брукнера откровенно дремали или скучали, французу же они устроили невероятную овацию, несмотря на откровенно слабое выступление, изъяны которого были для меня очевидны, точнее, слышны. Они пять или шесть раз вызывали его на бис. А этот наивный юноша искренне верил в свой грандиозный успех...

После его выступления оркестр и маэстро играли Чайковского, «Щелкунчика». Однако после выступления француза четверть зала спокойно, а то и демонстративно покидала свои места. Я был удивлён, возмущён, потрясён. Как же так?! Как можно уходить, когда великий, любимый дирижёр и весь оркестр на местах и готовится исполнить великую, любимую музыку? Однако мне потом объяснили, что такое в порядке вещей, и многие записные «знатоки» любят демонстрировать своё большее величие и значение, чем музыкантов и дирижёра.

Боже мой, как же звучал «Щелкунчик», как существовал за пультом Гергиев, какая звучала музыка! Это было очень и очень сильно гениально (по-другому и сказать не могу), и это было само совершенство!

Если симфония Брукнера величественно проплыла мимо меня, как фантастический, блистательный и непостижимый айсберг, то Чайковский накрыл и возбудил, оживил все самые острые и радостные детские ощущения. Я знаю эту музыку с детства — и вот я слышу её в лучшем исполнении, какое только может быть в мире. Я радовался, почти смеялся от радости. Мне постоянно хотелось встать и слушать стоя. А то, что Гергиев был в каких-то десяти метрах от меня, было удивительно, потому что он за пультом видится абсолютно недосягаемым, космическим явлением.

После концерта я наблюдал Гергиева в кабинете, среди людей, телефонных звонков, каких-то рабочих моментов и родственников. Всё это было вперемешку и казалось какофонией по сравнению с поразительно кристальной структурой существования и звучания его оркестра.

Потом был недолгий ужин. Маэстро нужно было в ночь куда-то ехать или лететь, или сначала ехать, потом лететь. За ужином присутствовал... Родион Щедрин. Я слушал, как говорят о музыке два великих музыканта. На удивление, мне всё было понятно. В их разговоре всё было по делу, они обсудили прошедший концерт.

Когда говорят музыкальные критики средней руки или знатоки музыки, у которых пожизненные абонементы, непонятно ничего, а великие говорят понятно, во всех сферах...

После Питера была поездка в Тверь, где, как только я заехал в гостиницу, вырубилось электричество и не стало горячей воды. После спектакля я решил в Твери не ночевать и поехать в Москву, чтобы отдохнуть без гостиничных фокусов и отправиться в Липецк.

Из Твери до Москвы мы доехали за час и почти три часа тянулись в жутком ночном транспортном коллапсе. Люди в соседних машинах засыпали за рулём, другие теряли терпение и в отчаянии сигналили, чтобы проснуться самим и разбудить окружающих. В ночь с воскресенья на понедельник лучше в Москву не заезжать ни с какой стороны. Короче, отдохнуть не получилось. Был шебутной московский день, а вечером я поехал в аэропорт Домодедово, чтобы улететь в Липецк. Очень хотелось в Липецке выспаться и с удовольствием сыграть спектакль.

В аэропорт ехали два с лишним часа, и если бы рейс не задержался, я бы определённо опоздал. Сначала я был рад тому, что самолёт задержался, а потом нет, потому что его задержали на четыре часа...

В три ночи или в полчетвёртого утра любой аэропорт превращается во что-то невыносимое. Уставшие пассажиры, ожидающие задержанные рейсы или ждущие рейсы перенесённые. Уставшие, с почти невидящими глазами работники кафе, магазинчиков, замедленные и уставшие уборщики и уборщицы, работники аэропорта с обвисшими от усталости щеками и охрипшими голосами... Даже эскалаторы в это время суток движутся устало. За час пребывания в такой атмосфере можно выбиться из сил.

Короче, в Липецк мы прилетели перед самым рассветом, долго заселялись, лечь удалось только после того, как плотно задёрнул шторы, потому что солнце лупило в окно. Понятное дело, что весь жизненный график уже сломался.

Когда я проснулся, в Липецке была ужасная погода. За полчаса до начала спектакля возле театра произошло несколько аварий и случился жуткий, необъяснимый транспортный затык. Спектакль пришлось начать с задержкой на двадцать минут. В течение всего моего вступительного слова в зал шли и шли люди, и оставалось ещё много свободных мест, хотя билеты были полностью раскуплены.

Спектакль начался в половине восьмого, но в начале девятого был прерван тем, что в зале возник шум. Как выяснилось потом, в зал пытались войти несколько десятков опоздавших, которые опоздали на сорок и более минут. Они шумели у входа, и этот шум мешал тем, кто сидел рядом со входом. Всё это было очень нервно, и, разумеется, не давало мне и публике сосредоточиться на спектакле.

К сожалению, только во второй половине действия мне удалось добиться атмосферы, которая была задумана и которая необходима. Однако я недоволен тем, как прошёл спектакль в Липецке, а сам я пережил тяжелейший стресс.

Я хотел бы объяснить свои ощущения и причины, по которым не пустил опоздавших в зал в середине спектакля... И почему всё-таки начал спектакль, зная, что многие опоздали.

Подавляющее большинство людей пришли вовремя и по первому звонку прошли в зал, заняли свои места. Третий звонок дали в двадцать минут восьмого, значит, более пятисот человек уже просидели в ожидании спектакля минимум тридцать пять минут. Плюс десять минут моего вступительного слова, которое было таким длинным, потому что я давал возможность опоздавшим войти и сесть. То есть большинство зрителей просидели на своих местах к началу спектакля более сорока минут. И спектакль, конечно, нужно было начинать, исходя из того, что людям нужно будет просидеть ещё два часа.

Когда спектакль начался с задержкой на полчаса, уже никого запускать было нельзя. Начало спектакля — очень важная его часть для настроя и погружения в тему и атмосферу. Спектакль — это цельное произведение, которое нужно смотреть от начала и до конца, это не концерт, состоящий из многих отдельных песен или не связанных между собою частей.

Когда же начался шум и спектакль нельзя было продолжать, я понимал, что решение должен был принимать я. Надо представить, что мне зрительный зал почти не виден. Я ярко освещён, а зал в темноте, я слышу только звуковую картину. Из темноты мне что-то говорили, выкрикивали, а мне нужно было понять, что происходит, и принять решение.

Стало ясно, что много людей хотят пройти в зал. Я посмотрел на часы, было уже десять минут девятого... Что было в такой ситуации делать? Включать свет в зале и рассаживать людей? Это в любом случае заняло бы много времени, поскольку кто-то сел на более выгодное место, а кто-то, разумеется, будет настаивать на своём... Но главное — зачем человеку заходить на спектакль, когда его четверть уже исполнена? Человек уже ничего не сможет понять.

В общем, я принял жёсткое решение никого не пускать, нашёл какие-то слова и с большим трудом продолжил спектакль, который только к самому концу удалось поднять на какую-то художественную высоту.

По его окончании я чувствовал страшное опустошение и усталость. Я тысячу раз себя спросил, был ли я прав, а потом решил, что был прав безусловно. Всё-таки из семисот зрителей более шестисот пришли если не вовремя, то почти вовремя, значит, можно было успеть. А если человек видит, что опоздал больше чем на полчаса, какой смысл идти на уже начавшийся спектакль? К тому же любой билет является не чем иным, как договором, и в этом договоре ясно написано, что вход после третьего звонка запрещён. Я всегда очень стараюсь, чтобы все успели, задерживаю спектакли и говорю вступительные слова, чтобы дать возможность людям занять места. Я понимаю, что в большом городе человеку к семи часам явиться в театр довольно сложно в будний день, а наши

312

государственные театры по-прежнему и по глупой старинке настаивают на начале спектаклей в 19 часов, как бы не замечая изменившихся реалий.

Кстати, особо огорчённым людям было предложено сохранить билеты и реализовать их, приехав, например, в Тамбов — за сто с небольшим километров, или в Белгород — за сто с лишним километров. Человек двадцать воспользовались предложением и приехали в Тамбов и Белгород. На удивление, туда они не опоздали.

Дорога в Тамбов была лёгкой, а вот погода ужасно испортилась: ветер, дождь, снег.

В Тамбове пошёл в кино, так как вечером во вторник приезжим там делать больше нечего. Но лучше бы я этого не делал, потому что попал на премьеру фильма «Марсианин». А я, к несчастью, приучен смотреть всё до конца. Но с походом в кино сам виноват, тут винить некого.

В Тамбове спектакль прошёл прекрасно, публика замечательная. Потом была Тула, где было не хуже, если не лучше. Вот только электричество в гостинице вырубилось, как только я туда заехал.

Дорога из Тулы в Москву опять была хоть и не длинной, но очень долгой. На въезде в Москву остановили «менты» и ужасно долго, мучительно и унизительно, проверяли машину «по базе». У них зависал компьютер, что их, конечно, не волновало, это даже доставляло им какое-то иезуитское удовольствие...

В Белгород из-за погоды решили ехать поездом и не рисковать с самолётом.

Посещение ночного Курского вокзала уже не для слабонервных, а ночной поезд «Санкт-Петербург–Белгород» предназначен либо для очень молодых, либо для невероятно закалённых людей, а я уже не молодой, но ещё не невероятно закалённый.

Белгород встретил тем, что прямо на привокзальной площади у встречавшей машины спустило колесо, и ярким-ярким солнцем, которое не позволило мне выспаться после ночного переезда.

Спектакль в Белгороде прошёл замечательно. После спектакля я узнал, что в зале было ощутимо много харьковчан, которые, понимая, что к ним я приеду нескоро, решились на короткое, но неприятное путешествие через границу.

Из Белгорода в Воронеж выезжали ночью, чтобы приехать, лечь спать и спокойно на следующий день сыграть спектакль. На семидесятом километре от Белгорода, на абсолютно ровной и качественной дороге, у нашего автомобиля пробило колесо. Много времени мы провели в открытом, холодном, продуваемом поле. Водитель безответственно заменил спущенное возле вокзала колесо, а о запасном не побеспокоился.

Мы голосовали, но матёрые мужики-дальнобойщики не останавливались, даже никто не поинтересовался, что с нами произошло. В итоге нас уже под утро подобрали молодые ребята на маленьком, неновом «фордике»... Молодые ребята, парень и девушка, причём девушка была за рулём. Они довезли нас до гостинцы, не побоялись взять взрослых мужиков в степи — а дальнобойщики и владельцы больших внедорожников не остановились...

Воронежская публика приняла спектакль прекрасно, а я наконец-то играл в этом славном городе не в «убитом до невозможности» оперном театре, а в хорошем, удобном бывшем драмтеатре. Берусь утверждать, что мы с публикой доставили друг другу большую радость.

Потом была дорога в Орёл, в котором я не был больше четырёх лет, поскольку орловский драмтеатр стоит на реконструкции всё это время и, возможно, откроется до конца года. Однако ждать уже было невозможно, и меня уговорили работать в так называемом концертном зале «Грин». Это зал-трансформер, в котором в последнее время идут «все спектакли». Так мне сказали, и я согласился. Это моя вина.

Прибыл в Орёл затемно, лёг спать в гостинице с одноимённым названием «Грин» и надеялся выспаться, но не тут-то было! В два часа ночи я проснулся оттого, что, казалось, прямо за окном садится или взлетает большой самолёт. Больше часа выясняли, в чём причина. Оказалось, что сработала аварийная вытяжная вентиляция. Ещё час это устраняли, уснуть удалось в предрассветное время.

А спектакль в зале «Грин» был на грани срыва. Нас ввели в заблуждение, сказав, что никакие мероприятия в концертном комплексе параллельно проводиться не будут. Однако на двадцатой минуте спектакля откуда-то отчётливо зазвучала мерзкая музыка. Источник музыки для меня был неизвестен. Мне пришлось прервать спектакль и долго требовать от администраторов каких-то действий по устранению музыки. Потом я узнал, что этажом ниже заработал караоке-клуб, а караоке и искусство несовместимы в принципе…

Караоке-то более-менее замолчало, но потом врубилась ещё более громкая музыка, потому что в ночном клубе, который также расположен в этом, прости господи, «Грине», началось мероприятие «Первый звонок» для первокурсников какого-то орловского вуза.

В общем, финал спектакля был скомкан, и мне пришлось сократить важнейший монолог. Спектакль заканчивался под грохот дикой и отвратительной музыки с выкриками в микрофон...

Я испытывал горе, смешанное со стыдом. Горе оттого, что люди, которые ждали, покупали билеты, выделили время, пришли... не получили спектакля, который задумывался, был тщательно подготовлен технической группой и который я так старался довести до конца. А стыд от того, что я согласился работать в каком-то «Грине», которым владеют безнравственные и алчные люди и которым совершенно не важно, что будет происходить, лишь бы были заплачены деньги.

Я сказал публике, что студенты-первокурсники не виноваты и они хорошие. И мы все на спектакле тоже не виноваты и хорошие. А вот те, кто нас здесь соединил, — сволочи.

Но всё равно ответственность за спектакль перед публикой несу я и только я. Мне ужасно совестно, а исправить уже ничего невозможно.

После спектакля в Орле ехал в Москву, горевал и сдерживал слёзы досады и почти отчаяния. Приехал в аэропорт Внуково, чтобы улететь в Калининград... Здесь и только здесь, дома, я могу восстановить силы, чтобы везти свой «Шёпот сердца» на Дальний Восток. Утомительный был тур. Очень надеюсь, что на Дальнем Востоке обойдётся без приключений.

21 октября

Скоро лечу на Дальний Восток. Вскоре побываю с «Шёпотом сердца» в Комсомольске-на-Амуре, поскольку выступать буду впервые, исполню там «Как я съел собаку».

В Комсомольске я был лишь однажды, мой поезд стоял на вокзале этого неведомого мне города сорок минут. Ночью.

Это было ровно тридцать лет назад. В ноябре 1985-го, после «учёбки» на Русском острове, меня везли из Владивостока через Хабаровск в Советскую Гавань, на постоянное место службы — в 93-ю бригаду БЭМ (большие эскадренные миноносцы). Холодно было ужасно. На перроне и у вокзала насыпало много снега. Вот и всё, что я помню о Комсомольске-на-Амуре.

А вот до Петропавловска-Камчатского добраться в очередной раз не удаётся. Весной была договорённость о том, что в Петропавловск лечу, и гастроли были соответственным образом выстроены, но пришёл очередной отказ. По этой причине гастроли перекроились и выстроились сложно, да ещё из-за истории с банкротством «Трансаэро» многое усложнилось. Придётся из Москвы лететь в Хабаровск и ехать машиной в Комсомольск-на-Амуре, так как в Комсомольск из столицы летала только «Трансаэро». Как и чем будем улетать из Магадана в Москву, тоже пока непонятно. Но спектакли намечены, их, в отличие от рейсов, переносить или отменять нельзя.

Петропавловск так и остаётся недостижимым городом. Мне по всей стране, крайний раз в Белгороде, передают записки или на словах через каких-то своих знакомых камчадалы просьбу наконец-то приехать. Я буквально мечтаю об этом, но Камчатка остаётся неприступной. Раньше просто не давали даты и говорили о постоянной загруженности театра, потом петропавловский театр долго стоял на реконструкции, а теперь там удивительная дама-директор. От неё исходит определённое и ничем не объяснимое нежелание видеть меня на сцене её театра. Что ж, имеет право. Директор — она. Последний её аргумент при отказе предоставить мне сцену был удивительным: она сообщила, что в репертуаре есть спектакль «Как я съел собаку» по пьесе Евгения Гришковца в исполнении местного актёра, и этого театру вполне достаточно. То, что я могу сыграть какой-то другой спектакль того же автора, мадам директора не убедило.

Не сомневаюсь, что спектакль «Как я съел собаку» камчатского театра хороший и, возможно, любим зрителем. Я с почтением отношусь к исполнителю спектакля и желаю ему всяческого успеха. Но я думаю, что даже ему было бы любопытно познакомиться со мной лично и с оригиналом...

Короче говоря, рекомендую камчадалам обращаться с просьбами о проведении моего спектакля в петропавловском театре не ко мне, а непосредственно к директору, которая демонстрирует определённое самодурство в этом вопросе. Надеюсь, в её случае самодурство — это не от слова дура.

Или обращайтесь сразу в местное Управление культуры. Может быть, Управление найдёт управу. Всё-таки театр — учреждение государственное, а не частная лавочка.

Другие помещения и сцены Петропавловска для моих спектаклей не годятся: им нужно и техническое оснащение, да и попросту театральность... А я очень хочу сыграть в театре, в котором работали мною любимые коллеги и друзья: Погребничко, Рыжаков, Вырыпаев и другие.

Однако следующая попытка приехать возможна не раньше, чем через год. Отдельно для одного спектакля лететь в Петропавловск долго для меня и накладно для публики. Приезд возможен только в туре, в связке с другими дальневосточными городами. Жаль, что моя честная восьмая попытка добраться до Камчатки в очередной раз не удалась.

17 октября, в прошлую субботу, снова вышел на сцену с группой «Бигуди», причём с первым её составом. Мы сыграли шесть песен и один бис. Очень сильные ощущения!

С Максимом Сергеевым мы не виделись больше трёх лет, и ровно десять лет мы не были на сцене с Лорой (Рома) и Вадимом.

Собрались мы по невесёлому случаю: концерт был благотворительный — сильно заболел Серёжа Смирнов, всеми в Калининграде любимый, вечный администратор самого старинного и незыблемого клуба «Вагонка». Я не раз писал о «Вагонке», именно в этом клубе я впервые сыграл в Калининграде спектакль «Как я съел собаку». В «Вагонке» мы познакомились с «Бигуди», там же исполнили массу концертов. На сцене «Вагонки» я видел, пожалуй, лучшие концерты, на которых мне довелось присутствовать. Впервые на сцену «Вагонки» я поднялся в 1999-м. А 17 октября 2015 года, когда я был в этом клубе, Серёжи Смирнова в нём не было, ему не позволила болезнь.

Народу пришло очень много. Можно сказать, собралось три поколения вагонковцев.

В любом небольшом городе у любого старого клуба накапливается целый шлейф неких «особых друзей»: накапливается масса людей, которые считают, что им не надо платить за вход на любое мероприятие или концерт. У «Вагонки» таких не вагон, но эшелон, однако в эту субботу платили все, и многие хотели дать денег сверх цены билета. Вот как все пользовались возможностью помочь Серёже Смирнову, с которым на «Вагонке» они встретили и прожили юность, потом средний возраст, а многие вошли в зрелость и хотят с ним встретить старость.

Играли на концерте два коллектива: старая и при этом вечно молодая группа «Лондон — Париж», которую я ещё в 1998 году слышал и знал о ней в Кемерово, но под названием «Ноу Мэнс Лэнд». У них была прекрасная бессмысленная, но очень романтическая песня «Слёзы Жанетт». Рекомендую послушать. Вспомнятся романтические иллюзии конца девяностых. И выступили мы — «Бигуди» и Гришковец.

Мы были рады снова побыть на сцене, Максим Сергеев впервые при мне играл на гитаре, причём на правую сторону, как Пол Маккартни. Лора и Вадик играли, как и прежде.

У Лоры после «Бигуди» были разные бизнесы, Вадик стал заведующим кафедрой на философском факультете Калининградского университета имени Канта. Он теперь доцент, единственный мой знакомый на родине Канта, кто всерьёз прочитал «Критику чистого разума», и при этом он успевает играть на гитаре и быть инструктором по сёрфингу. Оба, и Лора и Вадик, за эти годы обзавелись детьми...

После концерта они не хотели уходить и вполне внятно сказали, что кайфанули на сцене и что те несколько лет гастролей с «Бигуди» были лучшими. Рок-н-ролл форевер!

Поскольку мы не имели возможности порепетировать, а у группы «Бигуди» нет своего звукооператора, аппаратура у нас звучала ужасно, микрофоны постоянно заводились, и, думаю, меня было почти не слышно, а если и слышно, то очень понятно. Это тоже нам напомнило самые первые годы выступлений, когда организаторы концертов на нас экономили, а мы не умели потребовать к себе более уважительного отношения... Но всё равно было так прекрасно! И снова захотелось вспомнить и исполнить «Настроение улучшилось», «KisSMS», «Летс кам тугэзэ», «Петь»... У нас много хороших песен. Мы записали четыре альбома. Короткое выступление и какие-то тридцать минут на сцене возбудили желание снова собраться, хотя бы разок, и по какому-нибудь весёлому поводу.

Китайская стена
(фото из личного архива)

© Денис Куксов

© Константин Лупанов

Фото из личного архива

Фото из личного архива

Фото Слава Филиппов

Плакат к спектаклю «Шёпот сердца». Серж Савостьянов

Декорации спектакля «Шёпот сердца» – фото Ира Полярная

Команда спектакля «Шёпот сердца»

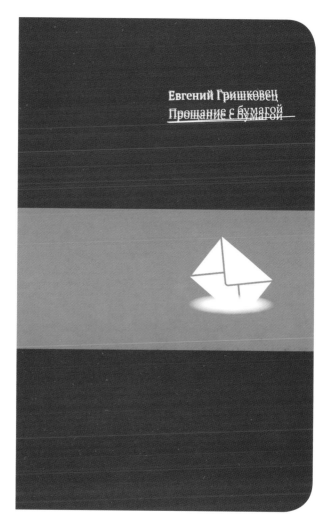

Обложка книги «Прощание с бумагой». Серж Савостьянов

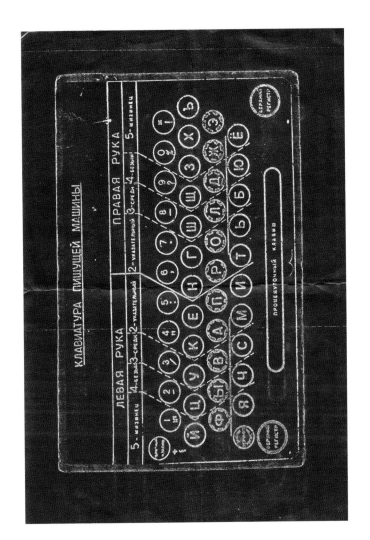

Одна из иллюстраций из книги «Прощание с бумагой»

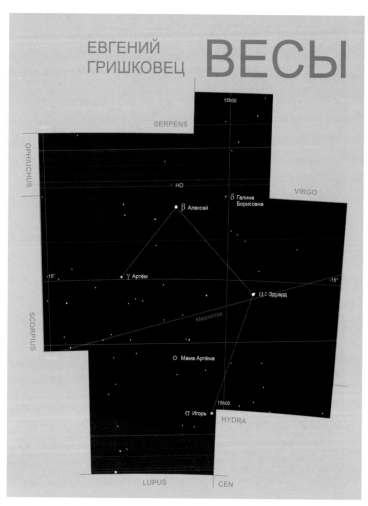

«Весы», эскиз обложки книги. Серж Савостьянов

«Весы», эскиз декораций. Николай Симонов

Снеговик профессора Доуэля
(фото из личного архива)

Благотворительный концерт в пользу Сергея Смирнова собрал достаточные средства для многих возможных действий в борьбе с болезнью. А ещё это было, пожалуй, самое весёлое мероприятие на «Вагонке», которое я видел. Оно было весёлое, потому что жизнеутверждающее.

22 октября

На днях вышло моё интервью в «Собеседнике». Я очень огорчён. Больше никогда не буду давать интервью этому изданию...

Огорчён тем, в каком виде оно вышло.

А журналисты ещё на меня обижаются, и среди них бытует мнение, будто я вредный, капризный, спесивый и так далее.

Да милее, добрее и мягче меня в качестве собеседника не найти! Я — сама доброта... Но когда хотят твоего интервью и присылают список вопросов, а ты, купившись на интересные вопросы, соглашаешься — и в процессе тебе задают совершенно иные вопросы... Доброта слегка утрачивается, добродушие отходит на второй план, мягкость улетучивается.

Так было и в этот раз. Прислали одни вопросы, а во время интервью журналистка сделала акцент на другие. Потом прислала интервью, в котором моя прямая речь и формулировки были на её усмотрение изменены, упрощены, по сути, лишились внятного смысла. Я отказал в публикации интервью в том виде, в каком оно было сделано. Шло время. Редакция прислала интервью в более-менее похожем виде. Я,чтобы не огорчать журналистку, согласился на публикацию: человек же работал... А редактор взял и вынес выдернутые из контекста фразы, сделал их заглавными, и анонс интервью на сайте стал выглядеть бессмысленным и крайне высокомерным. Противно смотреть.

Я могу быть каким угодно: жёстким, категоричным, раздражённым... Но высокомерным я не бываю никогда. Никогда, ни с кем и ни при каких обстоятельствах. Высокомерие нахожу высшим проявлением невоспитанности, глупости и всего того, что в человеке принять не могу. А тут нá тебе. Опять сам виноват.

Ну знаю же я всё про журналистов — и всё равно попадаюсь. Совсем без контактов с ними невозможно. К тому же недавнее интервью «Новым известиям» было вполне разумным и небессмысленным. А тут... Надо понимать, что давал я интервью «Собеседнику» уже больше месяца назад. Сегодня бы говорил о другом и по-другому. Но Бог им судья! Всех им благ! И больше я с этим изданием не общаюсь.

Когда-то такой же редактор другого издания грубым заголовком и ужасающим выдёргиванием фраз из контекста на несколько лет поссорил нас с Земфирой, а на самом деле уничтожил добрые, тёплые и доверительные отношения.

Завтра утром лечу в Москву, а в 16 часов встречаюсь со студентами филфака МГУ. Давно не был в главном университете страны, мне любопытно. Жду интересной встречи. После университета поеду играть спектакль. А в воскресенье полечу на Дальний Восток и 2 ноября снова встречусь со студентами Дальневосточного государственного университета на острове Русском.

В прошлом году встреча в её начале получилась скандальной и потом долго обсуждалась в интернете. Завершение было вполне благодушным и интересным. Но вначале мы высекли искры. Тогда меня пригласил на встречу мой хороший и добрый приятель — ректор университета, он в аудитории присутствовал, и это отчасти снижало уровень страстей.

В этом году я сам позвонил ректору и предложил встречу со студентами: у меня есть определённый азарт и интерес. Конечно же, я хочу сообщить и продемонстрировать, что не боюсь новой встречи. Наоборот, я её жду и при этом уверен, что продолжения скандала не будет. В этот раз я попросил, чтобы первокурсников не было или было немного, и аудиторию попросил поменьше, чтобы, как в прошлый раз, не было очевидно случайно зашедших.

Хочу снова повстречаться с теми, кто был на прошлой встрече, и, разумеется, хочу побывать в этом прекрасном университете на острове, где мне когда-то, тридцать лет назад, довелось очень резко повзрослеть.

1 ноября

Через полчаса выйду на сцену во Владивостоке. С самого утра изо всех сил думаю, как же мне изменить текст спектакля, ту его часть, которая посвящена боязни полётов на самолёте. Этот фрагмент черезвычайно важен для спектакля, но в прежнем весёлом виде играть не смогу. Ума не приложу, как мне исполнять этот кусок.

Charlie Hovno

Я бы срочно переименовал для российского контекста название этого французского журнала так, как написано выше. Как только случилась катастрофа с нашим самолётом, я не сомневался, что французский журнал обязательно что-то на этот счёт изобразит. Только я думал, что они отреагируют быстрее. Основная волна злорадства и мерзости уже успела вскипеть и осесть. Французские, с позволения сказать, сатирики как-то подзадержались... Подзадержались и подняли бурю гнева и возмущения. По крайней мере на семнадцати процентах мировой суши...

Наш парламент сегодня обсуждал этот мелкий журналишко, во всех новостях были комментарии, даже пресс-секретарь президента России высказался на эту тему. А значит, редакторы и авторы издания празднуют успех. Наверное, открыли шампанского по случаю такого триумфа. Люди наверняка пишут им проклятия. Чего хотели, того они и добились.

Что в этой ситуации можно сделать? Хотя уже поздно...

А надо было и надо впредь просто не обращать на них внимания. Совсем! Никакого. Не надо даже писать в очередной раз «Я не „Шарли“». Не надо вообще ничего писать, потому что не надо ничего про них знать.

Люди, которые делают этот журнал, питаются гневом, возмущением, раздражением, злобой и даже страданием. Их, наверное, даже деньги не интересуют. Это такие люди. Нормальным людям, у которых есть друзья, дети, любимые, Родина, никогда их не понять. У нас в голове не укладывается, как можно так относиться к страданию других людей и к жизни как таковой. Мы же не можем понять террористов? Не можем! Вот и этих, с позволения сказать, журналистов и художников мы понять не можем и не должны. Их просто нужно вычеркнуть из своего понимания и внимания. Их просто не существует. А главное — на них не надо обижаться, гневаться, желать им всего самого наихудшего. Не надо их кормить нашим возмущением. От этого они становятся только всё больше и больше. Разбухают.

А надо отнестись к ним как к обычному говну, которое лучше не трогать, тогда оно само иссохнет...

«Шарли Эбдо» — это говно. И люди, которые его делают, — говно. Разве можно сердиться, гневаться, переживать по такому ничтожному поводу? И уж тем более обсуждать всякое говно в парламенте и на уровне президента.

9 ноября

В пятницу 5 ноября через Москву вернулся домой из Магадана. Перед этим были Владивосток, Хабаровск и Комсомольск-на-Амуре. Очень насыщенные и изнурительные получились гастроли.

Мне интересно, как часто случается активно пользующимся автомобилем людям пробивать колёса? Я спрашивал последние дни у людей, тех, кто много ездит за рулём... Ответ у всех один: такое случается, но не часто, далеко не каждый год. А то, бывает, и несколько лет проходит без таких неприятностей. Были и те, кто говорил, что вообще ни разу колесо не прокалывал...

Недавно я писал о предыдущих гастролях, писал о том, как в Белгороде, а потом по дороге в Воронеж, в течение суток, дважды машина, на которой я ехал, пробивала колёса. Это было в конце позапрошлого тура.

Прошедший же тур начался перелётом в Хабаровск, хотя первый спектакль был назначен в Комсомольске-на-Амуре. Из-за банкротства «Трансаэро» прямиком долететь в Комсомольск возможность отпала. Долетели до Хабаровска — семь с половиной часов, перевели дух, перекусили и поехали в Комсомольск — четыреста километров. Поехали на машине, потому что поезд эти четыреста километров идёт минимум девять часов, к тому же поезд ещё тот.

За день до поездки в Комсомольск трасса была перекрыта из-за сильного снегопада. Были серьёзные опасения, что её не откроют, но снег, хоть и не перестал, ослаб, так что мы поехали.

Все местные трассу хвалили. Говорили, что трасса отличная, что долетают по ней из Комсомольска до Хабаровска чуть ли не за три часа.

Скажу свои впечатления, так как проехал по ней дважды. Дорога плохая, местами очень плохая. Из высказываний о трассе местных жителей можно сделать вывод, что на Дальнем Востоке дороги ужасные, а эта просто хоть как-то похожа на дорогу. Жители Курска, Орла или Твери, которые сели за руль лет десять назад, таких плохих дорог даже не знают. На Урале тоже дороги намного лучше...

Ехали мы небыстро, осторожно, машин было мало. Пока было светло, читал диковинные местные названия. Уверен, что они очень понравились бы Толкиену, и в трилогии «Властелин колец» появилось бы немало запоминающихся названий пустошей, горных хребтов, рек, замков и эльфийских посёлков.

В общем, проехав километров двести пятьдесят, мы, не разглядев из-за снега, влетели в канаву и пробили колесо. Наш местный водитель деятельно принялся его менять, но болты прикипели, и он не мог провернуть имеющийся у него ключ. Какое-то время мы ждали любой проезжающей машины... Кстати, мобильная связь в этом месте полностью отсутствовала. Было уже темно, а трасса совсем не оживлённая, но первый же грузовичок с правым рулём, даже без просьбы, остановился, отреагировав на наши аварийные огни и возню с колесом. Водители поговорили, быстро нашёлся более мощный ключ, болты были повёрнуты, и водитель грузовика, не ожидая благодарности, не прощаясь, сел и уехал.

В этом было что-то абсолютно естественное и привычное. Он остановился совершенно естественно, наш водитель принял помощь естественно, никто из них не ждал благодарности и на благодарности не тратил время. В этих краях люди так относятся к помощи, они её так оказывают и так получают.

Я тут же вспомнил наше двухчасовое стояние с пробитым колесом под Белгородом, когда мимо нас проехали несколько сотен автомобилей и никто не остановился.

Приехали мы в полностью засыпанный снегом Комсомольск среди ночи. Я ничего толком не увидел. Самыми яркими огнями светилась наша гостиница и несколько искусственных стеклянных деревьев рядом с ней. Поселили меня в номер, в котором накануне жил Филипп Киркоров, так что ложился я в постель не без иронии.

Экскурсию по городу я решил поменять на экскурсию на предприятие, на котором делают самолёты «Сухой Суперджет-100». Это было решено заранее, и я этого очень хотел... Там также есть завод, на котором делают военные самолёты Сухого, но туда нужно получать серьёзное разрешение, а мы не знали, у кого его испросить.

Само производство и люди, делающие самолёты, на меня произвели большое и радостное впечатление. Представьте, мы проехали по невыразительному, можно сказать, некрасивому городу, который с точки зрения столичного жителя находится непонятно где... Мы ехали в этот город по ужасной трассе из Хабаровска больше семи часов... И вот, проехав по нескольким улицам более чем скромного и безалаберно устроенного (я так пишу, чтобы не обидеть местных жителей) города, выехали за его пределы и попали на ультрасовременное и, можно сказать, фантастическое производство.

Вообразите себе цех, в котором стоит пять самолётов, в котором светло, до скрипа чисто, всё разумно, при этом довольно тихо, всё осмысленно и всё работает. Цех таков, что самолёты не кажутся большими. А люди смотрятся крошечными. Все в комбинезонах, никто громко не разговаривает, никто не стоит на месте, но никто и не суетится. На этом производстве царит такая высокая культура, такая чистота и такой порядок, что я уверен в том, что у людей, которые заняты в этом производстве, такого порядка и организации в их жизни и домах нет и быть не может...

Я помню своё сильнейшее впечатление от посещения шахты. Помню, как я спустился из города, в котором всё в основном безобразно, где люди живут в беспорядочно построенных домах и беспорядочной жизнью, а в шахте под их городом увидел порядок, смысл и совершенно другие, ясные, спокойные, а главное — совершенно трезвые лица.

Там, где делают самолёты, порядок и лица ещё лучше. Шутка ли, люди делают самолёты!

Предприятие мне показывал главный инженер, очень интересный человек. Он говорил о самолётах как о своих питомцах, которыми он гордится. Он мне показывал их снаружи и изнутри, и я видел, что он каждую секунду любуется тем, что у него получается. Я пригласил его с женой на спектакль, знаю, что он приходил. Очень надеюсь, что мне удалось на него произвести впечатление, хоть отдалённо напоминающее то, что получил от его экскурсии я.

Я летал на Суперджетах в Нижний Новгород и обратно. Мне понравилось, но я летал не без предубеждения. Уж очень их критиковали те, кто критикует авиацию, российские технологии и экономику.

Пусть продолжают критиковать экономику. Но самолёт Суперджет я теперь полюбил, моё предубеждение пропало. Это отличный самолёт, и его делают прекрасные люди, которые абсолютно убеждены в надёжности и прелести своих изделий. И ещё я выяснил для себя, что наши критики самолётов не отличаются от наших литературных и театральных критиков.

Мне позволили посидеть в кресле пилота уже готового в техническом смысле самолёта, который должен вскоре полететь в Италию, чтобы там ему сделали салон. То есть всё то, на чём мы будем сидеть, чего будем касаться руками и куда мы будем класть свою ручную кладь.

После экскурсии заехал в Комсомольске в местную картинную галерею, где посмотрел очень хорошую выставку местного художника, прошёлся по коридорам, в которых висят прекрасные работы местного Союза художников, и одним глазком заглянул на мерзкую заезжую выставку картин 3D. Я был единственным посетителем этой картинной галереи... После увиденного я хотел сыграть спектакль с полной отдачей.

В Комсомольске проживает больше трёхсот тысяч человек. В зале местного театра чуть больше шестисот мест, куплено было четыреста билетов. Киркоров, конечно, прошёл с переаншлагом, но зато те, кто пришёл ко мне на спектакль, были той самой публикой, для которой хочется играть и играть. Не знаю, доведётся ли мне снова приехать в Комсомольск, но я бы хотел, и хотел бы в следующий раз увидеть полный зал. Просто в этом городе люди, очевидно, не привыкли ходить на спектакли.

В Хабаровске я сыграл два спектакля «Шёпот сердца», оба вечера зал был переполнен. Всё больше и больше люблю Хабаровск. Странно, раньше я определённо больше любил Владивосток. А теперь, когда Владивосток так изменился, так похорошел и получил какую-то современную огранку, мне стал больше нравиться Хабаровск. Может быть, во Владивостоке появилось больше столичных черт, стало ещё больше приезжих, стало всё ещё активнее, а я провинциал, которому хочется, чтобы было потише, но и повдумчивее... Трудно сказать.

Прибыл во Владивосток из Хабаровска вечером. Весь город праздновал самый мной нелюбимый праздник Хэллоуин. Не люблю этот праздник по причине вечно обманутых ожиданий, которые в итоге сводятся к скучной пьянке. Это праздник, который нагляднее всего демонстрирует бедность фантазии и скудость воображения тех, кто его празднует. Очень мало кому удаётся изобразить на этом, с позволения сказать, празднике что-то по-настоящему остроумное и свободное.

Однако Владивосток — город во всех смыслах особенный. Проезжая по нему поздно вечером в Хэллоуин, я видел возле одного из заведений драку... Жаль, я не мог ее заснять на видео, это было замечательно. Если бы не Хэллоуин, драка была бы банальной, но в Хэллоуин она была волшебной...

Я увидел, как несколько вурдалаков дрались с несколькими зомби, а ещё в этом участвовал какой-то сказочный персонаж в капюшоне и местный граф Дракула. Всё это было намного лучше, чем сцена из любого фильма, потому что такого реализма, при всей волшебности происходящего, добиться в кино невозможно.

На следующий день я, конечно же, поехал посетить Русский остров. Погода была чудесная, мне хотелось забраться подальше... На остров мы доехали по мосту, а потом, чтобы сэкономить время и не трястись по плохой дороге, поплыли на малюсеньком пароме, рассчитанном на перевозку всего двух машин. Паромом это плавсредство можно назвать весьма условно. Вообще это что-то сильно напоминающее летательный аппарат из фильма «Кин-дза-дза», но только водоплавающее. Экипаж, как у пепелаца, состоял из двух человек, но ещё на этом агрегате была собака, тоже как будто из какого-то фильма, потому что мне казалось, что в какой-то момент она начнёт материться, так как остальной экипаж ничего, кроме мата, не произносил. Однако глаза у собаки были мудрее, чем у людей, поэтому она промолчала...

Мы доплыли до нужной бухты и, съезжая с плавсредства, конечно же, пробили колесо. Остальное путешествие оказалось посвящено смене колеса, потому что, когда машину поставили на домкрат, домкрат подломился. Когда же через два часа колесо всё-таки заменили, выяснилось, что сломался паром: просто не завёлся. Одно хорошо — я успел к спектаклю.

Оба спектакля во Владивостоке прошли с аншлагом и с полноценной овацией по окончании. На второй день я посетил Дальневосточный университет и встретился со студентами. Я непременно хотел это сделать после прошлогоднего скандала. Шёл я на встречу не без опаски, но решительно. Людей было немного, но люди были очень качественные. Всё проходило в конференц-зале с большими окнами и удивительно красивым видом. Встреча прошла хорошо, она длилась два часа, и вопросы были содержательные.

Собой я остался не очень доволен. Накопилась усталость из-за трудных переездов, из-за того, что Комсомольск и Хабаровск были занесены снегом, а во Владивостоке было +15°

и солнце. Усталость накопилась и из-за того, что я не попал в часовой пояс. А ещё накануне провёл время с хорошим человеком, знакомым, у которого буквально за день до нашей встречи неожиданно умерла любимая дочь. Я видел человека, для которого жизнь вдруг закончилась. Жизнь прежняя, которая была выстроена и устремлена в будущее. Я провёл с ним довольно много времени и страшно устал от его горя, непостижимого, непосильного и неуёмного.

Короче, встречался со студентами уставший, не очень собранный... Я хотел при этой встрече быть другим. Но не всеми своими ответами остался доволен. На что-то ответил слишком многословно, хотя несколько формулировок удались.

Однако сама встреча прошла так доброжелательно!.. И я понимаю, что всем, кто в ней участвовал, хотелось убедиться в том, что в прошлом году случилось недоразумение. Так что, считаю, точнее, уверен, что доброжелательность в данном случае была важнее искромётных ответов. Я почувствовал, что все, кто был, остались удовлетворены тем, что встреча состоялась, и тем, как она прошла.

Из Владивостока улетал ужасно ранним рейсом через Хабаровск в Магадан. Во Владике при вылете было +10°, в Магадане −10°, и вдоль взлётной полосы лежали сугробы, которые до весны не то что не растают, а будут только расти.

В Магадане всё прошло без приключений, если не считать того, что дирекция театра по сравнению с прошлым годом почему-то в два с лишним раза повысила аренду. Зал магаданского театра небольшой, можно сказать, маленький — 450 мест, билеты и так получаются для зрителей недешёвыми. Всё-таки на Колыму надо прилететь и с неё улететь, а авиабилеты стоят не гроши. Ой, не гроши.

В прошлом году я обещал зрителям, что приеду, и приехал. В этом году я такого обещания дать не смог. Мы не можем заглянуть в голову директору местного театра — а вдруг он захочет ещё поднять аренду. Тогда билеты станут неприлично дорогими, и я приехать не смогу, а хотел бы... И зрители, заполнившие зал, тоже хотели бы.

В Магадане я играл «ОдноврЕмЕнно». Про поднятую в два с лишним раза аренду мне пришлось сказать публике перед началом, чтобы люди, увидев более чем скромную декорацию спектакля, могли понять, за что они платят, покупая билет... И чтобы люди поняли, что, покупая билет, они по большей части оплачивают неуёмные аппетиты наших авиакомпаний и ещё более неуёмные аппетиты директоров местных театров.

Какие-то директора, как, например, директор театра в Петропавловке-Камчатском, попросту не пускают меня на свою сцену, неизвестно по какой причине...

Или другой пример: я давно хочу сыграть спектакль в Якутске, оттуда поступает много писем, беспрерывно просят приехать, как и из Петропавловска. В Якутске есть театр, в котором шестьсот мест. Но директор этого театра ломит аренду минимум четыреста тысяч рублей. При этом нет никакой гарантии, что он её неожиданно не поднимет буквально за день до спектакля, как любят делать многие его коллеги. Вот и не получается поехать в Якутск.

Из Магадана улетал совершенно уставший, очень хотел домой...

В магаданской гостинице в телевизоре, среди десятка каналов обычного набора, был и канал «Дождь». Я давно его не смотрел, потому что компьютером не пользуюсь, а тут смотрел несколько часов, совсем затосковал и устал ещё сильнее.

Вылетал компанией «Икар». Это только в СМИ говорится, что компания «Аэрофлот» взяла на себя авиасообщение с Магаданом. На самом деле «Аэрофлот» летает раз в неделю. Из-за банкротства «Трансаэро» мы за сутки до вылета не знали, какой компанией полетим. Оказалось, летим «Икаром».

Знаете, не очень приятно лететь самолётом, на борту которого написано «Икар», и одноимённой компанией. Это каким надо обладать изощрённым умом, чтобы назвать авиакомпанию именем персонажа, который прославился исключительно тем, что полетел и разбился... Но о том, как я долетел до дома, расскажу завтра.

10 ноября

Забыл вчера написать... Пока я гастролировал по Дальнему Востоку, одной из самых обсуждаемых тем в регионе было задержание большой партии браконьерской чёрной икры в Хабаровске. Хабаровчане, да и все дальневосточники, гордились этим. Новость облетела не только федеральные СМИ, но даже сутки была на «Евроньюс». ДПС задержала за превышение скорости катафалк, что само по себе удивительно, а уже в гробу обнаружили чёрную икру.

Разумеется, хабаровчане и жители Хабаровского края гордились не браконьерством и не незаконным перемещением чёрной икры, они гордились стилем. Конечно, во всём этом было много гангстерства в его лучших традициях. Короче говоря, люди радовались тому, что новость из их региона впечатлила и порадовала всех, кто понимает...

Вчера я остановился на том, что летел из Магадана авиакомпанией «Икар». Во всяком случае, именно это имя было написано на самолёте. Хотя в самом самолёте везде наблюдалась атрибутика компании «Пегас». Голь на выдумки хитра, главное — и то, и другое с крыльями...

Мне нужно было долететь из Магадана в Шереметьево, пересесть на самолёт до Калининграда и оказаться дома. По расписанию стыковка между рейсами составляла два часа, более чем достаточно. Очень не люблю короткие стыковки, всегда волнуюсь и переживаю, постоянно боюсь опоздать, что, собственно, нередко происходит. В этом же случае стыковка была вполне нормальная. К тому же погода в Магадане стояла очевидно лётная, ничто не вызывало тревоги.

На посадку нас пригласили вовремя, вовремя посадили в автобус и вовремя довезли до самолёта — и с этого момента началось волнение.

Больше получаса из автобуса, стоявшего возле трапа, мы наблюдали, как в наше воздушное судно загружали лежачего больного. Для чего нас привезли к самолёту, не загрузив больного заранее, непонятно. Как вы понимаете, подобное зрелище не добавляет оптимизма, особенно когда на борту лайнера написано «Икар». Благо жителям Магадана всё нипочём...

Я тоже не робкого десятка, но как минимум полчаса моего стыковочного времени было съедено. Ещё минут двадцать мы усаживались в самолёт, потом нас, в смысле наш лайнер, долго поливали антиобледенительной жидкостью. В итоге мы взлетели с часовым опозданием.

Я высказал стюардессе свои опасения насчёт задержки нашего рейса и сократившейся стыковки, на что она уверенно заявила, что пилоты обязательно нагонят упущенное...

Не нагнали.

После трёх часов полёта командир корабля сообщил, что расчётное время прибытия в Москву 17:30, а время моего вылета домой было 18:05. В тот момент, когда прозвучало объявление, я захотел домой с особой остротой. Мой рейс в Калининград из Шереметьево был последним, а на последний рейс из Внукова я тоже не успевал. После двух недель разъездов, после непонятных гостиниц, после постели, в которой до меня спал Филипп Киркоров, домой хотелось нестерпимо, и ночёвка не в своей кровати казалась просто пыткой.

Ужасно обидно опаздывать на три, пять, десять минут. Когда опаздываешь намного, заранее приходит успокоение. Надежда успеет умереть, и наступает примирение с ситуацией. В моём же случае минимальная надежда успеть оставалась, и это было хуже всего.

Мы коснулись посадочной полосы в 17:25, я включил телефон и позвонил домой, чтобы сказать, что, скорее всего, не успею, но надежда ещё теплится, а она между тем угасала.

Мы бесконечно долго рулили до места стоянки, но надеждочка ещё была: всё-таки транзитных пассажиров стараются ждать.

Но тут старшая бортпроводница сообщила, что мы прибыли в терминал F. А мой вылет был из терминала D. В этот момент я стал заставлять себя расслабиться, уговаривал себя успокоиться и смириться. Мне даже показалось, что смирение пришло, но я продолжал нервничать и сердиться на то, что долго подавали трап, на то, что люди медленно выходили из самолёта и медленно грузились в автобус. Меня бесило, что автобус ужасно медленно едет и что наш самолёт запарковали далеко от терминала.

Чтобы успокоиться, я позвонил ещё раз домой и сказал, что сегодня не прилечу, а постараюсь вылететь первым же рейсом, в семь утра. Я с тоской представлял себе дорогу до центра Москвы, неудобную ночёвку, очень ранний подъём, дорогу в аэропорт и прочее. Я понимал, что из-за такой вот ночи и раннего перелёта следующий день — такой ценный день дома — будет испорчен тем, что я наверняка полдня буду спать, а потом полночи не спать...

Но автобус подвёз нас к терминалу D. Стало понятно, почему мы так долго ехали. Я, уже не торопясь, вошёл в здание. На часах было 17.53. Никакой надежды!

Не знаю почему, но я повернул в сторону стойки транзита и обратился к барышням, стоявшим за стойкой. Я сказал им, что вряд ли могу на что-то надеяться, но всё же очень хочу улететь домой в Калининград, потому что только что прилетел из Магадана, а рейс задержался. До фактического вылета оставалось меньше десяти минут. Одна барышня сразу развела руками, другая попросила паспорт, третья стала куда-то звонить, и вдруг одна из трёх сказала: «Печатай посадочный!» Аппарат загудел, из него, как самый яркий символ надежды, вылез посадочный талон, мне его сунули в руку вместе с паспортом, и та барышня, что сказала сакраментальную фразу про талон, коротко бросила мне что-то вроде «скорее» или «бегом» и тут же сама понеслась по лестнице в нужном направлении. Я помчался за ней. Все расступались...

Расстояние, которое нам пришлось пробежать, я оцениваю метров в пятьсот. Мой самолёт стоял у самого дальнего, если смотреть на лётное поле, правого выхода, туда мы и бежали. Моя спасительница в своей элегантной аэрофлотовской форме: брюках, пиджачке, на каблуках — бежала очень быстро. Я всегда полагал, что неплохо бегаю, но тут стал сразу отставать. Правда, у меня были в руках сумка, пальто, шляпа, и я перед этим восемь часов летел... А она бежала впереди и ещё успевала что-то говорить по рации. Метров за сто до нужного выхода я понял, что бежать уже не могу, потому что потерял дыхание, и перешёл на какой-то подпрыгивающий шаг, да так и доковылял до нужного выхода.

Я настолько запыхался, что не смог спросить у своей спасительницы имени, толком не смог поблагодарить, только коротко чмокнул её в щёку, почти клюнул коротким поцелуем, что-то благодарное изобразил на лице и через мгновения ввалился в самолёт. На часах было 18:06.

Весь полёт до Калининграда я безудержно кашлял, но был счастлив, и все мои домочадцы тоже были счастливы тому, что я вернулся. В этот вечер мне удалось продержаться до 23 часов, потом я уснул и проснулся утром бодрый, а главное — в своём часовом поясе.

Барышня, которая не только смогла помочь мне успеть на самолёт, но своим стремительным бегом придала мне ускорение... Честно должен сказать: если бы она не бежала впереди, я, наверное, плюнул бы и не доковылял до цели. Смалодушничал бы, потому что запыхался слишком сильно. Но она бежала, и я доковылял...

Она не просто помогла мне улететь вовремя, она спасла мне пару дней нормальной домашней жизни, подарила столь ценный отдых и порадовала всех моих дорогих домочадцев.

Почему она так самоотверженно бросилась мне помогать? Я не заметил, чтобы она меня узнала и побежала из-за любви к моему творчеству... Она вполне могла бы не бегать, и я бы ни капельки не обиделся. Я же не надеялся на успех, когда подходил к стойке транзита. Формально она совершенно не обязана была делать то, что сделала. По всему я уже опоздал на рейс, но она почему-то побежала. Как я ей благодарен!

Я улетал, не зная её имени, но на следующий день удалось выяснить, как её зовут. Я, конечно, напишу благодарность её начальству и непременно приглашу на спектакль.

Вот так завершился мой дальневосточный тур.

А сегодня я уже полностью вошёл в колею... Да я вчера уже был как огурчик, сходил посмотрел нового «Джеймса Бонда», а сегодня побывал в зоопарке.

Ещё раз спасибо совершенно незнакомой мне сотруднице «Аэрофлота»!

Очень хороший остался осадок. Даже не осадок — светлое впечатление и вновь укрепившаяся вера в человечество, которая в последнее время стабильно ослабевала.

P. S. Кстати, про нового «Джеймса Бонда». В этом фильме одного из злодеев играет хороший артист Эндрю Скотт. В новом британском сериале про Шерлока Холмса с Бенедиктом Камбербэтчем Эндрю Скотт играет роль главного злодея — профессора Мориарти. Смотрел сериал про Шерлока, смотрел вчера кино и думал: кого же мне этот артист напоминает, на кого же он похож? И вдруг понял: он очень похож на нашего Аркадия Дворковича, который при всей своей мягкости всегда мне казался зловещим. Но это я так, поделился впечатлением.

13 ноября

Утром полечу в Москву, вечером там спектакль.

Четыре последних дня в Калининграде сильный ветер, был даже ураган, ломались деревья. Но мы тут привычные, у нас так бывает каждую осень и весну. Зато тепло, днём и ночью одинаковая температура — около +13°, лебеди ещё не улетели.

В первый день урагана на площади Победы — центральной площади, на которой установили надпись «RUSSIA», сильные порывы сломали и уронили половину букв. Но сломали и уронили избирательно, из слова RUSSIA получилось USA.

Не будем делать из этого выводов, просто курьёз, а то любим мы в RUSSIA во всём видеть знаки, символы и предзнаменования. Вот и в пятницу 13-го полечу в Москву спокойно.

Давно не играл в Москве «Шёпот сердца», не получалось из-за дальних гастролей, куда нужно было заранее отправлять декорации. Сегодня сыграю. Много звонили знакомых и около-знакомых, просили места, потому что билетов давно нет. Я просил их прийти в следующий раз, потому что и у меня никаких запасных мест давно не осталось. Как же это приятно!

В субботу поздно вечером полечу в Сочи. Надеюсь, к тому времени потоп там закончится и последствия его будут ликвидированы. А то что-то я устал от того, что, куда бы ни приехал, там какие-то погодные аномалии.

После Сочи будут Краснодар, Ставрополь, Ростов, Волгоград и Астрахань. Из Сочи до Астрахани через все названные города проеду на машине. Дороги в основном хорошие, приятные, холмистые, степные. Вот только от Волгограда до Астрахани очень унылый путь. Но везде ждут.

Завтра в МХТ имени Чехова будет торжественный вечер, посвящённый прошедшему юбилею Олега Павловича Табакова. Меня пригласили его поздравить небольшим сольным выступлением, после этого сразу помчусь в аэропорт...

Я, конечно, весьма горд, что у меня будет возможность со сцены великого театра поздравить любимого артиста. Долго думал над речью и много раз её переписывал. Переписывал, сокращал, правил. Получился текст на две с половиной минуты. Если пойму, что текст получился удачный, а понять это я смогу только в процессе его исполнения со сцены, опубликую его здесь.

14 ноября

Ну вот, опять мы засыпали в одном мире, а проснулись в другом. Появилась ещё одна кровавая историческая дата. Очень хочется, чтобы не поднималась волна, которая уже поднимается... Сейчас нужно только сострадание и сопереживание, нужно справиться с сильным желанием сказать: «А что вы, собственно, хотели?!» А такое желание есть. И многие-многие-многие уже успели высказаться и будут высказываться в этом духе. Нужно побороть в себе желание так говорить.

Да, очень хочется сказать, что «сами виноваты», европейские лидеры во главе с Меркель и Олландом — идиоты, что, в сущности, кровь людей на их совести, что Европа слаба и бессильна и получила то, что давно ожидалось... Хочется так говорить и думать, но нужно задавить в себе сейчас эти слова и мысли.

Очень хочется спросить карикатуристов из «Шарли»: «Ну?! Что теперь нарисуете?» Но не надо задавать такой вопрос.

Только сострадание, сопереживание и скорбь. Не надо писать, высказываться в том духе, мол, «мы говорили, предупреждали». Не надо думать, что мы пострадали раньше и сильнее. Не надо допускать в себе даже малейших признаков и ростков злорадства, мол, нас взрывали, брали в заложники, убивали, губили наши самолёты, а теперь и вы попробуйте, каково это. Не надо думать, что у нас трагический и скорбный опыт больше и дольше. Только сочувствие и сострадание.

Надо полностью забыть обиды, которые нам наносили и продолжают наносить... Сострадание, скорбь и, по возможности, участие.

Участие и надежда: то, что стряслось, нас объединит, подарит нам доверие друг к другу, которое сейчас совершенно необходимо.

А всяческие поучения, всяческий намёк на бо́льший опыт и бо́льшее страдание нужно отбросить. Это никому не нужно, ни нам, ни парижанам. Никому.

Если мы знаем страдания, которые сейчас переживают французы — а мы их знаем, — мы можем сочувствовать и сострадать по-настоящему.

Сострадать и надеяться, что мы справимся вместе. А все остальные химеры нужно в себе задушить, даже если они так и рвутся наружу.

17 ноября

Олег Павлович Табаков решил позволить поздравить себя с юбилеем существенно позже самого юбилея. Торжество проходило в МХТ имени Чехова, меня пригласили сказать короткую речь. Я эту речь написал как небольшое обращение к любимому артисту. Таких обращений было запланировано немного. Пришли Жванецкий, Юрий Рост и я. Всё остальное были сценки и номера. К сожалению, я ничьих выступлений не увидел: из-за кулис не посмотришь и толком не послушаешь. К тому же меня выпустили, можно сказать, в начале, так как мне нужно было спешить в аэропорт и лететь в Сочи последним рейсом. А жаль: я хотел посмотреть концерт и потом попраздновать... За кулисами я встретился со всеми теми, кого мы знаем, видим и ждём в нашем сегодняшнем российском кино и телевидении, все они привычно клубились там, ожидая каждый своего выхода. Это были люди, чьё появление на улице, или в аэропорту, или в заведении производит переполох, а там они просто болтали, гудели... Они привыкли друг к другу, для меня же эта обстановка была непривычной, я-то всё время один и всё время где-то, в данный момент — в Краснодаре. Мне все были рады, надеюсь, искренне... А может быть, были рады, потому что, в отличие от остальных, я редко бываю в их компании... Жалко, что пришлось сразу после выступления убежать. И на сцене я был один у микрофона. Прочитал своё посвящение Олегу Палычу и сразу помчался в аэропорт. Вот то, что я написал.

Табакову

Интересно рассматривать фотографии прежних эпох, особенно групповые снимки. Вглядываться в лица людей, которые жили давно и чьи имена и фамилии затерялись в истории. По каким причинам эти фотографии дошли до наших дней? Да исключительно по причине присутствия каких-то важных, значимых и больших людей, которые стоят среди остальных многих. И самым удивительным образом лица именно таких людей выделяются из остальных. Их лица не обязательно в центре снимка. Их лица не обязательно красивы, но обязательно выразительны и притягательны. Почему? А потому что такие люди. Остальные для них только фон. Фон эпохи.
Вот Вы как раз такой человек.
Вы очень большой! Очень!

Про Вас можно сказать — великий. Легко можно сказать. Но не хочу. Потому что так говорят про многих. Говорят часто слишком рано или слишком поздно.

А Вы именно большой! У Вас всего много. Я бы хотел посмотреть на тех, кого называют великими, у кого была бы хоть половина того, что есть у Вас. А у Вас всего очень много.

Много лет жизни, и в этих годах очень-очень много событий. Событий разных, на сто жизней. Ваша жизнь большая!

Много детей, много внуков, очень много учеников и учеников учеников.

У Вас много ролей, много спектаклей, но ещё у Вас много театров.

У Вас много кино... Причём много фильмов, которые, как те фотографии, ценны исключительно тем, что Вы в них снимались.

У Вас много персонажей и очень много голосов. Точнее, голос один, он большой, узнаваемый, культовый, но интонаций у Вас много.

У Вас много эпох. В каждой из которых Вы были современником, и ни для одной не были юнцом, и ни для одной не стали и не станете стариком.

У Вас много зрителей.

Много друзей.

Врагов... Есть.

У Вас много желаний. В основном реализованных. И желания все Ваши очевидно большие.

В Вас непостижимо много силы.

Если вы смешной, забавный, обаятельный, милый, то вы очень смешной и забавный. Самый милый и обаятельный.

А если Вы страшный, это, правда, знают только те, кто с Вами работал и работает, то Вы самый страшный.

Мне довелось с Вами работать. Посчастливилось. Очень страшно!

И Вы очень-очень любимы.

Поэтому Вы большой.

Великими восхищаются. Больших любят.

А Вы самый большой, по крайней мере в этом зале, человек. И если сделать групповой снимок всех, кто сейчас здесь, то этот снимок имел бы историческое и культурное значение только потому, что на нём есть Вы. А мы?.. Мы сегодня фон. Фон этой эпохи. Фон одной из Ваших эпох.

Ваш Гришковец.

20 ноября

Хочу поделиться открытием, о сути которого я долго думал и понял, что хочу на эту тему высказаться. Кому-то мои соображения покажутся очевидными, кому-то — наоборот. Но выскажусь. К тому же на тему Украины я не высказывался очень давно.

Полтора года назад моя телефонная книга лишилась многих десятков номеров, начинающихся на +38. Украинские приятели, знакомые, коллеги и даже друзья из разных городов Украины исчезали из списка тех, кому я могу позвонить и кто может позвонить мне. С кем-то из них я регулярно встречался во время ежегодных и частых гастролей, с кем-то ещё чаще, а с кем-то иногда переписывался. Но под общий гул и хор проклятий в мой адрес после текста «Неевропеец» и после того, что я написал про Одессу, почти все мои украинские визави исчезли из поля моего общения, приятельства и дружбы. Кто-то нанёс ощутимые душевные раны, кто-то сам исчез с обидой, но больше было просто проклятий и плевков, причём односторонних — в мой адрес.

Осталось совсем немного, буквально с десяток людей, с кем отношения сохранились, окрепли и стали невероятно бережными друг к другу.

Но в целом со стороны Украины возникла мёртвая тишина.

И вдруг...

Где-то в середине июля я получил сначала одно сообщение, потом другое, третье... Мне стали писать из Украины, не сговариваясь между собой, из разных городов, не знакомые друг с другом люди. Кого-то мне даже пришлось спрашивать, мол, кто это, потому что, расставаясь со мной год с лишним назад, они посылали в мой адрес такие проклятия, что я удалял их из телефонной книги.

Итак, мне летом стали писать десятка два людей, и письма их были не просто мирного, а какого-то буквально благостного содержания. А написаны они были так, будто мы вчера попрощались и договорились списаться нынче, будто не было тех страшных слов, угроз, оскорблений и тяжёлых проклятий. Ещё в этих письмах, во всех, содержалось не примирение — о примирении речи не шло, какое может быть примирение, если ссоры как бы не было? Зачем извиняться, если никто никого не обижал?..

Письма содержали благостные рассказы и сообщения о том, как всё хорошо...

Из Одессы писали, как прекрасно проходит лето, какая хорошая погода, как здорово отстроили Аркадию, какие проходят прекрасные концерты и как много девушек хороших гуляет по городу. С удовольствием писали о новом губернаторе, хвалили его. Из Харькова сообщали, что закончили ремонт дома, что здорово в нём обосновались, что открылся хороший новый бар и настроение чудесное. Из Днепропетровска присылали фото с вечеринки, где было страшно весело, много шампанского и всякой роскоши. Из Киева тоже слали фото с мероприятия — презентации седьмой модели BMW. И так далее, в том же духе — из Львова, Житомира, Запорожья.

Никакого намёка в письмах на то, что, мол, посмотри, вы думали, что мы по миру пойдём и обанкротимся, а мы вон как шикарно со всем справились и зажили припеваючи. Нет! Во всех письмах было только одно: мы живём очень хорошо, у нас всё в порядке, у нас полноценная жизнь. Никакого подвоха или хвастовства в этих письмах я не увидел.

Конечно, я был рад...

Но в то же время эти письма производили какое-то странное впечатление. Они приходили от самых разных людей, но стали приходить приблизительно в одно время и с одинаковым содержанием. Я увидел в этом какую-то тенденцию, общий порыв. Они были написаны, движимые одинаковым желанием.

Письма были доброжелательны, даже дружелюбны по содержанию и форме. Но в них не было и намёка на примирение, сожаление о некогда произнесённых проклятиях и лютой злобе. Я отвечал на все письма, выражал искреннюю радость и не задавал никаких вопросов, которые, конечно же, возникали по умолчанию. И я, разумеется, не напоминал об обстоятельствах и причинах нашего разрыва.

Волна этих писем вскоре затихла, а я всё думал, что послужило их причиной и что не даёт мне покоя.

Потом началась другая волна писем от этих же людей. Это были письма, в которых содержалось искреннее сочувствие. Например, такого рода: мне писали несколько человек о том, что они беспокоятся по поводу террористической опасности, которая нависла над Россией из-за того, что наши войска начали операцию в Сирии. Мне писали, чтобы я был осторожен. Я получил много сочувственных сообщений, а также участливых вопросов по поводу банкротства «Трансаэро». Мол, не затронуло ли это меня? Мол, очень жалко людей. Ну и так далее. То есть я видел, что мои визави внимательнейшим образом следят за тем, что происходит в России, и реагируют на все большие и малые неприятности.

В связи с гибелью нашего самолёта в Египте я получил много сообщений с самыми искренними соболезнованиями. Я отвечал в том смысле, что, полагаю, слать мне соболезнования не нужно, потому что это общая трагедия и беда. Потом получил несколько посланий с сожалениями по поводу допингового скандала вокруг наших легкоатлетов.

Я долго думал: что же мне все эти письма напоминают? Такие письма уже были в моей жизни. И вдруг я понял! Понял и удивился, почему же сразу не догадался.

Это, конечно, напоминает мне то, какие письма пишут эмигранты. Все эти послания моих украинских знакомых демонстрируют абсолютно эмигрантское поведение. Да я и сам помню в себе такие настроения и такие желания, у меня же был опыт попытки эмигрировать.

Да, именно эмигранты, то есть люди, которые покидают некое культурно-географическое, историческое пространство, а главное — расстаются со своим прежним образом жизни, при этом, расставаясь, громко хлопают дверью... А перед тем как хлопнуть дверью, долго источают желчь по поводу того мира, в котором им приходилось жить... Которые уходят, уезжают, улетают навсегда, рвут с мясом все связи...

Им совершенно необходимо быть уверенными в собственной правоте, в правильности принятого решения. Они убеждены, что совершают шаг к лучшей жизни, к жизни, которой живут другие народы, другие страны и целые континенты. Они не могут и не хотят жить, как жили. Всё без исключения, что связывает их с прежним образом жизни, вызывает у них отвращение и гнев. Они делают свой шаг и оказываются в том положении, какого совершенно не ожидали. Тот мир, который казался им приветливым, справедливым, в котором они видели своё место и свою жизнь, вдруг оказывается совсем не таким, а главное — этот мир в реальности совсем не приветлив и вовсе не рад вновь прибывшим. Вообще!

И вот эмигрант, которому обратной дороги нет, потому что он слишком громко хлопал дверью, — да он и не хочет обратной дороги, он эту дорогу уничтожил, он сжёг мосты и радовался, глядя на то, как эти мосты горят — он оказывается в довольно унизительной, неопределённой, неустроенной, бесправной и очень затяжной ситуации без хоть сколько-нибудь внятного варианта выхода из неё и без хоть сколько-нибудь достойных перспектив. Перспектив справедливости, благополучия и достоинства.

Когда эмигрант осознаёт себя в такой ситуации, он какое-то время пребывает в состоянии удивления. Это удивление сменяется возмущением, возмущение сменяется разочарованием, а потом — как у кого: либо приходит тоска, либо человек начинает подстраиваться под обстоятельства, которые сам себе и устроил.

Но самым мучительным для человека в такой ситуации является воспоминание о том, как он хлопал дверью, о том, движимый какими иллюзиями и надеждами он расставался с прошлой жизнью, о том, что он натворил, покидая прошлую жизнь. Эти воспоминания мучают, а вопрос, ради чего это было сделано, просто терзает. Я наблюдал это во многих эмигрантах и наблюдал это в себе, когда думал, что покинул Родину навсегда.

А ещё потом приходит сильное желание как-то успокоиться и жить в том, что сам себе устроил.

Я сам писал письма о том, как мне хорошо. И сколько же писем от многих и многих моих одноклассников, однокашников, сверстников и земляков, которые в начале девяностых разъехались по всему миру, я получал!

Чем тоскливее, чем безнадёжнее и бесперспективнее была ситуация, тем более благодушные и жизнерадостные письма мне писали. Вот только в гости не звали, как и мои украинские визави.

Следующее типичное для эмигранта желание — неотрывно следить за новостями, которые поступают из прежнего мира и жизни. Эти новости необходимы. И необходимы именно плохие, а лучше — ужасные новости. Необходимо знать, что там всё плохо, жизнь ужасная, деспотизм и бесправие, что всё на грани большой беды, и эта беда вот-вот случится. А ещё нужны всякие трагедии и катастрофы, гибнущая экономика, нищета, военные поражения и всяческий неуспех, от науки до спорта. Именно такие новости успокаивают, убеждают в собственной правоте и дают возможность жить в своей вполне убогой ситуации, но всё-таки, благодаря новостям, ощущать эту ситуацию намного более выгодной, чем ту, что осталась в прошлом.

И из такой вот ситуации очень приятно писать сочувственные слова тем, кто остался там. Слова сочувствия без самого сочувствия.

Один мой знакомый — ни за что не буду называть его имени и больше никогда не допущу общения с этим человеком — написал мне сразу после гибели самолёта над Синаем очень трогательное письмо. Оно было так хорошо написано, что я тут же ответил, и мы имели в течение дня какую-то переписку. А вечером, можно сказать ночью, я получил от него сообщение, которое было адресовано определённо не мне. Он случайно отправил его на мой номер, ошибся адресом. Письмо следующего содержания: «Да понятно, что они летают на всяком старье. Но я всё-таки надеюсь, что этот самолёт завалили. Пусть они... почувствуют, каково это, когда...» Ну и так далее. Я моментально заблокировал номер этого человека. Каково?! А главное — зачем было мне писать слова сочувствия и сострадания, испытывая злорадство, в котором не хотелось сознаваться даже самому себе?

Суть и содержание посланий из Украины летом и этой осенью стали мне понятны. Это эмигрантские письма.

Просто феномен заключается в том, что эмигрировала целая страна. Эмигрировала, разумеется, оставаясь в своих исторических и географических пределах. Но эмигрировала, то есть оторвалась, ушла, уехала, улетела. Оторвалась и оказалась в непонятной, неопределённой, неустроенной и весьма унизительной ситуации, в которой от неё мало что зависит.

Но если это так — а это так, — все разговоры наших депутатов и деятелей, перебегающих из одного телеэфира в другой, разговоры и заклинания о том, что мы — братские народы, что нет никого нас ближе и неизбежно сближение и возвращение запутавшейся и обманутой Украины — всё это глупости. Эмигранты не возвращаются.

Когда уезжают, так хлопнув дверью и так сжигая мосты, — не возвращаются. Родными по крови остаются, а по сути — нет.

Эти письма, эти сообщения, эти коротенькие послания говорят о том, что прежних связей не восстановить никогда. Примирение, успокоение придёт, это неизбежно, это закон жизни, но прежнего не будет. Эмигранты не возвращаются.

Они могут с удовольствием приезжать в гости, но только в том случае, если у них там, на чужбине, всё получилось, всё срослось, случился успех, благополучие и богатство. Вот тогда они с удовольствием приезжают с подарками, нарядные.

А если, наоборот, всё плохо или, скажем, не очень хорошо, и уж точно не так, как хотелось и мечталось, они даже одним глазком не заглянут. Они будут смотреть плохие новости, а обратно — ни-ни. Зачем травить и без того истерзанную душу?

29 ноября

В последнюю неделю у меня очень оживилась переписка с моими крымскими друзьями-приятелями. Переписка нерегулярная, она периодически прерывалась и прерывается: то я еду между городами или лечу куда-то, то у них разряжается телефон и нет возможности зарядить, а то попросту отсутствует интернет. А переписка-то идёт всё какая-то остроумная, весёлая, даже жизнерадостная.

Все мои крымские друзья-приятели в Крыму остались, никто за последнее время, после известных событий, не переехал на материк, в Россию или Украину. Знакомые украинские военные моряки теперь либо гражданские, либо моряки российского Черноморского флота. Я перестал с ними активно переписываться по причине их постоянного ворчания, они прямо изворчались после того, как Крым стал российским. Ворчали, мол, хотели совсем другого, кто-то вовсе ничего не хотел менять, кто-то сначала сильно обрадовался, а потом разочаровался, но большинство ворчали по поводу трудностей, высоких цен, гадкого руководства Крыма и тому подобное. То есть нормальное наше ворчание.

Некоторые, те, что потоньше и поумнее, были огорчены тем, что не случилось какого-то особого эксперимента... То есть в общеукраинском убожестве им жить не нравилось, но и в российское безумие не хотелось.

Я прекрасно помню, как многие молодые и передовые мои приятели, граждане ГДР, с радостью прощаясь с соцлагерем, не хотели простого расширения ФРГ на всю территорию большой Германии. Они хотели появления чего-то третьего, чего-то нового.

Короче, я устал от ворчливого нытья моих крымских знакомых, которые периодически пытались ввернуть даже обвинения в мой адрес, такие обвинения, которые, возможно, хотели бы адресовать Путину или России в целом. Их понять можно. Действительно: цены выросли, местные руководители оказались жуликами, демагогами или клоунессами, кризис и прочее, прочее, прочее.

Но в последние дни всё изменилось...

Наверное, многое изменилось ещё в то время, когда под общегосударственную радость группа украинских подонков устроила блокаду Крыма, и бывшие сограждане нынешних крымчан с восторгом смотрели в новостях, как ещё больше поднимаются цены на продукты и каких продуктов в Крыму не хватает. Наверное, тогда уже что-то поменялось бы в тональности писем моих крымских знакомых, когда они посмотрели на мелочную и глупую подлость, а также злорадство на государственном уровне со стороны людей, с которыми они совсем недавно имели одинаковые паспорта. Но мы тогда не переписывались.

А теперь, когда обесточили полуостров, всем тем, кому мог написать в Крым, я, конечно же, написал слова поддержки и поинтересовался, как всё обстоит на самом деле. На что получил массу каких-то весёлых, остроумных и, можно даже сказать, лихих ответов, в которых не было и намёка на уныние, упрёки и ворчание.

Кто-то написал мне, что наконец-то у него нашлось время и силы починить лодку, которую он никак не мог починить последние несколько лет. Кто-то занялся приведением в порядок сада к зиме так, как не делал давно. Большинство говорили, что сначала было очень тревожно, неудобно и даже возникла растерянность. Но потом, так мне писали, возник даже азарт вспомнить какие-то забытые навыки, что-то начать делать руками, как-то и что-то придумывать. Кто-то с гордостью говорил о том, что быстро и ловко сложил уличную печь, хотя прежде этого никогда не делал. Но главное, что написали все без исключения, — дети и они сами вдруг оторвались от компьютеров, оторвались от смартфонов и телевизоров. Вдруг возникли забытые семейные вечера и беседы. Кто-то обнаружил, что в доме много книг, а один приятель написал, что впервые познакомился с соседями, с которыми уже четвёртый год живёт в одном доме.

Процитирую одно из многих писем, получил три дня назад: «Да. Сначала была растерянность у людей. А сейчас смеются. Выживание в экстремальных условиях — это наше любимое. Тренируюсь регулярно. Был период, когда дома не было ничего — ни света, ни газа, ни воды, соответственно и отопления. А сейчас нормально. Многие родители и я тоже находят плюсы: дети оторвались от компов. Я с сыном беседую каждый вечер. Собираемся всей семьёй в одной кровати при свечах и беседуем. Мне нравится».

Те, кто взрывал ЛЭП, те, кто теперь не даёт её починить и восстановить электроснабжение Крыма, просто дураки: подлые, злые, гадкие, многие подонки, но прежде всего — дураки. Если у них и были хоть какие-то демагогические надежды на возвращение Крыма, то про них можно забыть.

Но больше политиков, больше тех, кто блокировал и взрывал для отдаления от себя Крыма, сделали все те, кто ликовал и ликует по поводу крымского блэкаута, по поводу мёрзнущих детских садов, вынужденных школьных каникул, дефицита топлива и прочих больших и малых сложностей, по поводу людей в больницах и реанимациях, которые, конечно же, пережили ужас и страх... Каждый, кто ликовал и ликует, делает Крым для Украины недосягаемым островом.

Злобу, подлость и глупость никак и ничем не закрасить и ни во что не нарядить. Всё одно будет — подлость, глупость и злоба.

Я думаю, что в июле–августе следующего года можно ожидать в Крыму заметного подъёма рождаемости.

Вот такая у меня была неделя переписки с моими крымскими приятелями. Много шутили, обменивались анекдотами.

Последние два года я в Крым не ездил с гастролями и не хотел. У меня было и остаётся сложное отношение к произошедшему в марте 2014 года. Со многими крымскими приятелями и знакомыми я разошёлся в оценке произошедшего. Разошёлся и с теми, кто сначала ликовал, а потом ворчал, и с теми, кто сначала ворчал, а потом добрался до государственной власти и теперь ликует.

Однако теперь, после всех этих писем, после той волны совсем не глупого оптимизма, а, наоборот, жизнестойкости, я очень хочу поехать в Крым на гастроли. В любимый Севастополь...

1 декабря

Вот и наступила зима 2015/16 годов. Тревожно! Пронизывающе тревожно... Не помню в своей жизни такой тревожной зимы.

В детстве тревог и не было. В юности были только опасения. Но не думаю, что у родителей моих были тогда, когда я был младенцем, ребёнком, юношей, подобные тревоги. А сейчас мы с родителями тревожимся вместе, как не тревожились никогда.

Отлично помню декабрь 2013 года. Было отвратительное, похожее на привкус металла во рту, тёмное предчувствие. Но большой тревоги не было...

Потом был март 2014-го... Перечитал мартовские записи прошлого года. Там я писал, как хочется проснуться, и чтобы всё происходящее оказалось сном. Пусть сном очень реалистичным, очень подробным, таким, от которого пробуждаешься и ещё некоторое время не веришь, что пробудился, а потом радуешься тому, что весь кошмар был только сном, и не более.

Ещё я писал, что не хочу того, что происходит, не хочу ещё большей изоляции нашей страны, не хочу того, что Россия станет ещё большим пугалом для всего мира. Сейчас же я не хочу делать никаких предположений. Заставляю себя ничего не предполагать, потому что все самые худшие предположения сбылись в полной мере и даже сверх того...

В прошлом туре провёл много времени в дороге. Отъезжаешь от города, например от Краснодара, в сторону Волгограда или из Волгограда в Астрахань... Отъезжаешь недалеко — и всё: нет нормального радио и интернета. Никогда меня это не беспокоило, а тут, как только проезжали мимо какого-нибудь городка, старались поймать сеть или радиостанцию, чтобы услышать последние новости — настолько было тревожно и мрачно.

С особой тревогой и замиранием сердца смотрел и смотрю на детей, проезжая мимо детского сада, или на тех, которые радостно выбегают из школы по окончании уроков.

Тревожное ощущение беспомощности, растерянность, непонимание.

Нет ориентиров.

Так хочется услышать кого-то, в чьих словах был бы уверенный здравый смысл, понимание происходящего и хоть какой-то, пусть недалёкий, взгляд в грядущее.

Как я писал недавно, я устал засыпать в одном мире, а просыпаться в другом.

В каком мире мы доживём до весны?.. Не берусь предполагать: боюсь накаркать.

Думаю, что под заветный бой курантов в нынешнюю новогоднюю ночь многие будут загадывать такие желания, которые и не думали загадывать ещё несколько лет назад. Не буду озвучивать, какие. Думаю, и так понятно. А то, не приведи господь, озвучу — и не сбудутся.

Одно скажу с уверенностью: очень хочу ошибиться в своих тревогах. Очень хочу хорошей, а не лютой зимы. И весны хочется ранней.

В Калининграде сильный тёплый дождь, а я собираюсь выезжать в аэропорт, чтобы лететь в Омск. Везу «Шёпот сердца» в любимый сибирский город, в котором театр и театральность — не пустой звук. Дальше «пошепчу» в Тюмени, Екатеринбурге, Челябинске. Там я уже исполнял этот спектакль, когда он был совсем-совсем свежим. Теперь спектакль заматерел, окреп, стал, может быть, не столь трепетным, но точным и почти кристальным... Давненько не был в Магнитогорске, но успею в этом году доехать и до него, так что какое-то время я на этих страницах появляться не буду. Но вместо себя сегодняшнего оставляю себя прошлогоднего — посмотрите фильм из цикла «Я местный». Когда мне предложили поучаствовать в этом проекте, я долго думал (правда) и всё же решил сделать фильм-экскурсию по городу Кемерово, хоть уже давным-давно я местный в Калининграде. Однако город детства один и на всю жизнь.

Посмотрите, получилась хорошая картина. Снимали 13 сентября прошлого года, аккурат в день рождения моей мамы. С погодой повезло, хотя было холодно.

Для меня это было возвращение не только в юность, но и в то удивительное пространство, из которого весь огромный мир, с одной стороны, казался недосягаемо огромным, фантастическим и книжным, с другой — он легко умещался на небольшом глобусе.

Кемерово — единственный город, который когда-то был мне абсолютно достаточен. В нём было достаточно сюжетов, смыслов, маршрутов и людей. Теперь мне нигде ничего не достаточно. Или же, наоборот, всего в избытке...

В фильме есть забавный и точный момент, который пришёл мне в голову и был понят прямо во время съёмки: когда я с одной точки показываю на городскую филармонию и говорю, что там была музыка, потом показываю на бассейн и говорю, что там был спорт, потом показываю на университет и говорю, что там была юность. С одной точки можно увидеть практически всю жизнь. Такова суть города, в котором родился и прожил детство, юность, молодость.

В фильме много любимых и дорогих мне людей, мест... Моя любимая река.

К сожалению, до него непросто добраться, но я почти уверен, что вам будет любопытно и даже интересно.

8 декабря

Я в Тюмени. Вчера приехал поездом из Омска. Должен сказать, что поезд «Новокузнецк–Москва» — не просто транспортное средство, но и машина времени. В поездах дальнего следования ничего не изменилось за четверть века, ни работники, ни пассажиры, ни запах... Завтра еду в Екатеринбург. Всё совершенно в порядке, кроме погоды. Залы, к счастью, полны...

Недели две назад давал интервью эстонскому изданию. Даю их редко. Будет настроение — прочитайте.

ИНТЕРВЬЮ ЕЖЕНЕДЕЛЬНИКУ Russ.Postimees.ee

Таллин, 30 ноября
Текст: Николай Караев

Обычно моноспектакли — это история артиста, у которого нет больших ролей, которого, может быть, тянет читать стихи — и он в отсутствие серьёзного бюджета делает моноспектакль, — говорит Евгений в интервью «ДД». — У меня было практически так же. Я работал в студийном театре в Кемерово, делал там спектакли как режиссёр и как актёр, но на сцену выходил мало. Потом я остался один, и если бы у меня была возможность пригласить актёра или актёров, если бы у меня был театр, я бы в одиночку на сцену не вышел...

— *Ваша история необычна ещё и тем, что вы являетесь автором своих моноспектаклей...*

— Как было верно сказано в одной научной работе, Владимир Высоцкий написал не тысячу песен, а тысячу маленьких спектаклей. Это очень точно: у Высоцкого всегда есть персонаж, который не совпадает с автором, и актёрски исполненная история. Со мной примерно то же самое, так что можно сказать, что я написал шесть песен, которые длятся по два часа.

— *Психологически трудно было выйти на сцену в одиночку?*

— Нет, внутренне это было абсолютно естественно. Я же не случайно вышел на сцену. Артист обычно понимает, что участвует в общем деле, выучил чужие слова и исполняет чужое задание. Я в этом смысле не артист. Для меня всё то, что я делал в спектакле «Как я съел собаку», было естественно и, мало того, жизненно необходимо. Внутреннее замешательство было только одно: мне поначалу было очень неудобно брать со зрителей деньги... (*Смеётся.*) Я не понимал, за что, собственно, люди платят. Чтобы на меня посмотреть и меня послушать? Но это странно.

Вначале я не ощущал себя вправе пригласить большое количество людей, чтобы играть для них этот спектакль. Маленький зальчик на 50—60 мест — это ещё куда ни шло, но когда начались первые спектакли на 700, 800, 1000 человек, ощущения были самые странные. А так — я не испытывал ни страха, ни сомнений. Я был совершенно уверен в том, что я это делать хочу — и даже должен. И что моноспектакль может существовать только в этом виде и в никаком другом.

— Как вы репетируете — перед кем-то или наедине с собой, перед зеркалом, может быть?

— Нет-нет, я вообще не репетирую. Такие спектакли невозможно репетировать. Нельзя. Иначе получится шизофрения, раздвоение личности. Доверить кому-то смотреть на тебя со стороны тоже нельзя. Я спектакль не репетирую — я его делаю. Сначала пишу большой текст, долго его редактирую и в процессе запоминаю — не текст, нет, а композицию и смысл. Я говорю не текстами, я говорю смыслами, которые жёстко мизансценированы и композиционированы. Когда есть монолог на два часа без чёткой линейной истории, композиция должна быть очень жёсткой. По сути, она и есть сюжет. Работа над ней идёт очень долго. Если большой роман я пишу за семь-восемь месяцев, то над спектаклем работаю два-три года. Не постоянно и беспрерывно, конечно, а всё свободное время.

Потом изготавливаются декорации — для больших спектаклей их делала художница Лариса Ломакина. Я говорил ей, что мне нужно, и она помещала меня в некое пространство. Мне нужно увидеть это пространство до того, как я придумаю сам спектакль. И только потом я придумываю остальное, как будет звучать текст, как мне перемещаться по сцене, как сидеть. Я получаю декорации за пять дней до премьеры и живу в них, продумываю свет и музыку. Премьера становится и первой репетицией.

А посторонние люди, которые могут сказать, красиво что-то или нет, мне не нужны — я это и сам понимаю. Когда мне нужно что-то проверить, мне делают макет декораций и человечка — и я его перемещаю по «сцене», смотрю, как спектакль будет выглядеть со стороны. Правда, бывает так, что я сомневаюсь: а вдруг что-то в моём спектакле будет непонятно и неинтересно? Вдруг это сугубо мое, очень личное переживание? Тогда я в какой-нибудь компании рассказываю этот кусок — и смотрю, как люди реагируют. Если они не понимают, я стараюсь подобрать другие слова, чтобы рассказать о том же самом. Если и после этого люди не понимают, я думаю, вставлять в спектакль данный фрагмент или нет. Чаще я такие куски убираю.

— *Спектакль «Прощание с бумагой», который вы покажете в Таллине, посвящён расставанию с эпохой бумаги...*

— Нет, эпоха меня интересует в меньшей степени. Мне важно, с какими аспектами жизни расстаётся человечество, расставаясь с бумагой. Для меня это весьма болезненный процесс. Каких-то двадцать лет назад мы читали только с бумаги. Человек куда меньше читал и писал — и при этом гораздо лучше умел и читать, и писать! А сейчас человек в течение дня читает много смс, электронной почты и всякой фигни — и пишет куда больше. Литература и, назовём его так, осознанное письмо вступили в конкуренцию с чтением всякой фигни. Поэтому человек сегодня читает меньше литературы. И читает её быстрее, то есть некачественнее. С такими навыками он пытается читать большую литературу, у него не получается, и он от этого отказывается. У наших детей уже нет индивидуального почерка. Это всё равно как люди без отпечатков пальцев, без неповторимой сетчатки глаза. Это не прощание с эпохой, а прощание с образом жизни...

— *А свои тексты вы пишете на бумаге?*

— Конечно! Я вообще не пользуюсь компьютером.

— *Но у вас ведь есть блог.*

— Записи в блоге я либо диктую, либо записываю на бумаге и потом диктую с написанного. У меня даже нет адреса электронной почты — я от неё отказался. И компьютера нет.

Я ортодоксально отношусь к этим вещам. Пять лет назад я отказался от Интернета — и с тех пор меня не интересует, кто и что пишет про меня в сети. Моим сайтом занимаются другие люди, я им поставляю тексты. Если кто-то пишет мне важное письмо, его распечатывают — и я читаю его с бумаги.

— *Не секрет, что вы стали объектом пародий — в КВН, «Большой разнице» и так далее, о вас сочиняют анекдоты, писатель Владимир Сорокин упомянул вас в своём «Сахарном Кремле». Что вы, актёр, который сам иногда смешит публику, испытываете, когда смеются над вами?*

— Я нормально отношусь к таким вещам. Когда пародия точная, мне весело. Когда неточная — невесело. Когда пародия злая, как у Сорокина, она не имеет ко мне никакого отношения: она не похожа — и мне не смешно. На моих спектаклях зрители всё время смеются. Я постоянно хочу сделать грустный спектакль, но и на «Дредноутах», спектакле, который описывает гибель моряков, людям смешно. При этом я не юморной человек, и природа юмора на моих спектаклях — неюмористического свойства. Люди смеются от радости узнавания: они понимают, что вот это точно сказано, что они думали примерно так же или, может быть, забыли о чём-то, а им напомнили, — и от радости смеются. Такой смех куда более весом и ценен, чем юмористический смех. И с пародиями то же самое. Все анекдоты про меня — смешные, пародии в КВН — более-менее смешные, а другие пародии на телевидении — нет, потому что они не похожи.

— *В вашем блоге 1 ноября появилась запись о том, что вы выходите на сцену во Владивостоке — и понимаете, что часть спектакля «Шёпот сердца» о боязни полётов на самолёте нужно читать совершенно по-другому. Спектакли часто приходится корректировать на ходу?*

— Да, это бывает связано с трагическими событиями. Люди покупали билеты в одном мире, а спектакль им приходится смотреть в другом. После катастрофы самолёта в Египте играть большой кусок спектакля, где смешно описывается боязнь полётов... Там сердце говорит человеку: «Ты боишься летать на самолёте — и тем не менее, когда летишь с семьёй, всех подгоняешь, чтобы и детей, и жену туда же, чтобы, если что, всей семьёй...» Это смешная фраза — но не назавтра после трагедии, которая никого не оставила равнодушным. И не в русском обществе. Наверное, в Англии или во Франции, где иронии больше, чем у нас, эту фразу можно было бы сказать — но не у нас. Я знаю своего зрителя, я сыграл полторы тысячи спектаклей... В итоге я переделал эту часть. Сохранил тему, но изменил интонацию, усилил страх. И люди, конечно, это почувствовали.

— *Легендарному спектаклю «Как я съел собаку», за который вы получили «Золотую маску», уже шестнадцать лет — и, как я понимаю, публика не устаёт его смотреть и слушать, кто-то знает его наизусть. Чем, по-вашему, «Собака» так цепляет зрителя?*

— Зрители не могут знать его наизусть — сейчас играется уже четвёртая редакция, а наизусть они знают видео, которое было снято десять лет назад. Спектакль всё время меняется. На него и тогда ходили, и сейчас ходят люди 25—35 лет, и постановка меняется вместе с ними. Они — ровесники человека, о котором «Как я съел собаку» задумывался. Это спектакль про детство, про взросление — и про то, как человек впервые встречается с государством. Любое государство — Америка, Россия, Эстония, Швейцария — не интересуется индивидуальными чертами человека. В спектакле описан экстремальный момент: человек попадает в армию, на службу, и государству интересно только, какой у него размер обуви и одежды, чтобы выдать форму. Такие вещи универсальны, их понимают все.

— *Не могу не спросить, потому что это многих задело. В своё время вы ополчились на «Квартет И» — сравнили их с электронными часами без души, а себя — с часами механическими. Прошло сколько-то лет, с расстояния что-то, может быть, виднее. В чём была суть этого конфликта?*

— Конфликта не было. Было единственное высказывание: я намеренно и с позиции мэтра сказал, что ребята занимаются вторичным делом. Претензии у меня были скорее к зрителям, которые нас с «Квартетом И» сравнивают и находят похожесть. Я буквально говорил следующее: если вам нравится «Квартет И» и нравлюсь я, я не хочу, чтобы вы продолжали меня читать, ходить ко мне на спектакли и так далее. Наша похожесть — кажущаяся, разница на деле глобальна. «Квартет И» — это никакой не квартет, это монолог, расписанный на четырёх человек. Цельный монолог они написать не способны, для этого надо заниматься не коллективным творчеством, а индивидуальным. Их лирические герои, начиная со спектакля «Разговоры мужчин среднего возраста...», — люди, уставшие от жизни. Они прекрасно всё понимают, они разобрались в жизни, устали от женщин, от денег, от того, что все вокруг дураки. Устали от того, что они такие классные, здоровские, умные. Они пресыщены, ничто им не нравится, они бегут от этой жизни...

Мой же герой постоянно демонстрирует, что не понимает, что такое жизнь. Он не знает, как жить дальше, не понимает ничего в деньгах, в женщинах, он очень неустроенный в этом смысле человек. Но он очень любит жизнь — и он жить хочет! И никуда не бежит. Разница — диаметральная:

герой «Квартета И» — жлоб, а мой герой — совсем другой. И сравнение для меня было неприятно и оскорбительно.

Повторю, это всё я написал тогда. Сейчас я ничего такого не написал бы, мне всё это безразлично. Ребята на меня обиделись, а я как относился, так и отношусь к ним: вполне ровно. Даже существуем мы по-разному: «Квартет И» — модный коллектив, у них спектакли в Москве, дорогие билеты, большие гонорары, я в Москве играю мало, езжу по городам и весям. Будучи человеком провинциальным, я хочу играть для провинциальной публики в основном. Только вернулся из Магадана, до этого был в Комсомольске-на-Амуре, Хабаровске, Владивостоке. Никакой «Квартет И» до Магадана никогда не доедет — а я доезжаю. Мне так хочется. В этом разница позиций. И публика у нас сейчас разная. Тогда я отреагировал на глупости людей, которые нас сравнивали, повёлся на эмоции. Сегодня я жалею о том, что написал тот текст.

Я же одиночка. Одинокий волк. Меня обидеть, вывести из равновесия можно, но трудно. Сейчас, наверное, и невозможно. А ребята из «Квартета И» и их поклонники обиделись, не пожимали руку, говорили гадости. Бог им судья. Я не обижаюсь. Обращался я не к ним, а к зрителям.

— *«Мои спектакли нужно воспринимать так, а не эдак»* — *насколько это правомерная позиция для автора?*

— Это неправомерная позиция, но... Мы все живые люди и иногда совершаем ошибки. Андрей Тарковский был уверен, что делает народное искусство, и раздражался, когда сталкивался с непониманием или заумью по поводу своих фильмов. Вот и я отреагировал на слова зрителей. Я ведь знаю, что в моих спектаклях есть всё, чтобы их можно было понять. Когда ко мне после представления подходят и говорят: «Спасибо, есть над чем подумать...» — это самая расхожая и глупая фраза, которую можно себе представить. Над чем тут думать? Тут чувствовать нужно! Спектакль уже продуман. Искусство — оно не про «думать», а про «чувствовать». Искусство — не ребус. Это как с музыкой: либо ты её слышишь, либо не слышишь.

— *В своё время вы пытались эмигрировать, но быстро вернулись. Каково ваше отношение к понятию «родина»? Можете ли вы уехать, если в России произойдёт что-то совсем плохое?*

— Если бы, не дай бог, мне поставили условие: либо я навсегда уезжаю из России и могу перемещаться по всему бескрайнему миру, который люблю, либо остаюсь в России, но не смогу никогда выехать за границу, — для меня вопрос не стоял бы ни секунды. Разумеется, оставаться! Ничто меня так не интересует, как Родина. Ни одну область мира я так не люблю — и ни одни люди мне не интересны так, как соотечественники. Я люблю заграницу, мне нравятся зарубежные фестивали, я хочу быть понятым иностранцами — но как самобытный русский писатель.

17 декабря

Сегодня играю в Москве «Как я съел собаку». Спектакль начинает свой семнадцатый год жизни. Удивительно! Завтра полечу в Таллин, потом в Ригу, там исполню «Прощание с бумагой». Все билеты в этих двух столицах давно раскуплены. Ждут.

Я с особой радостью сейчас проехал по Сибири и Уралу. «Шёпот сердца» идёт прекрасно. Практически на всех спектаклях ближе к финалу возникает невероятная и очень редкая атмосфера, происходит что-то таинственное, сакральное. В некоторые моменты мне кажется, что я наблюдаю за происходящим почти со стороны. Я слышу свой голос, исходящий не изнутри меня, а слышу говорящего персонажа. Я почти отделяюсь от этого персонажа и могу с удивлением видеть и слышать и зал, и себя.

Поверьте, это очень редкое ощущение за многие годы работы я испытывал не часто. А тут — практически на каждом спектакле. Это значит, что в «Шёпоте сердца» что-то удалось, что-то особенное, мне не принадлежащее. А ещё я в этом туре убедился, что спектакль очень остро попал во время и что он нужен...

С большим удовлетворением заканчиваю этот сложный год, с удовлетворением творческим, художественным и профессиональным. А как живой человек, заканчиваю год усталый и очень встревоженный грядущим.

Последний в этом году спектакль исполню 24 декабря. И — каникулы!

23 декабря

Вчера вернулся из Риги, где играл спектакль и встречался с читателями в книжном магазине. Читателей было много, беседа с пришедшими получилась хорошая, содержательная и доверительная...

Сегодня же прочитал про себя обвинения в фашизме — по результатам этой встречи. Дожил.

На встрече среди читателей были и журналисты, которые, вполне понятно, книжек моих не читали, на спектакли не ходили, а на встречу пришли со своими собственными целями. Из большой беседы они выдернули нужные им слова, в результате чего меня и окрестили фашистом.

Перед поездкой в Ригу у меня был спектакль в Таллине, на который пришло больше тысячи двухсот человек, то есть существенно больше, чем в прошлом году.

Играл я в обеих столицах «Прощание с бумагой», спектакль, который даже оголтелый и полностью политизированный безумец не сможет обвинить в идеологизированности или в ностальгии по Советскому Союзу. Те, кто его видел, мог в этом убедиться. Спектаклю, к слову, больше четырёх лет.

В Риге встречался с двумя своими давними и близкими друзьями, знаменитым режиссёром Алвисом Херманисом, руководителем Рижского Яунас-театра, и с лидером группы «Брейнсторм» Ренарсом Кауперсом. И с тем и с другим мы не только дружили, но и работали вместе.

Алвис Херманис прославился в России не только и не столько спектаклями своего театра, которые неоднократно привозил на фестивали, но знаменитой и, конечно же, полюбившейся постановкой «Рассказы Шукшина» с Чулпан Хаматовой и Евгением Мироновым, то есть спектаклем, которым начал свою жизнь возглавляемый Мироновым Театр Наций. Этот спектакль во многом создавался и репетировался на родине Шукшина, потом на него невозможно было купить билеты в Москве, и Алвис объехал с ним всю страну. Потом имя Алвиса прозвучало на всю Россию в связи с его отказом после крымских событий ставить оперу в Большом театре. А после того как власти Латвии отказали во въезде на фестиваль в Юрмалу Кобзону и нескольким исполнителям, российское руководство запретило въезд в Россию нескольким латышским деятелям культуры, в том числе Херманису.

Глупость несусветная! Алвис сделал «Рассказы Шукшина». Алвис делал спектакль с Михаилом Барышниковым по стихам Бродского — разумеется, на русском языке. Он вообще важен и нужен русской культуре, боюсь, что больше, чем нужна она ему. Он в высшей степени востребованный в Европе режиссёр, у него помимо своего театра в Риге масса постановок, в том числе и опер, по всей Европе. Он по-настоящему знаменит.

Мы давно с ним не виделись, накануне своего спектакля, по приезде в Ригу, я ему позвонил, он очень обрадовался. Мы встретились и проговорили почти три часа.

Он много расспрашивал о последних новостях в театральном мире, о знакомых, о премьерах... Оказалось, что я не так, как он, информирован, он следит и интересуется происходящим в нашем театре даже внимательней, чем я. Он любит тех, с кем работал, и своих-наших зрителей. Он знает Россию.

Разумеется, он переживает по поводу своей невозможности приезжать к нам и работать. Старается относиться к этому с иронией, без обиды. У него своё понимание происходящего. Он, конечно, сделал ряд высказываний по поводу политики России и российского руководства, но это высказался художник, который делал и намерен был делать хорошее в России с русскими артистами и для российской публики, он имеет право на любое мнение и любое высказывание. Он серьёзный и большой художник...

Мы говорили очень открыто, ни секунды ни о чём не спорили, и у нас осталось прекрасное впечатление от этой встречи. На спектакль ко мне он пришёл с женой и моим любимым актёром Андрисом Кейжем, с которым я ставил в своё время спектакль «По По». Когда-то он блистательно исполнял на латышском языке «Дредноуты» в постановке Херманиса. И, к слову, недавно исполнил, опять же в постановке Алвиса, Остапа Бендера в спектакле «12 стульев». Думаю, что у него получился очаровательный Остап.

Ренарса Кауперса из «Брейнсторма» я нашёл не столько похудевшим, поскольку худеть ему просто некуда, сколько усталым и осунувшимся. Мы тоже много говорили, поняли, что нам нужно сделать какую-то новую песню, поскольку таковой давно не было, и даже пообещали друг другу подумать о том, как можно было бы записать песню в исполнении его сыновей-близнецов, которые уже сами по себе отличные музыканты, и моей дочери, которая здорово поёт — а они ровесники.

Ренарса и группу «Брейнсторм» крепко клюют и осуждают в Латвии за то, что они активно и много играют в России. Антироссийская риторика в Латвии очень мощная. Алвис Херманис же для латышей если не герой, то сильный гражданин с решением не ставить спектакль в Большом театре, да ещё и объявленный невъездным.

То, что в Латвии могут осуждать Ренарса, удивительно. Он всегда был любимцем и гордостью. И это абсолютно справедливо и заслуженно! К тому же более светлого и по-настоящему добросердечного человека я никогда не встречал, исключая детей.

В беседе с ним и потом, в интервью, я сказал, чтобы он не переживал, у него и у Алвиса Херманиса совершенно разные основания работать или не работать в России. В Большой театр Алвиса приглашали руководители главного государственного театра, за работу ему должны были заплатить государственные деньги, а если он не согласен с политикой России, его отказ от сотрудничества с госструктурами и от бюджетных денег — поступок понятный, объяснимый и в логике Алвиса честный.

Ренарса Кауперса и группу «Брейнсторм» любят люди, отдельные люди. Любят самостоятельно, от Калининграда до Владивостока. Он к ним приезжал во все возможные города и намерен ездить. Поклонники ждут его лично и лично платят за билет. За свои выступления он получает деньги конкретных людей, которые любят его песни и его самого, поэтому он не может к ним не ехать.

Так что оба эти латыша, важные и нужные России, правы.

Когда я это сформулировал Ренарсу, он обрадовался, совершенно искренне и по-детски. Я увидел, что это его успокоило.

А вообще и в Эстонии, и в Латвии антироссийские настроения сильны. Очень! Если посмотреть из Риги или Таллина на Россию глазами латышских и эстонских СМИ и пропаганды, с которой латыши и эстонцы в основном согласны, возникает удивительная картина нашей Родины. К слову, так же её видят в Европе, и ещё хуже — в Украине.

Мы видимся оттуда как гигантская непостижимая территория, охватившая целый континент... И для них мы — территория зла и мрака. На ней живёт сто сорок миллионов бессмысленных людей, за исключением немногих героев, которые позволяют себе, под страхом жутких наказаний, хоть как-то подавать свободный голос. Остальные же — преданные Путину безумцы, обобранные властью полуголодные рабы, для которых идеалы свободы попросту не существуют. Глупые, мрачные, бессмысленные, этакие орки из Мордора, которые являются орками по факту своего рождения. Генетически бессмысленные существа, которые одобряют и полностью поддерживают страшную, бессмысленную и исключительно тёмную, враждебную политику своего государства. Россия видится людям как Тёмная Сторона Силы, как

Звезда Смерти. А Путин — как Дарт Вейдер, но только без светлого юношеского прошлого.

В Прибалтике России боятся. Боятся военной агрессии, боятся крымской модели и всерьёз об этом говорят. То, что это глупо и ни на чём не основано, говорить бессмысленно. И я вижу, что им нравится бояться. Страх России очень многое упрощает. Непонятные и тревожные, а на самом деле губительные процессы, проходящие в самом Евросоюзе, тут же становятся мелкими, а то и вовсе незаметными. Бояться страшной России просто и даже весело.

На самом деле в этом прибалтийском страхе много лукавства. Они, конечно, боятся, но как-то не до конца. Очень глубоко и по-честному они ни в какую возможность военной агрессии со стороны России не верят. Если бы верили и боялись по-настоящему, вели бы себя по-другому: не тявкали бы на всех возможных саммитах, не вели бы себя показно агрессивно и провокационно. Не вели бы себя так разнузданно, выбирали бы выражения.

Когда по-настоящему и всерьёз боятся — ведут себя иначе.

На спектакле в Риге половина зрителей были латыши, много молодых, были даже дети. И в книжный магазин пришли латыши, принесли переведённый на латышский роман «Рубашка»...

В Таллине разговаривал с местными русскими и услышал от них забавное и очень наивное соображение. Они сказали, что многие их знакомые и они сами думают, что когда до Эстонии доберутся арабские мигранты, эстонцы убедятся, что русские граждане и не-граждане Эстонии намного лучше прибывших, и наконец-то отнесутся к ним с пониманием и теплотой...

И ещё одна иллюстрация напоследок. Алвис Херманис рассказал, что прославился своими политическими высказываниями не только в России, но и в Германии. Недавно он отказался ставить спектакль, если не ошибаюсь, в гамбургском театре, отказался по той причине, что пригласивший его театр занял активную позицию по приёму и приглашению беженцев. Театр занял обсолютно левую позицию и буквально распростёр объятья, предоставлял жильё и все возможные блага и виды вспомоществования прибывающим в Германию мигрантам из Африки и Ближнего Востока. Алвис не согласился с такой политикой театра, искренне полагая, что театр должен заниматься другими вещами: должен репетировать, ставить спектакли и играть. Его решение дошло до прессы. Вся немецкая пресса назвала его фашистом, ксенофобом и чуть ли не Брейвиком. Такой вот непростой, но прямой и честный человек.

Короче, каша там в мозгах, как и везде в мире, как и у нас. Только каша своя. Прибалтийская.

Улетал из Риги с самыми тёплыми впечатлениями от сыгранных спектаклей и от встречи с моими давними коллегами и друзьями. Прилетел в Москву и уже здесь прочитал, что меня назвали фашистом. Назвали свои. Не чужие.

30 декабря

Завтра будем праздновать. А сегодня я сел и написал новогоднее пожелание.

НОВОГОДНЕЕ ПОЖЕЛАНИЕ

Пожелание всем моим самым родным и близким, всем моим соотечественникам, всем, всем, всем... Ну и себе в том числе.

Я желаю всем настоящей радости и праздника, а также радости после праздника и весь год! Хотя бы иногда. Радость повседневности необходима. Радость даёт силы жить, лечит... А злорадство ровно наоборот: силы отнимает и разъедает душу.

Я всем желаю душевного здоровья! Злодеи больны душой, отравлены, искалечены... Так что я и им желаю душевного оздоровления. Я очень хочу, чтобы их страшные, дикие и тёмные замыслы ни за что не осуществились. Чтобы мы, те, на кого эти планы и замыслы направлены, даже не узнали лиц и имён этих злодеев, потому что если мы их не узнаем — значит злодеяния не случились, их никто не совершил. Я желаю злодеям опомниться или быть остановленными.

Никому не желаю смерти! Даже тем, кто уже успел совершить непоправимое и ужасное зло. Я желаю им здоровья. Но я и желаю им наказания! Наказания неизбежного и справедливого, человеческого и божьего. Кары желаю им! Но и раскаяния.

Я желаю, чтобы тревоги и страхи, с которыми мы робко заглядываем в год грядущий, остались только страхами и тревогами. Хочу, чтобы плохие прогнозы и предчувствия не сбылись. Хочу, чтобы политические, экономические эксперты и аналитики, которые весьма основательно и убедительно предрекают худшие сценарии на будущий год, ошиблись. Пусть будет трудно, но не плохо! Трудности — это частности, и они преодолимы. Плохо же — это в целом. Когда плохо, это надо пережить. А хочется год не пережить, а прожить. Поэтому пусть сбудутся не предчувствия, а надежды, и пусть осуществятся не прогнозы, а планы. Хорошие планы.

Очень желаю, от всего сердца желаю всем тем, кто родится в наступающем году, дожить до XXII века и в него заглянуть. Желаю им получить от нас в наследство мир в хорошем, неистерзанном, неубогом состоянии. Желаю, чтобы они нас помянули добрым словом на пороге столетий и чтобы им самим было что передать в наследство.

Хочу, чтобы 2016 год вошёл в историю без страшных дат и не пугал бы самим своим сочетанием цифр, как пугает 1914, 1917, 1937, 1941-й... Пусть он вообще не войдёт в историю, пусть будет одним из многих невыразительных годов. Пусть отдельным людям он запомнится как год хороший... Лично для кого-то, а не в историческом масштабе.

Пусть для кого-то будет наступающий год годом рождения, годом окончания школы, университета, годом свадьбы, покупки первого автомобиля, квартиры, дома, годом успеха на работе, выплаты кредита, новой долгожданной должности, примирения после долгой ссоры, влюблённости, важного жизненного открытия, выздоровления, счастливого спасения, спортивной победы, выигрыша в лотерею... рождения первого или очередного ребёнка, внука, правнука.

Пусть этот год останется в семейных альбомах, архивах, на флэшках и жёстких дисках в виде счастливых фотографий. Пусть будет он гордо запечатлён на бутылках вина как год хорошего урожая.

Пусть он будет зафиксирован в культуре и искусстве как год выхода прекрасного кино, спектаклей, книг, музыки.

Хочу, чтобы наступающий год стал годом появления новых имён и лиц, которые мы полюбим... Новых поэтов, писателей, музыкантов, художников, режиссёров... Больших, значимых авторов. Мы их очень заждались!

Хочу, чтобы в новом году гуманизм стал снова главной темой, важнейшим путём, трендом, если хотите, нашей больной культуры. Чтобы то мрачное, страшное и уродливое, царящее теперь, было отринуто, а вместе с тем и фальшивое, бравурное, лживое... Чтобы из какофонии бессмыслицы и грохота беспричинно торжественных маршей вышла ясная мелодия...

Мечтаю, чтобы вместо псевдопатриотизма, псевдогордости, псевдоторжественности и самоуверенности окрепла и восторжествовала любовь к Родине как *созидательная и подлинная сила. Сила свободная... Любовь всегда свободна!*

А ещё я желаю... Правда, не верю в осуществление этого желания... Но всё равно по-детски и наивно желаю, чтобы руководители наших городов, наши губернаторы и те, кто с ними вместе исполняет, казалось бы, такие понятные и чётко прописанные обязанности, всё же стали бы их выполнять. Хочу, чтобы они работали с утра и до позднего вечера, часто без выходных. Не объясняли бы, почему не сделали того или иного, не создавали бы видимостей и иллюзий деятельности, не занимались бы исключительно тем, чтобы снова быть выбранными или назначенными и обязательно остаться у должности. Не суетились бы, не раздражались на своих земляков и не видели бы в них, то есть в нас, вечно недовольных, неблагодарных, глупых и чего-то не по праву желающих людей... А просто работали. Работали много и усердно. У них же такая интересная работа! А если она не интересная, то почему они её так хотели и так за неё держатся?... Хочу, чтобы начали работать!

Хочу, чтобы всё было по закону. Особенно для тех, кто этот закон призван блюсти...

Я хочу этого не только для грядущего года, я хочу этого давно и на все времена. И желаю... В новогодние дни позволены любые, даже самые наивные желания.

Я хочу, чтобы наш Президент со всей ясностью понял, что Россия — не он и не узкий круг его соратников, а Россия — это мы все. Чтобы он осознал, что *его могучая воля* — это его воля личная, но не всех и каждого, что мы живём не для реализации и осуществления его воли. Чтобы то видимое единодушие, которое так торжествует сейчас вокруг него, не обманывало ни его самого, ни — главное — всех нас. Всякой воле есть предел. Предел его воле — это мы, какие бы ни были. Желаю, чтоб до предела не дошло.

Хочу, чтобы моя страна, Родина моя, никого не пугала, ни у кого не вызывала гнева, чтобы её никто не считал врагом, а стало быть, не считали врагами моих соотечественников, и меня в частности. Наоборот, хочу, чтобы нами восхищались и чтобы если не любили, то хотя бы относились к нам, ко мне, с интересом. Чтобы мы давали всякие поводы, кроме поводов нас бояться и ненавидеть.

Хочу, чтобы мы сами никого не боялись и никого не ненавидели. Хочу, чтобы мы спокойно и без истерик, но также без экзальтации, поняли свою самобытность, особенность и даже непонятность для другого мира и культур и стали искать универсальное, общее, а не настаивать на своей исключительности, как мы это постоянно делаем и не терпим подобного от кого-либо другого.

Желаю всем моим родным, близким, любимым, всем моим соотечественникам встретить и прожить следующий год и многие годы вперёд в безопасной и сильной стране с уверенностью, что наши воины нашу безопасность обеспечат. А воинам нашим, верным присяге, которую, в сущности, они давали нам, желаю чувствовать уверенность в нас, своих согражданах... Уверенность в том, что ни руководство наше, ни все мы, грешные, не потребуем, не пожелаем от них участия в чём-то неправедном.

Искренне желаю всем, кого знаю и не знаю, всем, кто знает и не знает меня... Желаю не познать тяжести и унижения нищеты и безденежья. Нищета наносит тяжёлые раны, они заживают долго, а шрамы остаются навсегда. Тем же, кого уже накрыло безденежьем, кто столкнулся с этим тяжким испытанием, желаю в будущем году из него выйти. Год будет не лучшим для выхода из нищеты или финансовых трудностей. Но я вам этого желаю от всей души.

Хочу, чтобы мы и наши соседи зажили благополучно, зажиточно. Благополучный сосед — кто и что может быть лучше? Он не завидует, не обманывает, не ворует, не злится и не бахвалится. Зажиточный сосед ведёт себя иначе.

Страстно желаю всем, с кем произошли несчастья и беды, кто понёс невосполнимые утраты и приобрёл горе в году уходящем, в наступающем найти в себе силы на долгую и по возможности полноценную жизнь. Тем, кто потерял причины жить, — найти эти причины и даже их приумножить.

Хочу, чтобы все мы, кто к концу года устал, запутался и не успел распутать дела и заботы, всё же смог преодолеть усталость, что-то отложить на потом, а что-то и вовсе отбросить... Отбросить — и отпраздновать наступающий год как следует. Ну а если самим порадоваться не получится, недостанет сил и настроения — превозмочь себя и устроить праздник детям. Дети ждали и ждут! Они всегда от нас ждут радости!

И ещё желаю прожить новый, 2016 год таким образом, чтобы, если выпадут испытания, неудачи, большие хлопоты, неурядицы, опасности, накопится раздражение, не будет видно надежды... Всё же прожить год так, чтобы дети ни о чём таком не догадались, ничего плохого не заметили и были в вас уверены... И безмятежны.

Я ещё много чего желаю... Просто сейчас не вспомню... Пусть всё будет хорошо!

2016

5 января

С Новым годом!

Мы робко вступили в 2016-й, високосный год. Пока вроде всё нормально.

Думаю, что уже многие начали приходить в себя, доели наготовленное, преодолели привычку к беспрерывному новогоднему обжорству и начинают приступать к очистке организма и сбросу лишнего.

Я, как обычно, в эти дни хвораю и готовлюсь к работе за письменным столом. Придумал новую пьесу. Надеялся, что буду в январе и начале февраля бездельничать, но в середине декабря пришла идея новой пьесы. Я этому рад. Рад работе. А уж что получится — неизвестно... Сейчас со мной, помимо болезни, происходит тот неприятный период перед началом работы, когда я сам занимаюсь разрушением замысла... То есть пребываю в беспрерывном сомнении по поводу его качества, задаю себе неприятные каверзные вопросы, мол, зачем его осуществлять, дескать, наверняка такое уже кто-то сделал и вряд ли этот замысел чего-то стоит. На самом деле это работает постпраздничная лень, с которой надо справиться.

Очень хочется сходить в кино, но в кинотеатрах сплошной новогодний киномусор. В этом году отечественный особенно неприличен и постыден. Такое ощущение, что санкции и кризис коснулись не наших новогодних столов, а именно нашего кино...

Зато с детьми пересмотрел несколько фильмов, которые меня радовали в их возрасте. Счастлив, что им тоже понравилось, несмотря на космически сильно устаревшие кинотехнологии. Точнее, их отсутствие, что самым удивительным образом придаёт фильмам чистоту и свежесть.

Восторг и полное приятие вызвали фильмы «Айболит-66», «Город мастеров», «Три толстяка», «Шёл по городу волшебник». Все фильмы звучат современно и даже актуально.

Особенно потряс «Айболит-66». Этот фильм я смотрел десятки раз, знаю наизусть и в то же время... Картине исполняется нынче пятьдесят лет. Полвека! Но послушайте эту песню, не поленитесь! Это же если не гимн, то суть жизни современной России. Переслушиваю, пересматриваю, показываю друзьям, рассылаю... Все радуются, сам радуюсь.

9 января

Заканчиваются каникулы. Уже в понедельник наша московская студентка улетит из тихого семейного гнезда в столицу, сын снова пойдёт в школу, младшая — в детский сад. Закончатся сон почти до полудня, радости за полночь, дом проветрится от смеси вкусных запахов беспрерывного застолья, притихнет, войдёт в тягучую повседневность... Ёлка будет разобрана и спрятана. Но остался ещё один день.

Мы вчера, без самой младшей, сходили в кино, посмотрели «Выживший».

Я шёл исключительно для того, чтобы что-то вместе сделать с детьми и увидеть очередную попытку Леонардо Ди

Каприо получить «Оскар». К счастью или к несчастью, я совсем не болею ни за какие команды ни в каком виде спорта, но за Ди Каприо болею уже давно. Каждый раз, когда этот некогда юный, а теперь уже матёрый артист, остаётся без «Оскара», я переживаю, шлю проклятия американской Киноакадемии и воспринимаю оскаровскую несправедливость по отношению к Ди Каприо как некий заговор, как допинговый скандал, как что-то необъяснимо жестокое в духе романов Диккенса.

Всем, кто меня читает и доверяет мне, рекомендую пойти на фильм «Выживший», обязательно с детьми. Правда, раньше десяти-одиннадцати лет детям это кино смотреть, думаю, рановато.

В нашем прокате фильм ограничен 18+. В связи с этим мне вчера пришлось впервые в жизни заполнить заявление на имя директора кинотеатра и расписаться в том, что я несу ответственность за своего одиннадцатилетнего сына. Просто так нас в зал не пустили.

Гарантирую, что в фильме нет тех самых сцен, во время которых добропорядочным родителям было бы неловко и стыдно сидеть рядом со своими благовоспитанными детьми и закрывать чадам глаза.

Я думаю, что фильм ограничен по возрасту исключительно по причине наличия в нём эпизодов и сцен, связанных с гибелью, кровью и страданием. В «Выжившем» страдание и кровь таковы, что меня самого бросало в дрожь, я не раз по-детски зажмуривался и даже пил воду из-за того, что пересыхало во рту. Подлинность и художественная сила кровавых и страшных эпизодов были таковы, что ограничивать фильм восемнадцатью годами бессмысленно. Любой чувствительный человек неизбежно испытает ужас и физическую сопричастность с происходящим на экране. Поэтому полагаю, что смотреть фильм детям с родителями не просто можно, но и нужно. А те фильмы, где смерть на экране происходит ежесекундно, забавно и даже весело, лучше ограничить.

Дети за компьютерными стрелялками проливают за пятнадцать минут больше крови, чем в «Выжившем» почти за три часа.

В этом году буду ждать результатов «Оскара» с особым азартом. Уверен, что никто, кроме Ди Каприо, не должен получить эту статуэтку за лучшую мужскую роль. Помимо «Оскара» за роль в «Выжившем» я бы ещё присвоил ему звание Героя Социалистического Труда, Почётного альпиниста, полярника, спасателя и, если у него есть воинское звание, дал бы внеочередное, а также вручил корочки медбрата и Почётного донора.

Леонардо очевидно проделал огромную физическую работу. Чего это ему стоило, мы можем только догадываться. К тому же за весь фильм, большое и долгое кинематографическое полотно, он почти ничего не говорит, зато издаёт много таких звуков, каких я прежде в кино и не слыхивал. А ещё он в картине дышит. За одно дыхание ему полагается отдельный «Оскар».

Фильм мы смотрели в переполненном кинотеатре. Заранее покупали билеты, и то удалось взять только три места вместе и одно отдельно. Кинотеатр самый обычный, в центральном торговом центре Калининграда. Люди пришли весёлые, днём, догуливающие последние новогодние деньки. Пришли на приключенческий фильм. Из трейлера было ясно, что будут индейцы, погони и медведь. Из названия ясно, что Ди Каприо выживет. Что ещё нужно для праздничного времяпрепровождения?..

После двадцати минут зал покинули десять-двенадцать весёлых бессмысленных девиц и несколько таких же парней. Остальной зал, будучи неготовым к тому, что будет происходить на экране, был накрыт, затянут, попал под могучее воздействие чуда под названием кино.

По окончании фильма люди уходили медленно, молча, а если и говорили между собой, то тихо... Люди уносили с собой впечатление. Люди не могли взять и отключиться, просто вернуться в свою обычную жизнь... Уйти как ни в чём не бывало, как многие привыкли уходить из кинотеатра, моментально забыв о том, что с ними происходило в кинозале.

Картина удивительно сделана! В ней точно есть магия большого кино. Авторы определённо придумали и создали особый звук, особенный взгляд, особый способ воздействия.

Звуковая картина такова, что я даже не понимаю, как она сделана, из чего соткана. Более всего восприятие фильма похоже на очень подробный, реалистичный и мощный сон, в котором всё существует по законам сна и в особом ритме.

«Выживший» — это сон очень страшный, невероятно красивый, ни одной секунды не скучный, из которого хочется вырваться, но нет никаких сил и возможности. Редкий сон, когда ты понимаешь, что это именно сон, но у тебя нет права его прервать и проснуться нельзя, как бы невыносимо ни было. Такой сон заканчивается сам собой. Такие сны запоминаются отчётливыми и яркими картинами, такие сны кажутся более реальными, чем сама жизнь...

Сюжетно и фабульно фильм очень простой. История — ничего особенного. Пересказывать её нет смысла, достаточно будет двух-трёх предложений. А значит, картина не о том, что можно увидеть в её фабуле.

Самое поразительное, с чем я вышел из кинотеатра, было сильнейшее ощущение и даже осознание, что жизнь человеку не принадлежит. Совсем! И это радостное и жизнеутверждающее осознание.

В картине есть то, что мне не понравилось или понравилось не очень. Но всё это — детали и чепуха.

Настоятельно рекомендую успеть посмотреть фильм именно в кинотеатре: домашний кинотеатр или большой телевизор не даст нужного впечатления. К тому же в домашних условиях рука обязательно потянется к пульту, чтобы сделать паузу, оторваться от картины, перекурить или перекусить. А этот фильм нельзя останавливать, как нельзя поставить на паузу водопад, снежную лавину, реку и, конечно же, нельзя поставить на паузу сон. А ещё важно находиться среди людей, которые тоже этот сон переживают.

Боюсь, что в наступившем году нам ничего более мощного на большом экране увидеть не удастся, поэтому лучше поспешить.

О кинодостижениях фестивального кинематографа мы узнаем только из каких-нибудь статей или передач об этих фестивалях.

Новый фильм Тарантино?.. Это для тех, кто, несмотря ни на что, упорно радуется тарантиновским совершенно невинным шалостям. Про Тарантино всё уже давно понятно. Удивительно, как быстро этот человек, который потрясал своей волей и дерзостью в «Килл Биллах», не заметил, что в сегодняшнем мире его «мерзости» не что иное, как стариковские шалости для преданных ему и с ним же состарившихся добропорядочных, в сущности, обывателей, которым очень хочется казаться самим себе свободными и современными.

Отечественный кинематограф, скорее всего, будет пытаться нас порадовать чем-нибудь патриотическим, с провинциальными спецэффектами. Наверняка будет что-нибудь историческое, что-нибудь героическое, из древней истории или из новейшей, неважно. Будет наверняка либо штурм, либо оборона чего-нибудь, будет про космонавтов или полярников, возможно, нам предложат убогенькую доморощенную антиутопию, наверняка оживят какой-нибудь миф про очередного чудесного спортсмена, артиста, учёного или жулика, очень преданного родине.

Я всё удивляюсь, почему до сих пор не появилось ни одного блокбастера и параллельно сериала о какой-нибудь трудовой династии. Страна заждалась производственной драмы на оборонзаводе, строительстве моста или прокладке трубопровода.

Почти уверен, что в новом году нам предъявят очередной фильм про то, как невероятно самобытно русские люди пьют. Уже определённо написаны сценарии и готовятся к запуску фильмы для следующего Нового года.

Так что сходите на «Выжившего». Будет за кого держать кулаки во время церемонии «Оскар».

12 января

Умер Дэвид Боуи. Как это странно писать и понимать! «Умер» — какое-то слишком земное и человеческое слово для Дэвида Боуи.

Утром одиннадцатого января по привычке включил телевизор, новости, без звука, и, приходя в себя после сна, почитывал бегущую строку. А там, среди новостей про снегопады, цены на нефть и курсы валют вдруг: скончался певец

Дэвид Боуи. Никакая новость про Дэвида Боуи не может быть в одной строке с котировками цен на нефть или погодой, тем более такая.

Клянусь, я меньше бы удивился, если бы прочёл следующее: «Сегодня с мыса Канаверал успешно стартовал межгалактический корабль, пилотируемый Дэвидом Боуи, который улетел навсегда». А тут он просто умер... Я включил звук и от ведущего, к голосу которого давно привык, от которого чаще всего слышу слова «Путин», «баррель» и прочее, я узнал, что Дэвид Боуи «тихо скончался в своём доме в кругу семьи». Это ещё больше меня поразило, потому что я не могу себе представить реальный дом Дэвида Боуи и уж тем более тихий круг его семьи...

Дэвида Боуи с того момента, как о нём узнал, я постоянно ощущал своим героем.

Узнал я о нём на первом курсе университета. Увидел несколько его фотографий, услышал пару песен. Я, разумеется, не мог о нём не узнать тогда, потому что начал активно слушать «Аквариум», «Зоопарк»... Мне не особенно понравились его песни, но фотографии и рассказы о нём, мифы об этом человеке запомнились сразу. Он был интереснее всех людей, чью музыку я к тому моменту слушал и любил, вместе взятых.

И ещё он — как бы это сказать? — при всей своей чудесности и фантастичности не был непостижимо великим, какими для меня были «Лэд Зеппелин», «Пинк Флойд», «Дип Пёрпл», «Дорс».

В самом конце восьмидесятых, уже после службы, когда я дорвался до возможности видеть концертные записи, музыкальное видео и разное западное кино, Дэвид Боуи стал мне почти наставником. Тогда, потом и теперь не мог и не могу слушать его песни. Мне не нравится его голос. Особенно когда он пытался петь высоко. На мой вкус, он поёт просто противно. Мне всегда было обидно, что у него такой голос, потому что его аранжировки и его звучание были потрясающими. Его видео, оформление альбомов, его наряды и бесконечные затеи и выдумки поражали воображение и всегда только радовали. Но голос его слушать не мог и не могу. Однако это совершенно не важно. Без меня достаточно тех, кто его голос обожает. И масса тех, кого он бесил и бесит. И ещё больше тех, кто вообще не понимает, что это за явление — Дэвид Боуи, кто считает его фриком или того хуже.

Для меня он был мой личный старший товарищ, который помог мне пережить культурный шок конца восьмидесятых и жесть девяностых в её концентрированном кемеровском замесе. Мне был прямо-таки жизненно необходим его личный пример. То, что я в Кемерово, а он где-то в Великобритании, Америке, в каком-то совершенно ином, очевидно другом пространстве, меня никак не отрезвляло. Было ясно, что, каков бы ни был культурно, социально, экономически и политически лучшим и свободным его, Дэвида Боуи, контекст, он, Дэвид Боуи, всё равно живёт вне этого контекста. Он всё равно свободнее, смелее, остроумнее и красивее всего того, среди чего живёт. А значит, контекст не важен, как бы говорил мне Дэвид Боуи из своего неведомого мне мира в мой Кемерово начала девяностых.

Он поддерживал меня во всём. Он успокаивал меня и всё время намекал, что то, что я хочу, это правильно и что можно хотеть большего. А я изо всех сил старался хоть как-то, хоть чем-то быть на него похожим. Возможности были невелики, тем не менее, если кто-то встречал в девяностом году в Кемерово парня в длинном, до колен, белоснежном свитере, светлых льняных шароварах и мягких замшевых сапогах, — это был я. Парень с выбритыми висками и затылком, в длиннющей белой рубашке непонятного размера, с золотистой змеёй с двумя изумрудными глазками на шее вместо галстука (мамин пояс), а также — страшно подумать! — с серьгой в ухе и в зелёных изумрудных очках — это тоже был я. Чего только я не выдумывал и не напяливал на себя... В троллейбусе или автобусе наступала мёртвая тишина, когда я в них заходил. Только дети позволяли себе задавать громкие вопросы на мой счёт. Некоторые дети плакали, не потому что пугались, а потому, что мамы их одёргивали или щипали, чтобы те не тыкали в меня пальцем и не таращились.

Я не мог просто так выходить в город и перемещаться из пункта А в пункт Б. Мне необходим был какой-то художественный акт. Это мне подсказал, точнее, буквально приказал делать Дэвид Боуи.

14 января

Вчера и сегодня слушал и смотрел происходящее на Гайдаровском форуме. Как-то залип и смотрел... Очень кисло, вяло и тускло. Противно. И в основном ужасно неумно. Особенно неприятно выглядят министры. От них возникает ощущение аквариумных рыбок, которые и рады бы спрятаться, чтобы ничего не говорить, но в аквариуме спрятаться негде, вот что-то говорить и приходится. Но говорят они так же, как аквариумные рыбки: рот открывают, но ничего не слышно. Министр финансов и министр экономразвития — самые беззвучные рыбки... Настоящие рыбки иногда могут хоть хвостом всплеснуть...

Смешно слушать прогнозы о том, что всё будет трудно, плохо и долго. Для таких прогнозов не надо быть ни премьер-министром, ни министром... Вообще не надо никем быть для таких прогнозов.

Когда самыми яркими и всеми любимыми являются министр иностранных дел и министр обороны, ясно одно — внутри страны, в медицине, образовании, культуре, экономике — всё серо, убого, невнятно, бессмысленно...

Слушал вчера выступление премьер-министра, потом пытался слушать господина Улюкаева. Понял, что не слышу ничего, задумался о своём и вспомнил замечательную шутку, которой несколько лет, но именно теперь она невероятно остра и точна. Вспомнил и расхохотался, второй день похатываю. А шутка такая: «Всем хорошо известно знаменитое высказывание Ленина — „всякая кухарка может руководить государством“. Так вот, недавно обнаружился полный текст этого высказывания: „Всякая кухарка может руководить государством, при условии, что баррель нефти стоит дороже ста долларов“».

Завтра решил вовсе не смотреть телевизор, в выходные тоже, а то отвлёкся на этот форум от работы над пьесой. А пьеса хоть и медленно, но пишется. Надо закончить её до середины февраля, до начала гастролей. Благо пьесы очень большими не бывают.

23 января

Усиленно писал пьесу и пропустил массу разнообразных событий. Ещё недавно писал, что год начался, и всё пока нормально. Увы, сейчас уже этого сказать не могу. Чудны дела твои, Господи!..

При этом у меня самого такое прекрасное настроение, что ни цены на нефть, ни курс рубля, ни разные происки — ничто не огорчает. Точнее, огорчает, но не портит настроение. Теракты, которые происходят повсюду ежедневно, конечно, пугают, но, как бы чудовищно это ни звучало, мы к этому привыкли...

А вот очереди на выставку Серова... Вот веселье! Непостижим русский человек! Мне вчера и позавчера звонили журналисты, просили дать комментарии по этому поводу. Я говорил только одно: всё это проявление непостижимой русской души. В Кишинёве ломают дверь в парламент, а у нас ломают дверь на выставку.

Интересно было бы почитать по поводу давки на Серова комментарии зарубежной прессы. Особенно украинской. Не берусь делать никаких предположений, что там можно прочесть. Но меня это радует. Палатки МЧС, полевая кухня, дежурящая карета «Скорой помощи». Чудеса! Может быть, «Девочка с персиками» начала мироточить? Хотя вне этой выставки картина регулярно экспонирована, её всегда можно посмотреть.

Снова во всех новостях убиенный Литвиненко, а также обвиняемый в его убийстве Луговой. Вроде всё более-менее устаканивается, а тут снова Великобритания и США грозят нам санкциями в связи с этим делом. Лично я заволновался!

Дело в том, что после смерти Литвиненко (я уже об этом писал) Луговой давал большое интервью, в котором сообщил, что ему были переданы в Лондоне разные шпионские штуки, средства связи и в том числе книга для шифровки и дешифровки сообщений. Этой книгой оказался мой роман «Рубашка». После этого роман какое-то время продавался в магазинах с наклейкой «Рекомендовано МИ 6». Тогда был продан дополнительный тираж. А теперь... Кто знает, что оголтелым британцам и американцам придёт в голову? Возьмут и сочтут причастным.

На днях разговаривал с приятелем, который как-то уж очень занервничал по поводу упавших цен на нефть. Запаниковал приятель, а я его пытался успокоить, вдохновить и вдруг сказал, в сущности, глупость, но именно эта глупость его не то что успокоила, но развеселила и утешила.

Я сказал ему: «Ну пойми, мы же с тобой нормальные люди, мы должны понимать, что если разобраться и посмотреть объективно, что такое нефть? Нефть — это очень неприятная, тёмная, густая жидкость. Люди просто не хотят её покупать».

У меня хорошее настроение. Я закончил пьесу! Пьеса называется «Весы». Меня даже радует, что название «Весы» чем-то напоминает название великого романа Фёдора Михайловича «Бесы». Но моя пьеса — полный антипод этого романа. Она, во-первых, довольно короткая, во-вторых, весьма нежная.

Не буду скромничать, не в том настроении... Я очень доволен тем, как она получилась. Теперь надо заняться её судьбой: либо отдать её в хорошие руки, либо поставить самому.

Первого февраля в Калининграде сыграю первый в наступившем году спектакль. Очень! ужасно! нестерпимо! соскучился по сцене. Соскучился по спектаклю, с которым я так интересно прожил свой прошлый сценический год.

Порадовала афиша в Калининграде. Не только мне, но и всем, кто мимо шёл или проезжал, она поднимала настроение. Спасибо родным землякам. Весёлые люди.

(25) января

Сегодня для меня волнительное событие! Не скрою, с трепетом и тревогой, но всё же и с подлинной радостью предоставляю вашему вниманию рассказ... Это, без всяких сомнений, художественное и литературное произведение. Не сочинение по заданию, не какой-то графоманский порыв, а живая и очень нежная литература. Этот рассказ написал не я. Его два года назад написала моя старшая дочь Наташа... Не знаю, почему у неё возник такой замысел и какая в ней зрела причина, чтобы его написать, но она это сделала. Хотя до конца работу не довела.

Не знаю, почему она самостоятельно не завершила работу над рассказом. Возможно, запуталась. Может быть, поняла, что шлифовка уже сделанного материала — дело скучное, но при этом кропотливое и долгое. Может быть, ей просто по-юношески наскучило это занятие.

Рассказ в незавершённом виде пролежал довольно долго. А жизнь, когда тебе восемнадцать-девятнадцать лет, идёт стремительно. И если мне кажется, что Наташа написала рассказ недавно, то ей кажется, что она его писала в какие-то незапамятные времена.

Я побуждал её к завершению работы, потому что, если честно, в восторге от этого маленького литературного произведения. Я просил её, уговаривал, даже требовал. В итоге сел сам и как можно более нежно и бережно осуществил редакцию рассказа, привёл в то состояние, что его можно опубликовать.

Почему сегодня? Тому есть внятная причина.

Рассказ называется «Девочка со спичками». Наташа намеренно использовала название известного святочного рассказа Андерсена. Это она сделала очень остроумно.

Я бы лично запретил многие рассказы и сказки Андерсена для прочтения детям, «Девочку со спичками» в первую очередь. От этого рассказа рыдают и родители и дети. Вот Наташа и поселила в свой рассказ тревогу самим названием.

Главная героиня рассказа — девочка, которой пять лет и которой через две недели должно исполниться шесть.

А у нас по дому ходит человек, которому совсем скоро, девятого февраля, тоже исполнится шесть. Это Маша, младшая сестра Наташи. То есть именно сейчас героиня рассказа и живая родная сестра для Наташи встретились... Это удивительно! Это чудесно!

Рассказ мне самому очень нравится. В нём есть то, чего я точно не умею и не пробовал. А также есть яркие и невероятно точные наблюдения, которые я в другой литературе не встречал, как бы громко это ни звучало. В этом небольшом литературном произведении есть пронзительная точность и подробная память детского восприятия мира, детского видения жизни и, главное, детское ощущение движения времени.

Чего в этом рассказе нет совсем — в нём нет претензии на что-то большее. Это написал человек, который не претендует на литературное признание. Рассказ написан по таинственным причинам, человеком, который почувствовал необходимость зафиксировать в художественном виде точность воспоминаний, которая вот-вот может улетучиться... Улетучиться безвозвратно.

Если у вас будет желание и настроение, прочтите этот рассказ. Его написала Наташа Гришковец в свои восемнадцать лет.

ДЕВОЧКА СО СПИЧКАМИ

I

«Если червяка разрезать пополам, его голова уползёт, закопается, и у неё отрастёт хвостик, а его хвостик превратится в голову, тоже уползёт, и у него вырастет свой хвостик», — рассказывала Катя своей будущей дочке. Было сыро уже пару дней, поэтому никого, кроме Кати, её дочки и червяков во дворе не было. «Червяки очень хорошие, они едят мусор и какают землёй. Ничего смешного, юная леди! — Она погрозила дочке палочкой. Кате это понравилось, и она погрозила ей ещё пару раз. — Червяки, о червяки!»

Она совсем забыла, что на неё смотрит дочь, и пошла махать своей палочкой, проговаривая злые заклинания: «Червяки, такие длинные червяки, такие грязные червяки, такие розовые червяки!» Тут она усомнилась, что они розовые. Она решила, что ещё не знает такого цвета, как червяки. Слов для червяков стало не хватать.

Катя замедлила шаг. Это в мультфильмах червяки были какие-то розовые, и когда она их рисовала. Бывали ещё зелёные червяки, и они высовывались из яблока, улыбались, но таких она точно никогда не видела. Она знала, что в мультфильмах рисуют животных и червяков не такими, какие они на самом деле. Еще она слышала, как Вася говорил, что видел большого червяка с глазами и зубами. Васе она, конечно, не поверила. Но было приятно думать и бояться: «Зубастые червяки, чтобы лучше тебя съесть, они не кусают, они откусывают, они... червяки, они...»

Тут Катя обнаружила себя в луже. Не то чтобы она совсем туда не хотела, но по лужам ходить было нельзя, и для тех, кто мог случайно видеть её, Катя всей своей фигуркой выразила неприятное удивление. Но из лужи не вышла. Было пасмурно, она нагуляла аппетит, детей не было, палочка сломалась, слова про червяков у неё закончились, одним словом — ей захотелось домой. Ей захотелось всех тех приятных вещей, которые ждали её там, потому что возможности улицы были исчерпаны вполне. Лужа была последней непробованной вещью во дворе. К тому же до этого момента Катя очень хорошо себя вела.

Вода была чистая и прохладная, но Катя не стала наслаждаться её проникновением в ботиночки. Вместо этого она стала разглядывать, как лежат в луже разбухшие розовые червяки. «Розовые! Вот они! — выпрыгивая из лужи, подумала Катя. — Надо их спасти, они же задохнутся под водой!» — И она заметалась по двору в поисках новой палочки, стараясь при этом не дышать. Так было проще представить, как мучились червяки.

Катя нашла палочку и вспомнила про свою будущую дочку: «Смотри, эти червяки в луже. Знаешь, почему они туда заползли? Они заползли туда потому, что они любят воду, они всегда ползают, когда идёт дождик, потому что они, как цветочки, пьют воду, чтобы расти. Когда светит солнышко и земля сухая, они там спят долго-долго, а от дождика просыпаются. Если поймать червяка и положить его на солнце на асфальт, он не сможет закопаться и засохнет. А потом его съедят муравьи». Она рассказывала так у себя в голове и выносила одного за другим червяков из лужи. Сильно размокших оставляла. «Червяки заползают в лужу, потому что любят воду, но они не понимают, что там им нечем дышать. Они так ползут в лужу, думают: „Как хорошо!“ А потом: „Ой, я задыхаюсь, я задыхаюсь!“ Но уже не могут выбраться, становятся розовыми и умирают. Мы должны спасать червяков. Чтобы спасти мир! Потому что, если червяков не будет, у нас будет море из мусора, потому что всё, что падает, так будет лежать всегда. Всегда! И мы умрём. Это круговодоворот. Круговодоворот!» От последних слов Кате снова захотелось посочинять зловещие заклинания, размахивая палочкой. Но она вовремя заметила, что дочка смотрит на неё. Плохой пример подавать было нельзя, и Катя продолжила воспитывать девочку: «Миленькая моя, смотри, спасённого червячка...» Тут она поняла, что если бы не маленькая девочка-дочка, она бы не сказала «червячка», она бы сказала «червяка». Но дочка была тут, и она сказала: «... червячка нужно положить на землю, где растёт травка. Твёрденькую землю он не умеет копать. Вот сюда, вот так». Она присела так, что её голова оказалась между коленок, раздвинула пучки мокрой травы, а там её поджидала другая, новая, казалось, совсем недосягаемая возможность. Катя не только мечтать не могла, ей и во сне не могло такое присниться.

Не то чтобы она не хотела найти коробок спичек...

Она подобрала его с надеждой, коробок намок, и Катя ещё не почувствовала, есть спички внутри или нет. Она открыла его и увидела коричневые головки. Коробок был похож на кроватку, а спички — на детей-сирот: так много было их в этой кроватке. Катя удивилась изо всех сил, чтобы тот, кто мог видеть её, понял: она вовсе не хотела их находить. «Спички — детям не игрушка, миленькая», — подумала она для дочки. А потом спрятала коробок в кармашек и подумала уже для себя: «Они очень мокрые, нужно идти домой. Быстро».

Дверь открыла мама и тут же прошла на кухню, где приятно шумел телевизор.

— Не замёрзла? — громко спросила она.

— Нет.

— Я тебе сейчас суп разогрею!

— Спасибо, не хочу!

Катя сняла шапку, вспотевшие волосы потянулись за ней. Стало приятно прохладно.

— Ты же так долго бегала!

— Попозже! — Она размотала шарф, и стало ещё приятнее.

Мама вышла в прихожую договариваться с дочерью.

— Обещай, что не будешь меня ругать! — выпалила Катя.

— Я не знаю. Что такое?

— Я шла, шла и так языком дождь ловила с неба, и вот... — Она показала на промоченные ноги.

— Катя! — Мама тут же присела и стала стаскивать с дочери ботинки и носочки. — Ах, ноги ледяные!

Вид у Кати был очень виноватый, пока мама не сказала, что она как лягушка. Это привело её в такой восторг, что ей пришлось немедленно зажмуриться, чтобы не разулыбаться. Но мама не увидела этого, она сняла с Кати курточку и, взяв дочь на руки по-лягушачьи, понесла в ванную.

Приятности, которые ожидали её дома, вступили в свою полную силу. Катя сидела на табуреточке, опустив ноги в тазик с тёплой водой, из которого поднималась белая пена.

— Приятно тебе?

— Да, спасибо, мамочка.

— Я тебе сейчас сделаю сладкий чай. Сиди, не налей воды на пол.

Как же Кате было хорошо! Она старалась расположить ножки так, чтобы они как можно глубже уходили в тёплую воду. Она опускала туда руки и хотела погрузиться в этот тазик полностью. Она знала, что, когда была маленькой, её купали в этом тазике, а сейчас она при всей своей гибкости и складности, даже с помощью мамы, не уложилась бы в него. А раньше её в нём купали, и как хорошо это было, а ещё раньше она была рыбой, и это было совсем хорошо. Катя думала так и старалась опускаться как можно глубже, но только раскачивала тёплую воду, которая поднималась выше и отступала, оставляя согретую на миг кожу мёрзнуть.

Мама принесла чай.

— Мама, а когда у меня день рождения?

— Ты вчера спрашивала.

— Я забыла. Ну скажи, пожалуйста.

— Я устала повторять: первого октября.

— Ну мамочка, через сколько дней?!

— Через шестнадцать. Позови, когда насидишься. — Она вышла.

«Шестнадцать дней, — думала Катя, — это много, и я буду ещё старше». Она перебирала руками пену, раздвигая её, чтобы увидеть свои ножки, но пена с неповторимым звуком заполоняла собой всё. «Интересно, через шестнадцать дней мама будет наливать мне воду в тазик? Я же буду старше. Мне будет шесть лет. Это уже одной рукой не покажешь».

Катя просидела бы так ещё очень долго, но пены становилось всё меньше, и вода становилась всё холоднее, поэтому, не насидевшись, она закричала: «Всё!»

Мама пришла вытирать. Катя посмотрела на свои сморщенные пальчики и вспомнила про червяков.

— Мама, а какого цвета червяки?

— Наверное, они коричневые и красные немного, иногда.

— А червяки в луже розовые и мягкие.

— Ты за ними туда влезла?

— Нет, я случайно. Солнце так мне в глаза...

— А вдруг твои ботиночки расклеятся? Я не знаю, что с ними будет от воды и сушки на батарее, вдруг они испортятся? Папа расстроится. Он любит эти твои ботиночки.

Тут Катя вспомнила про коробок и просто возликовала, что папа далеко. Она обрадовалась тому, что папа в командировке. Обычно она этому совсем не радовалась, наоборот, она не любила, когда папа уезжал куда-то по работе. Её тревожил сам момент папиного отъезда, ей не нравились объятия и поцелуи в прихожей, не нравилось смотреть в окно на то, как папа машет рукой, перед тем как сесть и из отъзжающей машины. Не нравилось ей провожать взглядом машину до поворота. Катя чувствовала тревогу происходящего, видела мамино лицо. А ещё ей не нравилась тишина и пустота дома после папиного отъезда, которую они с мамой, конечно, старались заполнить, но сразу не получалось. Кате не нравилось, что мама вечерами подолгу говорила с папой по телефону и закрывала дверь в комнату. Не нравилось, когда мама звала её и давала телефон, чтобы поговорить с папой. Папа задавал дурацкие вопросы, а она отвечала скованно и сухо, как малознакомому человеку или доктору. Катя всегда ждала папиного возвращения, считала дни. Часто сидела на подоконнике в надежде увидеть подъехавшую машину и чтобы из неё вышел папа. Но она не любила его возвращения, потому что мамы сразу становилось мало.

«Хорошо, что папы нет дома и завтра тоже не будет... Вдруг ботиночки его любимые испортились навсегда. И папе совсем не понравятся спички...»

Катя вспомнила, что спешила домой, чтобы скорее высушить спички. И как она могла забыть о них! Она вспомнила, что мама снимала с неё куртку! Что будет, если мама решит вытряхнуть из Катиных карманов очередной гербарий? А спички, вдруг они уже испортились и их поздно сушить?

— Катя, что с тобой случилось? — Мама не ожидала, что её воспитательное опасение произведёт на девочку такой сильный эффект. — Успокойся, с ними должно быть всё в порядке, пойдем есть, ты уже дрожишь от голода.

— Можно бутерброд? Я не хочу суп.

— Ах, нужно есть что-то жидкое, нельзя питаться одной сухомяткой, это вредно. Ты понимаешь, Катя? Бутерброд будешь после супа.

— Угу.

Мама занялась разогреванием супа и приготовлением бутерброда, а Катя тихо направилась к коробку. Сначала она залезла не в тот карман куртки и успела заволноваться. Нужно было незаметно пристроить коробок на батарее. Катя заметалась в поисках подходящей, и, когда она была в своей комнате, мама позвала её есть суп.

Катя сунула коробок в ящик с игрушками и пришла на кухню сама не своя, ела суп как никогда быстро, а бутерброд не доела. Мама осталась недовольна Катиным настроением, поэтому она решила не оставлять дочь предоставленной самой себе и стала придумывать для неё разные интересные занятия. Когда пришло время спать, у Кати сразу заболел живот, она захотела сначала в туалет, потом сидела на кухне и доедала бутерброд. Шестнадцать дней! Ей так хотелось, чтобы они не заканчивались никогда! Чтобы дни не уходили.

Катя уже лежала в своей кроватке одна, и ей было так себя жалко, что глаза заполнялись слезами. И от этого свет из приоткрытой двери давал длинные лучи. Она прищуривалась, лучи удлинялись, и это занятие заняло её так, что она забыла плакать, поэтому пришлось прерываться на размышления, чтобы снова загрустить по уходящим дням. Скоро плакать перестало получаться, и Катя начала засыпать. Наступило то сладкое состояние, когда остатки дня протекают неповторимым порядком в темноте. Катя уловила это состояние и подумала: «Но на этот раз я точно запомню, когда усну». И эта мысль разрушила весь поток. Катя, сама того не подозревая, стала составлять свой собственный и ждать, на каком моменте уснёт. В этом потоке она и наткнулась на коробок.

Как же было страшно и неприятно вылезать из-под одеяла и опускать ноги на пол! Пока Катя лежала, она стала такой тёплой и мягкой, что всё вокруг, хотя и не было твёрдым и холодным, стало таким. Катя прошла на цыпочках, но поняла, что цыпочки в книжках и по телевизору — неправда, что это совсем не бесшумно, а, наоборот, очень трудно и даже громко. Она вспомнила лёгкость, с которой персонажи мультфильмов скользят на цыпочках, и ей стало обидно, что на самом деле всё совсем не так. Она открыла ящик и увидела там черноту. Катя не знала, насколько глубоко в ящике и где там спички. Зато она отчетливо в ту же секунду нарисовала себе того, кто там живёт, и решила сейчас же вернуться под одеяло. Решила и быстро вернулась, забыв про цыпочки.

Она свила кокон, совершенству которого на какое-то короткое время не было предела. Она то и дело подтыкала под себя одеяло, но где-то в ногах всё равно задувало, а туловищу было жарко. Она вжимала в себя своих игрушечных зверей, а разноцветные пятна в темноте перетекали в таких страшных существ, что Катя думала только о том, чтобы мама зачем-то зашла к ней. «Мама», — выдохнула она и прислушалась с надеждой. Сразу громко позвать было нельзя. Но ей казалось, что у неё не получилось. «Мама, мамочка», — шипела она протяжно, прислушиваясь по полминуты, пока коротко и звонко не сказала «Ма-ма». И та пришла. Всё стало хорошо.

II

— С добрым утром, — мама целовала Катю в щёку, — пора просыпаться.

Катя не открывала глаза, но уголки губ так и тянулись вверх.

— Хватит притворяться.

Катя вся сжалась, зажмурилась, а мама стала тискать её. Тогда она звонко заверещала:

— Пусти, пусти меня, мама, а-а! А-а-а! Ха-ха-ха-а! А-а!

Мама пустила, и Катино писклявое «а-а-а» сначала опустилось, а потом ушло в выдох.

— Мы сегодня идём в гости к Лене с Васей, — сказала мама и встала с кровати. — Я тебя не будила, ты так сладко спала! Но теперь нужно спешить.

Мама вышла, а Катя села и окинула взглядом разложенную на кровати одежду. Всё было приготовлено как для похода в гости. Катя встала, поплелась в ванную. Мама там делала что-то с лицом и кремом. Катя залезла на унитаз и вся свесилась за попой внутрь:

— Мама... Мам!

Мама вздрогнула, увидев Катю в унитазе.

— Можно я не пойду к Васе?

— Катя, вылези, тебе разве так удобно?!

Но Катя ещё не проснулась и, прищурившись, прохрипела:

— Можно я дома побуду?

— Нет! Будет хорошо. Лена сказала, приготовит свой пирог, помнишь, тебе понравилось в прошлый раз?

— Я не хочу к Васе! — Она хрипло захныкала, потом слезла с унитаза, встала на табуреточку и начала медленно мылить руки с закрытыми глазами. Только ладони.

— Вася тебя пугает чем-то? Мыль хорошо, пожалуйста!

— Нет, не пугает.

Мыло выскочило и заболталось в раковине. Мама подняла Катю и повозила мокрой ладонью по её лицу, выловила мыло и положила на место.

— Чисти зубы и беги одеваться, завтракать не будем. А с Васей ты не будешь играть, он будет долго в школе, потом ему надо будет заниматься, будешь со мной всё время!

— А Дима? — спросила Катя ноющим голосом. Дима был Васиным папой. Для Кати он был слишком громкий. Ей всегда хотелось заткнуть уши, когда Дима говорил и особенно смеялся. А ещё Дима любил Катю тискать, бросать к потолку и больно запускать ей пальцы между рёбер. Катя видела, что Дима думает, что ей это всё очень нравится, и не решалась переубедить Васиного папу. Катя терпела и утирала слёзы тайком. Она знала, что Диму все любят, а значит — нужно терпеть.

— Дима уехал на рыбалку. Его не будет.

Катя не посмотрела на маму и ничего не ответила, она смотрела в зеркало на то, как у неё получается хмуриться. И осталась довольна. Паста у неё была клубничная и вкусная, Катя немного её поела, потом посмешивала её с маминой и начала чистить зубы только тогда, когда всё зеркало было забрызгано и мама стала её поторапливать. Кате было неплохо, даже интересно возиться с пастой, но она успевала входить в образ, когда мама забегала в ванную.

У мамы что-то шло не так, она каждый раз появлялась в новой одежде и что-то совершенствовала. Катя вернулась в свою комнату и посмотрела на то, что лежало перед ней. Потом вздохнула и стала натягивать штаны. Натянула, села и посмотрела на колготки. «Может, есть какой-то способ надеть их, не снимая штаны...» Она задумалась ненадолго и решила, что нет.

— Ма-а-а-а-ам! Ма-а-а-а-ма!

— Что?!

— Можно, я колготки не буду надевать?!

— Не-е-ет!

Катя стянула с себя штаны, с трудом вытащила из них по очереди ноги так, что штанины вывернулись наизнанку. Потом упала на кровать, закуталась в одеяло и стала ждать. Мама возилась в ванной. «Я случайно легла и уснула, — мысленно репетировала Катя. — На этот раз должно получиться». Кажется, она лежала так очень долго и вся вспотела.

— Катя, ты одеваешься? Твои ботиночки высохли, и с ними всё в порядке! Слышишь?!

Но Катя задержала дыхание и, чтобы наверняка, закатила глаза под веками.

— Катя! Тут Тучка нашлась! Она всё это время сидела в корзине с бельём!

Катя сейчас же раскрылась и побежала в ванную.

— Тучка! — Катя потянулась к красивой серой кошке на руках у мамы.

— Не нужны мы ей совсем, — сказала мама. — Да, Туча? Ой! — Тучка толкнулась и очутилась на полу. Катя едва успела коснуться её хвоста, и кошка скрылась. — Улетела!

Катю всегда приводило в восторг, когда мама говорила так про Тучку, и она рассмеялась.

— Катя! — воскликнула мама, увидев Катю в трусиках. — Одевайся, быстро!

Катя вспомнила про своё хитрое предприятие и, громко топая, пошла в комнату. Мама решила пойти за ней. Она подавала ей одежду в нужном порядке, а Катя резкими движениями засовывала то ноги в штанины, то руки в рукава.

— Будет хороший день, — сказала мама. — А Васе не дадим тебя пугать. Он большой, ему с тобой неинтересно, будет заниматься своими делами, но мы попросим его дать поиграть его игрушками.

В ответ на всё Катя только мычала.

III

— Здра-а-а-асте!

— Прив... Не через порог!

Мама шагнула в квартиру, в которой пахло обещанным пирогом, и втянула Катю за собой. Подруги поцеловались.

— Привет! Мы с Катей провозились, конечно, извини.

— Здравствуй, моя любимая девочка! — Лена присела и поцеловала Катю.

— Здравствуйте, — улыбнулась она, глядя в пол.

— Ничего, что вы задержались, я как раз всё успела. — Она принимала из рук мамы её и Катину куртки. — Только не уверена насчёт пирога. Нет, обувь лучше сюда поставить.

— Спасибо.

— Спасибо, — повторила Катя за мамой.

— Там свет в туалете справа включается, — сказала Лена, проходя на кухню, предварительно указав пальцем. — Когда у Кати день рождения, я забыла?

— Через пятнадцать, ой, то есть первого октября, ах-ха, она меня каждый день спрашивает, через сколько дней, вот я уже и отвечаю! — Мама с нетерпением вымыла руки, пришла к подруге и с интересом посмотрела на то, что подруга им готовила. — Красота! — обрадовалась мама. — Лен, а Вася дома?

— Нет, ты что, какой дома, у нас же школа, — сообщила Лена так, будто кто-то умер.

— Вот видишь, Катя, Вася в школе, — ещё больше обрадовалась мама и осеклась. А Катя радостно вбежала за ней на кухню и сделала вид, что ей всё равно. — Давай я буду помогать?

— Да, вот, ставь на стол. И учительница нас не любит. Такая гадина! Говорит: «Вася, я тебя не люблю и не буду любить». Представляешь?

— Да не может быть!

— Нет, может, я звонила мамам других мальчиков, всех она не любит, но Васю особенно. Невзлюбила прямо, не школа, а одно сплошное расстройство.

Подруги носили что-то к столу, а Катя каждый раз оказывалась на пути у обеих.

— Не крутись под ногами! Лена, можно, она пока в Васиной комнате позанимается?

— Да-да, пойдём.

Лена открыла дверь в Васину комнату: «Фу, как тут душно». Она замахала руками и подбежала к окну, звонко открыла шторы, захрустела форточкой. По полу к Кате разлился солнечный свет, и она увидела, как сильно изменилась комната с тех пор, как она была в ней в последний раз. Солнечный свет теперь ни обо что не спотыкался, ни о железную дорогу, ни о солдатиков, ни о кучу серых мальчишеских игрушек. Она стала большой комнатой, Катин взгляд тоже ни обо что не спотыкался, падал сразу на пол, стены или потолок, едва цепляясь за модель корабля, глобус и какие-то плакаты с разноцветными буквами и цифрами, — Вася ушёл в школу.

— Ну я не знаю, чем тебе можно позаниматься тут. — Она открыла шкаф, где лежало то, что обычно было разбросано по полу, и вытащила пару коробок. — Вот, занимайся, только позови, если замёрзнешь, — я окно закрою.

Катя поблагодарила и осталась одна. Из коробок тоскливо торчали Васины игрушки вперемешку со всяким хламом. Ими Вася определённо давно не играл. Катя точно знала, что этот робот без головы лежит тут только потому, что Вася жалел его и обещал себе обязательно его починить и играть с ним потом. А может быть, он даже дал себе слово починить его, когда вырастет, вспомнив, какая точно у него была голова. Или когда у него появится время после школы, даст объявление: «Разыскивается голова! Может быть, у вас был такой робот в детстве (фото в объявлении). Если вы узнаете эту модель, позвоните по телефону (телефоны, вихрящиеся по нижнему краю объявления)». Объявление было нужно для того, чтобы Вася передал робота своим детям, чтобы с ним постоянно играли дети и у робота была бы бесконечная жизнь. Катя потянула его из коробки, и всё, что там лежало, тоже потянулось, потом оборвалось, прогремело и застыло.

Она смотрела на робота и представляла, где сейчас может путешествовать его голова. Катя думала про объявление и про то, что можно попросить мастера сделать новую. Она не думала о том, что настоящая голова могла каким-то чудесным образом отыскаться. Это было бы слишком фантастически. Она знала настоящее, возможное решение. Нужно было только вырасти и не забыть, не забыть, не забыть, став взрослой, про этого робота. В том, что она не забудет, Катя не сомневалась, поэтому она стала переживать за Васю, в голове закрутилось: «Помни Вася, помни, помни, кто ты». Она сидела уже вся в слезах, обнимала робота: «Он должен жить вечно, дети должны всегда с ним играть, его сделали для того, чтобы он играл с детьми и их радовал».

Тут Катя вспомнила про вечную жизнь и про то, что она о ней думает благодаря многочисленным злодеям из мультфильмов, а именно, что вечная жизнь — это очень больно: смотреть на то, как стареют и умирают твои родные и близкие, и, может быть, потом скитаться одной по планете (в том случае, если червяков не станет и все умрут от мусора). Катя совершенно точно по этой причине не хотела вечную жизнь. Или хотела, но при условии, что все её родные будут такими же бессмертными, как она. Здесь возникали другие трудности. Катя знала, что бессмертие она не приобретёт завтра, что, как и все чудеса и волшебные силы, она получит его, когда будет уже большая. Бабушка может уже умереть, мама может уже постареть и, как бабушка, захотеть в рай. «Если маму застанет бессмертие в старости, она из-за меня будет вечно старушкой, у неё будут, как у бабушки, всегда болеть ножки, и она не сможет гулять, и тогда ей лучше и правда будет умереть и отправиться в бабушкин рай, в смысле в тот рай, о котором рассказывала бабушка». На этой мысли Кате стало совсем страшно. Лицо искривилось, она взглянула на игрушку, чтобы найти в ней утешение, но у робота не было ни глаз, ни рта, поэтому она закричала:

— Мама! Лена! Мне холодно!

IV

— Вам остался всего год до школы, а он пролетит... А потом начнётся! — говорила Лена, наливая всем чай.

— Мне сладкий, пожалуйста! — попросила Катя, и Лена опустила в Катин чай белый сахарный песок. Он утонул, потускнел и завертелся, растворяясь под Катиной ложкой.

— Вася тоже только такой чай пьёт.

— Катю я приучаю без сахара, но по особым случаям она пьёт сладкий. И в гостях, например. — Мама улыбалась Кате.

— В школе чай всегда сладкий, — серьёзно сказала Лена.

— Да, и в детском саду тоже, — спокойно ответила мама.

— Да, в детском саду у нас всегда сладкий чай! И красивые узоры сверху плавают! — с гордостью сказала Катя, обрадовавшись, что наконец-то заговорили о том, в чём она что-то смыслит.

Подруги засмеялись, а Катя обиделась. Она стала медленно погружать в чашку кончик губки, усердно втягивая в себя воздух. Мама всегда делала чай идеальной температуры, а что ждать от этого чая, Катя не знала.

Было странно: она знала, что огонь обжигает и чаем можно обжечься. Но чай — это вода, а вода побеждает огонь. Почему тогда чай мог обжечь, если он должен тушить? И что, если пожар тушить горячим чаем, огонь станет ещё больше? Наконец Катя дотронулась и втянула губкой немного жидкости, страшно хлюпнув и вздрогнув. Она тут же отстранилась, чтобы перевести дух. Чай оказался горячим и совсем не таким, какой она хотела, то есть не такой, какой ей вчера приносила мама. От горячего чая Катин язык стал шершавым.

— Да. Всего год до школы, — вздохнула мама. — Мы решили, как вы Васю, отдадим в семь лет.

— Да, в семь, думала, пусть ещё побегает мальчик. Можно было бы — я бы вообще не отдавала.

— Правильно. Но мы в меньшинстве. Все рассуждают просто: раньше начнёшь, раньше закончишь.

— Да, но после школы некогда уже будет бегать, — очень серьёзно сказала Лена. — Мы решили иначе.

«Да, робота надо будет чинить, — подумала Катя. — Но столько времени пройдёт... В школе учатся очень долго, главное — чтобы Вася не забыл».

V

— Ты будешь учиться там дольше, чем живёшь, — строго и жутко сказал Вася.

— Что? — совершенно испуганно спросила Катя.

— Сколько, скажи, тебе лет?

Она робко выставила из-за спины одну ручку, растопырив пять пальцев.

— Ты так до старости на пальцах показывать будешь?

— Пять, — исправилась Катя, — но через четырнадцать дней мне будет шесть.

— Ты будешь учиться там дольше, чем пять лет, и дольше, чем шесть. То есть дольше, чем живёшь.

Катя попятилась назад. Ей казалось, что она жила уже очень долго. Она жила всегда и другого не знала. Не знала и не могла представить.

— Что, испугалась?

— Нет, я просто хочу к маме.

— Не бойся, я тебе ещё расскажу...

— Я соскучилась по маме! Я сейчас! — и Катя убежала на кухню, не дав Васе договорить.

Она уткнулась в маму лицом и обхватила руками.

— Что, Кать? Не висни на мне, мне тяжело.

— Мам... Мам, можно я тут немножечко побуду?

— Мо-по-мо-по-бу? Не мямли и голову подними, ничего не поняла.

Катя подняла лицо и повисла у мамы на шее.

— Ш-ш-ш! Тут чай горячий! Обожжёшься!

— Можно, я с тобой немножечко побуду?

— Да что такое? Конечно, побудь.

Катю усадили за стол.

— Лен, он хотел в школу идти?

— Хотел, каждый день что-то спрашивал про школу. Сколько дней осталось, сколько дней. — Мамы рассмеялись.

Кате положили кусок пирога.

— Мам, сколько ходят в школу?

— Десять лет.

— Одиннадцать, одиннадцать, — исправила Лена.

— Да, уже одиннадцать. А когда я была маленькой и Лена тоже, мы учились десять лет.

— Это очень долго, — многозначительно сказала Лена Кате.

— Да-да, это пять лет, сколько тебе, и потом ещё раз пять лет. И плюс ещё один. — Мама взяла Катины ручки ладошками вверх и растопырила пальчики. — Липкие... Вот! Пять пальчиков на одной ручке и пять на другой. — Она подержала Катю за каждый пальчик на одной руке, а потом на другой. — И ещё ... — Мама задумалась, где ей взять одиннадцатый год. — Вот! — И она ткнула пальцем Кате в живот, отчего та так сильно брыкнулась, что на столе всё загремело. Мама опомнилась и, поправляя соскочившую со своих мест посуду, очень весело сказала: — Ой, Лена, прости! Вот я дура-то!

Кате это всё понравилось. Она посидела ещё немного. Но быстро опомнилась и заволновалась. Нужно было возвращаться к Васе. Он мог подумать, что Катя просто испугалась, а не соскучилась по маме. Катя отодвинула расковырянный пирог:

— Спасибо, было очень вкусно, можно выйти из-за стола?

Вася её давно ждал. Его лицо ничего хорошего не предвещало.

— Ну что? Вернулась?

— Угу. — Катя стояла у порога и смотрела в пол.

— Дверь закрой. И ближе подойди. Не стесняйся.

Она закрыла и подошла.

— Хочешь, я покажу тебе фокус?

Катя помотала головой.

— Что?

— Нет, спасибо, — сказала Катя.

— Что? Я не слышу?

— Нет, спасибо! — прокричала она.

— Что?!

— Не-е-ет!

— Что-что?

Катя поняла, что Вася дразнит её, и просто помотала головой, чтобы не показаться невоспитанной, на случай, если Вася всё-таки не шутит.

— Знаешь, что это такое? — и Вася медленно и значительно достал из кармана коробок спичек. Катя вздрогнула. Ей сначала показалось, что Вася достал её коробок. Что он как-то всё прознал, пришёл к ним домой и отыскал Катины спички в её комнате, в коробке с её игрушками. Сердце Кати стало малюсеньким, а глаза огромными... Вася показался ей страшным волшебником или ужасно умным и злым фокусником... Однако коробок в Васиной руке был новенький, блестящий, с ярко-жёлтой наклейкой. Катин же коробок был блёклый, потёртый и вовсе без этикетки... Сообразив это, Катя смогла дышать.

— Ха-ха! Не знаешь, малявка! Это огонь! — Вася очень красиво и, как показалось Кате, под неслышную музыку открыл коробок. Катя наклонилась, чтобы посмотреть.

— Нельзя! Тебе нельзя на это смотреть! Спички детям не игрушка! — Вася отвернулся и через некоторое время повернулся, держа одну спичку. Потом помотал ею у Катиного носа так близко, что она её не смогла разглядеть. — Сейчас я покажу тебе фокус!

— Я хочу к маме!

— Опять... Нет.

— Я хочу в туалет.

Вася ненадолго замялся.

— Я пойду с тобой... То есть я постою за дверью и посмотрю, чтобы ты никуда не смылась. — Он сунул коробок в карман, схватил Катю за руку и потащил в туалет. — Быстро, и не пробуй убегать!

Он впихнул её внутрь, почти захлопнул дверь, но так, чтобы мамы не слышали. Катя осталась в туалете одна. Для того чтобы Вася не подумал, что Катя просто испугалась, она залезла на унитаз и стала думать, как бы пописать и как избежать этого фокуса со спичками. Её всю колотило от страха. Придумать ничего не получалось, пописать тоже. Катя смотрела на плитку в туалете, на её рисунок и швы. Одни швы были нарисованные, другие настоящие. Всё блестело.

— Что-то ты там долго! — коварным голосом проговорил Вася.

За его словами последовал щелчок выключателя, и в туалете стало совершенно темно. Катя испустила ужасающий писк.

— Вася! — послышалось из кухни. Свет снова включился.

Катя отдышалась и слезла с унитаза. Оторвала пару листков бумаги, бросила их в воду и нажала кнопку. «Может, и правда „смыться“, как в мультфильмах?» Оставалось только помыть руки и пойти на смерть.

Дети вернулись в комнату. Вася протянул Кате стакан с водой.

— Если что-то пойдёт не так, у тебя будет одна попытка потушить пожар. Поэтому не разлей раньше времени.

— Но... в доме нельзя. Тут может всё загореться.

— Кто не рискует, тот не пьёт шампанское!

«Это шампанское?!» — удивлённо подумала Катя и уставилась на стакан. Она совсем не понимала, что происходит. Её сердечко колотилось.

— Дамы и господа! Смотри сюда, — поправил Вася. — Встречайте! Только сегодня и только у нас выступает адский поджигатель!

Кате снова показалось, что заиграла музыка, Вася же отвернулся и повернулся уже со спичкой, поднятой вверх. Кате казалось, что стакан сейчас лопнет у неё в руках. Вася резко опустил спичку, чуть не ткнул ею Кате в глаз, та отпрыгнула, и вода хлюпнула на пол. «Это хорошо, — подумала Катя, — если спичка упадёт, пол не загорится».

— Сейчас адский поджигатель подожжёт эту спичку и прибудет царство огня! Огонь! Огонь! Ого-о-о-онь! Ха-ха-ха-ха! — Вася почти рычал не своим голосом, потом затих: чиркать спичкой и одновременно злодейски смеяться у него не получалось. Он почиркал, правильно держа спичку, и с третьего раза она вспыхнула. Можно было рычать дальше. Он придумал потушить спичку в Катином стакане, но Катя отскочила, увидев, что Вася тянет к ней огонь, и он едва успел его задуть.

Вася перевёл дух и продолжил:

— А сейчас вы увидите самый воспламеняющий фокус! Смотрите не обожгитесь!

Он зажег ещё одну спичку, а Катя не знала, что делать: жмуриться или смотреть. Но решила всё-таки смотреть. Вася поднял горящую спичку, поднял, она горела, поднял ещё выше, а потом взял... и сунул её в рот.

Это поразило Катино воображение, у неё перехватило дыхание, и она застыла.

— М-м-м, остро, как я люблю! — Вася вынул изо рта потухшую спичку. — И не старайтесь повторить это дома!

«Ещё чего», — подумала Катя. Она смотрела то на Васю, то на потухшую спичку, которая только что горела, и совсем не понимала: «Как?!»

— Отдай же! — Он сначала не мог забрать у Кати стакан и выплеснул ещё немного воды на пол. — Последний штрих!

Вася запрокинул голову со стаканом, допив оставшуюся там воду, и номер был завершён.

Катя не знала, как жить дальше... ещё минут тридцать.

VI

— Та-а-а-ак, по-моему, тебе горячо! — заметила мама, к Катиной радости. — И чего молчишь?

Катя не поняла замечания. Она от усердия завозила шершавым языком по нёбу. В гостях нужно быть вежливой, а значит — делать всё то, что не хочется, повторяя за мамой, и скрывать всё, что не нравится. И ждать, когда мама спасёт.

— Обожглась? Ну вот. Бедная! Лена, где водой можно разбавить?

— Зачем водой... У нас есть лёд, — гордо сказала Лена и довольно ловко, но громко гремя, достала из морозилки форму со льдом.

В Катину чашку бултыхнулось два кубика, и они тут же звонко треснули. Катя была в восторге. Она ещё старательнее стала тереть нёбо шершавым языком.

— Вылови его ложкой и во рту подержи, — сказала мама, снова к Катиной радости. Она как раз этого и хотела, но в глубокой задумчивости ничего маме не ответила. Как только Катя обожглась, она сразу же вспомнила про спички.

Один кусок льда быстро таял у Кати во рту, другой — в чашке. Не прошло и минуты, как их не стало. А в гостях, Кате казалось, они сидели ещё очень долго. Коробок со спичками, оставшийся дома без присмотра, тревожил, пугал и тянул одновременно.

VII

Дома волнение не закончилось. Коробок спичек так и пульсировал основной мыслью и идеей. Однако жечь спички в комнате нельзя. И надо уединиться там, где есть вода. Стемнело, на улицу не выпустили. Только что закончились

«Спокойной ночи, малыши». И сегодня больше нечего было ждать, кроме завтра. Но ждать завтра означало просто лечь спать. А спать было не просто самым скучным занятием — это было унизительно. В довершение всего мама сказала, что в понедельник (ужасное слово) Катя возвращается в садик, а она — на работу. Катя этого всего совсем не заслуживала, она чувствовала сильную несправедливость и нежелание... Нежелание и несогласие. Она была очень обижена, сразу вся раздулась, стала громко топать при ходьбе, перестала отвечать на вопросы.

— Дочь, мне нужно идти на работу, чтобы зарабатывать деньги. Папа работает всё время, чтобы зарабатывать деньги. Тебе же понравилось на море. И на самолёте понравилось летать. Ты не можешь сидеть дома одна, потому что ты маленькая, ты должна пойти в детский сад. Там за тобой присмотрят и будут ухаживать, ты же знаешь. Детский сад — это сад для детей. Там всё для детей: маленькие стульчики и столики, маленькие кроватки. И все дети там играют. Там очень добрая воспитательница. Она по тебе соскучилась. Ты будешь там спать днём, и у тебя будет завтрак, обед и полдник, не то что дома. — Мама усмехнулась. — Не спорь с матерью! Ты ещё маленькая, чтобы сидеть дома одна, ты не можешь о себе позаботиться! Если я уйду, вдруг будет пожар! Пожар — это ужасно! А ты у нас самое ценное... И детский сад — это такая детская работа. Ты в детском саду помогаешь мне и папе работать.

Глаза Кати заволокло, и она мысленно обняла свою будущую дочку: «Да! Может случиться пожар!..» Катя что-то придумала и побежала в ванную комнату, постояла там немного, потом вспомнила, зачем пришла, и вернулась в комнату за спичками, а потом снова в ванную. Там она помаялась, затем тихонечко прокралась, чтобы убедиться, что мама смотрит кино, а потом уже совсем решительно вернулась в ванную.

— Знаешь, почему мы в ванной? Почему мы выбрали эту комнату? Потому что здесь много воды. Это царство воды. Помни, что вода всегда побеждает огонь. И если будет пожар, ты должна будешь тушить его водой, ты можешь облить себя водой, и тогда ты не сгоришь, ты можешь прибежать сюда и лечь в ванну. Огонь не сможет к тебе прикоснуться. Здесь сейчас я покажу тебе силу воды. Вода! Вода-а-а!

Катя открыла кран и достала спичку, чтобы зажечь её. И, правильно держа, как Вася, зажгла огонь. Она делала это так, будто зажигала спички каждую минуту, всю свою жизнь. Она не вздрогнула, не выронила её, когда спичка зашипела и вспыхнула. Зато дочка вздрогнула и заплакала от страха. Тогда Катя почти сразу же стала рычать: «Огонь! Ого-о-онь!» — а потом сунула её под струю воды. Спичка погасла, силы воды победили её. Катя увидела дым, вспомнила, что во время пожара нужно дышать через мокрую тряпочку, и сообщила об этом дочке. Дочка взяла мокрую тряпочку и стала дышать через неё. За своё здоровье Катя не боялась. Здоровье дочки было важнее. Катя просто хотела предостеречь дочь, и возможный вред, нанесённый здоровью. «А теперь я тебе покажу всё могущество воды, смотри. — Катя высунула язык, показала на него пальцем и продолжила: — На яфыке флюни, а флюни — это фота». Но Кате сразу не понравилось звучание этой фразы, и она повторила её, предварительно спрятав язык: «На языке слюни, а слюни — это вода. И вода!.. — Она вытащила спичку. — Вода!.. — Она зажгла её. — Побеждает огонь!» — Она высунула язык, зажала его губами и затушила спичку. И огонь, и вода, и дочка — все они исчезли в ту же секунду. Катя превратилась в сгусток напряжения и боли. Он сжал ей веки, впрыснув под них текучей красной краски. Сдавил воздух внутри. Он забрал у неё все мысли и желания, вернее, несогласие и нежелание, которые у неё были совсем недавно, а потом начал так же болезненно их возвращать. Кате захотелось того, что ждало её каждый раз, когда ей было больно или плохо, — маминой ласки. Это желание обычно вырывалось из неё в виде рёва, когда она разбивала коленки на бегу или прикусывала щёку. Рёв беспрепятственно вырывался из груди и лился наружу, он разрывал сердце маме, и его осколки быстро успокаивали боль, не так быстро останавливали при этом рыдания, зато буквально на глазах залечивали любые раны. Сейчас рёв зрел в Кате, разрывая её собственное сердце, но она почему-то не давала ему вырваться наружу. Она сделала что-то такое, о чём никто не должен был знать. Особенно мама. Поэтому ничто: ни мамины поцелуи, ни раздувания, ни, может быть, зелёнка не могли облегчить её страдания. «Зачем их придумали? Зачем кому-то они нужны? Зачем они продаются в магазине? Зачем кто-то их купил? Зачем мне было их находить?» Она была не согласна. Катя сунула коробок под лежащие стопкой полотенца. С глаз долой. Ей снова вдруг захотелось броситься к маме, но снова её что-то остановило. «Я разобью ей сердце, если она узнает, что я, маленькая, хорошая девочка, её маленькая дочка, играла со спичками. Они все меня очень любят, очень-очень, они думают, я очень хорошая».

Катя стала тихо и горько плакать, сидя на табуреточке. Ей было так невыносимо, что она не могла плакать только из-за случившегося. Она стала плакать и из-за робота без головы, и из-за розовых мёртвых червяков в луже, и за Васю, который ходит в школу. Язык очень болел. И некому было её пожалеть в целом свете. Тут Катя вспомнила про Тучку, которая утром спала в корзине с бельём. «Животные же чувствуют, когда человек боится или ему плохо. Животные знают, когда человеку больно, и могут зализывать ему раны». Она с надеждой открыла корзину с бельём. Толстая Тучка выпрыгнула оттуда и стала нервно нализывать лапу, потом подбежала к двери и стала скрестись.

— Тучка, Тучечка, — с надеждой и лаской говорила Катя, стоя у корзины. Но кошка и ухом не пошевелила. Катя приоткрыла ей дверь, толстая Тучка протиснулась наружу, а Катя снова вся сморщилась от слёз. Всю жизнь просидеть в ванной она была готова, но не могла. Она знала, что рано или поздно ей придётся выйти и что-то делать. А там... шумел телевизор, мама планировала, что наденет завтра, думала о своём.

— Давай выпьем чаю! Нашего, вкусного, — сказала мама, увидев тихонечко вошедшую в комнату Катю. — А к Васе мы больше не пойдём. Он тебя подавляет, мне кажется.

— Давай чаю, мама!

Того самого чаю, идеальной температуры, с идеальным соотношением всего, которому Катя сначала сильно обрадовалась, но потом поняла, что пить после происшествия со спичками больше не может. «Мама делала этот чай с такой любовью, с такой любовью, — у Кати помутнело в глазах от слёз, — а я не могу выпить его, и он пропадёт». Она отодвинула его и спросила дрожащим голосом:

— Мама, а когда у меня день рождения?

— Через пятнадцать дней. Точнее, уже через четырнадцать.

«Ко дню рождения мой ожог уже, наверное, заживёт. И тогда я снова смогу пить мамин чай. И всё будет хорошо. С такой любовью делала, с такой любовью...»

Катя сидела так и думала о том, какая она несчастная, как она хочет, чтобы язык скорее перестал болеть, а потом незаметно для себя стала думать про жуков, про то, как хорошо было бы проверить завтра во дворе сохранность своего секретика, который она сделала давно, три дня назад, и совсем о нём забыла, стала надеяться на то, что Аню завтра тоже выведут гулять. Аня лучше Кристины из дальнего подъезда. Пусть лучше будет Аня, а Кристины не будет вовсе. А ещё завтра надо закопать в землю спички... Нет, бросить в лужу... А то в земле червяки. В луже тоже червяки, но уже мёртвые, им не страшно.

— Мы сегодня говорили с Леной про школу, — сказала мама. — Так вот, не надо бояться школы. Это Васе там не нравится. Но Вася такой мальчик. Ему всё не нравится. И учительница им недовольна. Это же Вася! А тебе там понравится. Новые подружки... Маленькие стульчики, маленькие парты — всё для детей! У тебя будет учительница, которая будет учить детей читать и писать, там будет очень много детей, и все они будут...

А Катя подумала: «Год до школы... Я что-нибудь обязательно придумаю, чтобы туда не ходить. Я буду думать, думать и придумаю такие слова, чтобы мама поняла, что мне туда не надо. Мне лучше быть дома... А то я опять найду что-нибудь опасное, злое... Сделаю что-нибудь не так... А меня мама так любит... Мне не надо в школу... Но впереди целый год. Это день рождения скоро... А школа... Я обязательно придумаю что-нибудь...»

31 января

Завтра в первый раз в наступившем году выйду на сцену. Исполню для своих земляков в Калининграде «Шёпот сердца». Все билеты раскуплены. Я полностью готов. Год в этом смысле начинается хорошо.

Что ещё мною сделано в этом году? Написал пьесу, так быстро, что сам от себя не ожидал. Когда её замышлял, думал, что буду работать над ней до середины февраля. Но удивительным образом удалось закончить её уже 20 января. Перечитал сегодня с утра. Уверен, это моя лучшая пьеса. Простая, ясная и очень театральная.

Однако она закончена, а творческих сил ещё много.

Поэтому уже 22 января, вечером, начал писать, как сейчас понимаю, объёмное произведение. Это будет полудокументальный роман под названием «Театр отчаяния, Отчаянный театр».

Написал уже две увесистых главы. Работа увлекла, и вижу, что заниматься этим произведением буду долго. Хочется в тексте воспользоваться разными стилями и продемонстрировать самые разные свои возможности.

Всё мной перечисленное отвлекает меня от всех тех глупостей, которые творятся вокруг. Кто-то мне пишет, спрашивает про уже случившиеся скандалы, а я не в курсе. Суета всё это. А те глупости, о которых я знаю, — тоже суета. Вот назначили фильм «Про любовь» лучшим фильмом прошедшего года. Глупость? Конечно, глупость! Но нельзя же к глупостям относиться всерьёз и уж тем более по этому поводу переживать. К тому же из чего выбирали?

Вопреки всем самым чудовищным прогнозам ожидаю от наступившего года хороших событий. Пусть не в области экономики или политики, но в области важных смыслов и каких-то существенных переосмыслений.

Нынче и с погодой приключения. В Калининграде погостила зима две недели — и всё. Никакого даже намёка на зиму не осталось. Плюс 8°C, зелёная трава, ветер и запах оттаявшей земли.

Ветер сильный, такой, какой кому-то приносил Мэри Поппинс, а у кого-то уносил вагончик с девочкой и маленькой собачкой. Но уносил-то на голову ведьме и к началу дороги из жёлтого кирпича, которая, как известно, вела к Изумрудному городу.

В этом году не хочу роптать ни на ветер, ни на погоду, ни на глупости — ни на что. Ропщут те, кто ни на что не надеется...

4 февраля

Мне с понедельника названивали журналисты с просьбой прокомментировать небывалый ажиотажный спрос на билеты и абонементы в Московскую филармонию на классический репертуар. Связывали они это явление с тем неожиданным и фантастическим ажиотажем вокруг знаменитой выставки Серова и делали предположение, что по окончании работы пресловутой выставки жажда потребления национального культурного продукта не иссякла, а, наоборот, только вскипает и множится. Мне кажется, что я удачно пошутил, сказав им, что, наверное, в филармонии будут исполнять «Картинки с выставки» Мусоргского, вот люди что-то и перепутали. Однако, как выяснилось, очереди и большой спрос на абонементы в Московскую филармонию — дело обычное. Просто невежественные журналисты об этом не знали. Издавна, когда выходят в продажу месячные абонементы, любители музыки спешат их купить. Появляются очереди, люди стоят в них, отмечаются, есть перекупщики и прочие признаки давнего ажиотажного спроса.

Мне было бы приятно узнать, что все те, кто постоял в очереди на Серова, получил радость от выставки и не меньшую радость от самого процесса попадания в выставочный зал... Я разговаривал с несколькими людьми, моими знакомыми, которые в самые жаркие, а точнее, самые морозные дни простояли по нескольку часов в той очереди. Отведали каши, промёрзли, но взбодрились лучше, чем если бы сходили на каток или на лыжах, а главное — увидели много хороших и весёлых людей, которые с самой здоровой иронией относились к очереди и к происходящему. Все перезнакомились, приобрели новых приятелей... Чем плохо? Но выставка закончилась. Куда теперь? Я был бы очень рад узнать, что возник новый эпицентр художественной жажды...

Не скрою, я прочёл то, что написала по поводу выставки Серова Ксения Ларина. Я был не просто удивлён, а целиком и полностью изумлён тем, что прочитал. Я бывал у неё в эфире, видел этого человека, правда, давненько, но помню наши разговоры... Это писал какой-то другой человек. Или тот человек, но который полностью сменил сознание либо сошёл с ума. То, что я прочёл, было как минимум не умно. Совсем! Это писал человек, который неспособен ничего видеть и слышать, который оглушён и ослеплён ненавистью и ею же полностью отравлен. У меня не возникло никакого желания хоть как-то оспорить прочитанное, вступить в полемику... Прочитанный мной текст говорит о том, что автор ничего не способен услышать, и само его зрение уже так отличается от нормального, что и обсудить окружающее мы не сможем, поскольку видим его абсолютно по-разному.

Я думаю, что если был бы в Москве, непременно сходил не так на Серова, как в ту самую очередь и чтобы увидеть людей. Каши бы тоже отведал. В день наибольшего ажиотажа я не выдержал и поехал в Калининградскую областную картинную галерею. Просто во всех новостях были репортажи о людях, рвущихся в выставочный зал... Я даже вспомнил фрагмент из фильма про Электроника. В последней серии бандиты обманывают наивного робота, говорят ему, что их не пускают в музей, а потом кричат у закрытой решётки музея: «Мы хотим видеть картины!» Вот меня и возбудили репортажи из Москвы, и я поехал на выставку.

Была хорошая погода. Выставка картин из областных запасников оказалась объёмной. Я посмотрел немало хорошей живописи 1960–1970-х годов. Однако картинная галерея была пуста и прохладна. За час, там проведённый, видел две пары посетителей. Ещё сильнее захотелось на Серова в Москву. Захотелось в толпу людей, жаждущих попасть на выставку.

Интересно, какой ещё художник мог бы так же собрать и сплотить людей? Тут нужен обязательно наш, российский, безупречного качества и чудесного гуманистического, светлого направления. Уверен, что даже если бы привезли много Рубенса, Ван Гога или всего Питера Брейгеля, такого длительного интереса и ажиотажа не случилось бы. Возможно, небывало большая, полная выставка Левитана могла бы произвести подобный эффект... Ни Репин, ни Шишкин, ни Айвазовский, ни Васнецов... Нет. Всё-таки для того, чтобы собрались такие массы людей, нужен особый художник и особая живопись, в которой есть и мощная народность, понятность, но и ускользающая тонкость и что-то неформулируемое.

Как бы я был рад узнать, что кто-то устроил ретроспективу фильмов Эйзенштейна, Зиги Вертова, Довженко, Шукшина, Тарковского. И чтобы на сеансы выстроились бесконечные суточные очереди из людей, которые хотят быть вместе на любимом кино, или же впервые увидеть невиданное, но своё, отечественное, находясь среди соотечественников и современников.

Я хотел бы увидеть большие очереди в книжные магазины на встречу с писателями, которые выпустили новую книгу. Но ещё больше я хотел бы увидеть очередь за переизданными бо́льшими тиражами книгами Астафьева, Белова, Искандера, Вампилова, Шукшина, Володина, к которым вдруг возник бы неожиданный и мощный ажиотажный интерес.

И всё же у меня нет никакого хоть сколько-нибудь рационального объяснения тому, почему случился такой взрыв жажды видеть картины Серова... Не понимаю! Но рад этой таинственной нашей необъяснимости. Дело-то было хорошее.

20 февраля мы исполним спектакль «Титаник», которому в этом году четверть века. Можно сказать, классика! Четыре года мы его не исполняли, даже возник страх, что, может быть, и не исполним никогда. Каждый раз, когда мы его играем, а играем крайне редко, возникает такой страх: вдруг мы больше не соберёмся, чтобы исполнить любимый нами и самый счастливый в моей жизни спектакль? За двадцать пять лет, я думаю, мы исполнили его не более тридцати раз. Уж так распоряжалась нами жизнь...

Подумать только, спектакль «Титаник» я задумал ещё до того, как Дэвид Кемерон задумал свой знаменитый фильм. За эти годы кажущиеся когда-то потрясающими спецэффекты фильма «Титаник» видятся уже устаревшими, совсем юный Ди Каприо превратился в матёрого седеющего мужика, а наш спектакль не устарел ни капельки. Он звучит свежо и даже актуальнее, чем прежде. Наш спектакль начинается словами: «Мир гибнет!» В 1991 году эта фраза казалась забавной метафорой, а сейчас она «звучит» в каждом выпуске новостей.

Я так люблю этот спектакль! К сожалению, точнее к счастью, сам я его исполнять не могу. Во мне нет той степени сценического безумия, детской убеждённости и маниакальности, которая необходима для исполнения этого спектакля. «Титаник», задуманный в 1991 году, может исполнять и всегда исполнял только один человек — Паша Колесников, великий и ужасный, как Гудвин. 20 февраля он приедет из Волгограда, и мы вместе исполним наш первый в жизни значительный творческий опус. Буду воспринимать спектакль как подарок самому себе на день рождения...

Как бы я был счастлив узнать, что у кассы Театрального центра на Страстном собралась очередь жаждущих попасть на наш «Титаник». Я бы лично что-нибудь приготовил-накошеварил, купил бы согревающего и сработал бы не хуже нашего любимого МЧС — только бы увидеть такое!

15 февраля

Совсем, совсем не писал в дневник. Не мог, и даже чувствовал, что не имел права отрываться от работы над книгой. Книга захватила меня целиком и полностью, но вынужден сегодня прервать работу. Вылетаю из дома, начинаются дела. Полтора месяца безвылазно находился дома, прижился, пригрелся, прирос. Как всегда, трудно возвращаться в гастрольное бытие.

Особенно трудно уехать из дома, в котором прошедшая неделя была очень весёлой. Отметили Машин шестой день рождения. Она его так ждала! Впервые считала дни. Рисовала рисунки с фантазиями о том, как будет проходить этот вожделенный день рождения. На всех рисунках фигурировал торт с шестью свечами, она каждый раз проверяла, пересчитывала число свечей и сверяла на пальцах. Все рисунки подписывала большими буквами МАША.

К празднику все мы были в сборе, старшая Наташа приезжала. Всю неделю в гостях были дети, дом был наполнен их голосами.

Мы очень волновались и даже боялись, чтобы Маша не была разочарована, чтобы сильное ожидание не было обмануто. Вроде осталась довольна.

Удивляюсь тому, как точно старшая её сестра в свои восемнадцать лет описала мироощущение и движение души шестилетней девочки. Смотрю на Машу и понимаю, что я не смог бы так точно и тонко написать. Видимо, по той простой причине, что никогда не был девочкой.

Я работаю над большим романом. В первой его части подробно стараюсь воспроизвести мироощущение и движение души шестнадцати-семнадцатилетнего человека. Работа так упоительна и увлекательна! Не хочу выходить из оболочки моего литературного героя. А ещё, хоть и крупными мазками, всё же даю фон эпохи середины восьмидесятых. Фон не так важен, мужественно отказываюсь от того, чтобы увлечься подробностями. Это даётся с трудом.

Жанр книги, над которой работаю, я обозначил как мемуарный роман. Почему это роман, а не просто череда воспоминаний, станет понятно только тогда, когда книга будет закончена и прочитана.

Идея книги пришла недавно, но удивительно быстро замысел оформился, выстроился и приобрёл простую, кристаллическую форму. Наверное, это будет самая объёмная моя книга. Хотелось бы найти на неё как можно больше времени, чтобы завершить работу до конца текущего года, но, боюсь, не уложусь. До лета хоть и далеко, но разъездов будет много.

Во время гастролей никогда не пишу. Пробовал. Но текст получается не цельный, а, наоборот, рваный, как сама гастрольная жизнь.

Зато, думаю, буду чаще писать в дневник. Во время гастролей хоть и мало времени, но дневник — практически самое приятное занятие для гастролёра.

А от книги всё-таки ужасно не хочется отрываться! И от дома тоже! Книга и дом поглощают целиком. Во время работы над книгой и в домашних вечерах ненадолго возникает душевное равновесие, на которое жуткие ежедневные новости влияют не больше, чем ураганный ветер за окном или завывания в трубе.

29 февраля

Долго не писал, это, к сожалению, превращается в правило. Однако писал много литературы, и на ведение дневника не оставалось сил: исчерпывался писательский лимит. А потом были разъезды и спектакли.

Буквально чуть-чуть осталось до весны! Таинственный месяц февраль заканчивается, в этом году он на день длиннее. Те счастливцы, которые родились 29 февраля, смогут по-настоящему отгулять день рождения, выпавший на понедельник... И наступит весна... Хотя бы на календаре.

До конца июня мне предстоит много, много переездов, в основном перелётов. Вот и хочу я поделиться некоторыми ощущениями по поводу самолётов. Точнее по поводу их имён.

Имена самолётов

Летать мне приходится в основном «Аэрофлотом». Честно говоря, я предпочитаю «Аэрофлот». Хорошие, новые самолёты, хорошее обслуживание. Всё хорошо, кроме цен... В остальном «Аэрофлот» даст фору многим европейским авиакомпаниям.

Но у «Аэрофлота» есть своя особенность, свой конёк и отличительная черта. Все самолёты «Аэрофлота», как корабли, несут на борту имя, точнее фамилию: самолёты нашего национального авиаперевозчика имеют свои имена.

Раньше я совсем не придавал этому значения, но с недавних пор стал интересоваться, на «ком» же я лечу. И поймал себя на том, что имена — названия самолётов — вызывают у меня противоречивые чувства и ощущения.

Если есть возможность взглянуть на название самолёта, я это делаю. Правда, это не всегда получается. Чаще всего заходишь в самолёт через «рукав», и тогда название на борту прочесть невозможно. В этом случае я спрашиваю бортпроводниц или внимательно слушаю объявление. Как правило, имя, которое гордо несёт воздушное судно, сообщается перед вылетом. И вот что я понял про себя...

Я понял, что некоторые имена вызывают у меня волнение и тревогу, а некоторые, наоборот, внушают доверие и спокойствие. Должен сразу отметить, что не все фамилии, которыми названы самолёты, являются русскими, но все люди, которые удостоились чести дать имя воздушным судам «Аэрофлота», являлись российскими гражданами, и их вклад в российскую культуру, науку и историю неоспорим.

Приятно, знаете ли, взлетать в небо зимой или летом, в ясную погоду или в снег и порывистый ветер на «Кутузове», «Жукове», «Барклае-де-Толли». Это были большие полководцы, значительные люди, герои, патриоты, у которых, может быть, и не всё получалось гладко, но в целом они одерживали победы. А на «Суворове» вообще взлетать одно удовольствие, потому что наш любимый генералиссимус не потерпел ни одного поражения и очень заботился о подчинённых. В «Багратионе» же взлетать хоть и гордо, но мы помним, что этот славный и доблестный воин был смертельно ранен и не дожил до победы в Отечественной войне.

Много самолётов названы именами великих композиторов. Спокойно и безмятежно садишься в кресло, без страха смотришь в иллюминатор разбегающегося по взлётной «Чайковского», «Прокофьева», «Глинки», «Скрябина», «Алябьева»... Полёт в этом случае обещает быть гармоничным и приятным. А вот взлетать в «Шостаковиче» и «Стравинском» не так безмятежно, в этих композиторах воздушные ямы и турбулентность не вызовут удивления, наоборот, они скорее ожидаются. В «Хачатуряне» лететь — сами понимаете, какое главное произведение композитора тут же вспоминается. Самолёт по имени «Римский-Корсаков», у которого всякий вспомнит в первую очередь «Полёт шмеля», даёт надежду, что долетим быстро.

«Репин», «Шишкин», «Суриков», «Васнецов», «Серов» и «Кустодиев» — вот имена, которые дают полное ощущение надёжности, красоты, уверенности... «Марк Шагал» не вызывает никаких тревог. А вот на «Айвазовском», особенно через океан, лететь как-то... чересчур символично. Почему-то вспоминаются не его умиротворяющие итальянские морские пейзажи и гавани, а именно «Девятый вал» и другие штормовые полотна. На «Верещагине» лететь страшновато, зная его в основном военную тематику и помня его страшную гибель во время Русско-японской войны. А лайнер «Андрей

Рублёв» вызывает священный трепет и самые противоречивые ощущения.

Определённо страшно взлетать на поэтах, как бы прекрасны они ни были. Уж если выпало лететь на поэте, то хочется взлетать в ясную погоду, недалеко и недолго. «Есенин», «Маяковский» очень тревожат, даже пугают. «Бродский», «Мандельштам», «Пастернак», «Блок» вызывают меньшие опасения, но всё же сильное беспокойство. На «Жуковском» и «Тютчеве» лететь куда приятнее.

И только один поэт из всего поэтического состава «Аэрофлота» внушает стопроцентную уверенность в том, что полёт пройдёт хорошо и благополучно, как бы далеко ни пришлось лететь, — это «Сергей Михалков».

Намного приятнее, чем на поэтах, летать на крупных прозаиках. Они сообщают какое-то солидное ощущение. Их большие, увесистые книги, серьёзный слог, объёмные собрания сочинений и заслуги сами по себе успокаивают: «Шолохов», «Айтматов», «Солженицын», «Симонов». Приятно и радостно лететь на «Чехове», «Бунине», «Куприне».

Зато в «Булгакове» и «Гоголе» лететь страшно, особенно если перелёт ночной.

А вот из самолёта по имени «Белинский» хочется сразу уйти. Самолёт-критик — это вам не фунт изюму.

Не могу определиться со своими чувствами по поводу полёта на «Бердяеве». А вот на «Льве Гумилёве» лететь интересно. На нём хочется лететь далеко, куда-нибудь в Казахстан, в степные дальние дали.

«Владимир Иванович Даль» и «Сергей Иванович Ожегов», создатели знаменитых словарей, были людьми солидными, серьёзными и подробными, поэтому полёт на самолётах, названных в их честь, сулит, может быть, не самое увлекательное путешествие, но в командировку на них лететь вполне хорошо.

Много самолётов названы в честь путешественников. Это всё люди неугомонные, которые лезли либо во льды полюсов, либо в горы, пустыни, в крайне опасные места. Они страдали, болели, часто гибли, поэтому не могу сказать, что мне очень хочется летать на «Беринге», «Крузенштерне», «Челюскине», «Пржевальском». Зато самолёт «Юрий Сенкевич» предполагает полёт увлекательный, познавательный, симпатичный, в хорошей компании и с неплохой кормёжкой на борту.

Для меня как для человека, ничего не смыслящего в естественных науках, очень приятно и почтительно летать «на учёных». Я успокаиваюсь и целиком доверяю «Капице», «Ландау», «Келдышу», «Менделееву», «Сахарову». Мне нравится летать на всех тех, кто был связан с медициной. Они вызывают благодарность и уверенность в том, что о тебе позаботятся, поэтому с удовольствием читаю на борту или слышу от бортпроводниц, что в этот раз мы летим на «Бурденко», «Бакулеве», «Пирогове», «Сеченове» или «Боткине».

Особняком среди всех самолётов, на мой взгляд, — самолёт по имени «Пётр Нестеров». Замечательный человек, гордость отечественной военной авиации, герой... Но из всех его достижений сразу вспоминается петля Нестерова, или мёртвая петля...

Очень жаль, что в списке выдающихся людей, которыми названы самолёты, совсем мало женщин. Я летал только на двух: на «Галине Вишневской» и «Софье Ковалевской». Никаких сомнений в том, что мы долетим прекрасно, вовремя, несмотря ни на какие погодные условия, точно по расписанию, безупречно и очень, очень хорошо, у меня имена этих дам не вызвали.

Вот такие мои ощущения по поводу полётов и по поводу названия именами выдающихся людей воздушных судов. С морскими судами всё иначе...

Очень, очень скоро весна!

29 марта

Давно не писал сюда — и не собирался. В последнее время не знаю, о чём писать, в основном ужасающие события бегут впереди идеи какого-то текста. Трудная весна... Думал, доживу до лета, тогда попишу, но вынужден дать несколько комментариев по поводу нелепых сообщений о том, что происходит со мной в последнее время.

Вчера и сегодня меня задёргали журналисты с просьбой прокомментировать случившееся 27 марта в Кирове во время исполнения спектакля «Шёпот сердца». Звонят и пишут друзья, знакомые, коллеги. Что случилось?

Ряд СМИ сообщил о том, что во время спектакля в Кирове я выгнал из зала уснувшего зрителя. Так и было. Зритель уснул, а я его выгнал. Однако выгнал я его не по той причине, что он уснул... Те, кто бывал на моих спектаклях, могут припомнить, что я часто бужу задремавших зрителей. Такое случается. Смотрел-смотрел человек спектакль, слушал, а исполнитель-то на сцене один... Вот и задремал. Если такое вижу, я обязательно бужу человека, делаю это весело и ни в коем случае не обидно. Делаю, потому что сам периодически засыпаю на спектаклях, концертах и кино. Засыпаю от усталости, авитаминоза или когда пришёл с холода в тепло. А потом мне всегда обидно из-за того, что я пропустил важные моменты, а то и важнейшие. Знаю, что был бы благодарен, если бы меня в этот момент разбудили.

Когда я бужу кого-то в зрительном зале, само это действие зрителей радует и бодрит...

В Кирове 27 марта было всё совершенно иначе. Зритель, которого я выгнал, был в стельку пьян, точнее, он был пьян как свинья. Потому сам приход в театр в таком состоянии — уже свинство. Зритель этот сидел совсем близко к сцене и был мне хорошо виден. Мало того, он был мне знаком. Накануне мы даже беседовали с этим человеком, это небезызвестный в Кирове диджей. Говорил он мне о том, что очень хочет посмотреть мой новый спектакль и постарается прийти. Я пожелал ему успеха. Также я знал, что билет он не покупал. Его провели и усадили на хорошие места люди, связанные с кировским театром.

Когда я вышел на сцену, он позволил себе весьма развязно и панибратски со мной поздороваться с места. Я сразу увидел, что он нетрезв, но не придал этому значения. Однако в процессе спектакля он либо в тепле окончательно раскис, либо, что вероятнее всего, ещё основательно принял и уснул в самой разухабистой пьяной позе. Играть спектакль для пьяных я никогда не хотел, не хочу и не намерен этого делать. Вот я и прервал выступление, чтобы разбудить пьяного наглеца... Его не сразу и не без труда разбудили. А потом выставили из зала. Он едва вышел, поскольку ноги его не держали. Вместе с ним вышла подвыпившая его девица. Вот что было фактически.

27 марта — Международный день театра, мой любимый и единственный профессиональный праздник. Территория театра для меня — священная территория культуры, на ко-

торую меня когда-то пустили и которую я люблю и всегда буду защищать от хамского и пренебрежительного отношения. Парень, которого я выгнал, — небезызвестный в городе человек, и ему, видимо, в какой-то момент жизни показалось, что все двери в его городе ему открыты, возникло у человека ощущение вседозволенности. Это на здоровье, это пожалуйста, но не в театре и не во время моего спектакля.

Вот и всё, что было. Я, разумеется, попросил прощения у публики за то, что остановил спектакль и сделал то, что сделал. Спектакль прошёл прекрасно, в Кирове в очередной раз был аншлаг, и к концу спектакля в зале было только два свободных места. Те самые, которые я попросил освободить. Ощущение праздника, то есть Международного дня театра, пьяный распоясавшийся диджей мне не испортил. И я уверен, что на настроение зрителей этот мелкий случай никак не повлиял.

Удивлён поднятой в СМИ волной по этому поводу. Случай ничем не выдающийся.

А ещё недавно в СМИ появилась информация о том, что я снимаюсь в телевизионном художественном фильме про космонавтов, в главной роли. В этой информации всё правда, кроме того, что я играю главную роль.

Я действительно снимаюсь в телевизионном фильме, который производит Первый канал. Фильм действительно про космонавтов, съёмки в самом разгаре. Но у меня, к сожалению, в картине малюсенькая роль, несколько крошечных эпизодов. Не больше двух страниц текста.

К сожалению, потому что сценарий мне очень понравился. Давно не читал такого качества сценарного материала. Сценарист и режиссёр фильма — Алёна Званцова. Два дня уже работал с ней и должен признаться в том, что очарован этим человеком, способом её работы и её увлечённостью. Играю я священника, отца Иоанна. Довелось два дня ходить в полном облачении священнослужителя, это само по себе интересно и непросто.

Не знаю, когда выйдет фильм. Рабочее название «Частица вселенной». Знайте, что главные роли в нём исполняют другие очень хорошие актёры, у меня же малюсенький эпизод.

Очень не хочется, чтобы случилось так, как было с фильмом С. Говорухина «Не хлебом единым», в котором я сыграл в малюсеньком эпизоде, исполнил роль гадкого энкавэдэшника, эпизод был в фильме малюсенький, а физиономию мою поместили на обложку DVD и афишу. Многие потом мне же на это попеняли.

Вот такие вынужденные комментарии.

Событий за последний месяц было много, но как только хотел о них написать, тут же что-то происходило в мире, и то, о чём я хотел сообщить, становилось ничтожным и недостойным внимания.

7 апреля

Наконец-то добрался до дома. Ох и наездился! Более чудовищной дороги, чем трасса между Кировом и Ижевском, не могу себе представить. Дикость и позор! После вятских и удмуртских дорог кубанские и ростовские показались дивными автострадами.

Переезды были в основном ночные, в дороге пересматривал давний советский культовый сериал «Следствие ведут знатоки». С первой по восьмую серию получал настоящее удовольствие. Сами детективные истории наивны и прямолинейны, но какие в этих фильмах заняты актёры! В каждой серии как минимум по одной звёздной роли.

Обнаружил множество забавных эпизодов, мною раньше не замеченных. Например, высказывание про моду на бороды. Мне бы хотелось, чтобы наши заскорузлые хипстеры, которым ещё не наскучили бороды, увидели этот чудесный эпизод, который был написан и снят сорок лет назад.

В Калининграде дивная весна! Красиво так, что оторопь берёт. Вот-вот покроется цветами алыча, а следом яблоня, многие кусты уже совсем зелёные, а ивы в чудесной зелёной дымке.

Сегодня ночью на крыше долго и талантливо пел дрозд. Я открыл окно, слушал, а потом от восторга взял да и свистнул. Дрозд услышал, определённо удивился и повторил мой свист, минут двадцать мы пересвистывались. Он внятно повторял мои жалкие рулады и, в свою очередь, предлагал мне вторить за ним, однако мои возможности не позволяли мне это сделать. И всё же, надеюсь, мы остались довольны друг другом.

12 апреля

Вчера умер актёр Альберт Филозов. Я скорблю.

Больше пятнадцати лет Альберт Леонидович играл практически во всех спектаклях, поставленных по моим пьесам в театре «Школа современной пьесы». Сегодня он должен был выйти на сцену в спектакле «Записки русского путешественника».

Мне посчастливилось быть с ним знакомым, и я имел огромную радость слышать мною написанные слова, произнесённые его неповторимым и даже неподражаемым голосом.

Когда я пришёл, будучи совсем молодым, никому не известным автором в театр, Альберт Леонидович совершенно искренне и радостно меня принял как равного, как коллегу. При этом я испытывал настоящий трепет перед человеком, которого знал с детства по фильмам, а потом уже узнал как, не побоюсь этого слова, великого театрального актёра.

Альберт Филозов был актёр таинственный, умный, негромкий и потрясающе подробный. Он всегда был каким-то нездешним, из другой эпохи и другого пространства. В нём чувствовался потайной аристократизм. Потайной, потому что настоящие аристократы никогда свой аристократизм не демонстрируют. В театре и в кино он жил и работал, а главное — существовал очень достойно, по-рыцарски, ни на кого не похоже. Возможно, я ошибаюсь, мы не общались много, но я всё время чувствовал в Альберте Леонидовиче странное одиночество, он был одинок даже в компании коллег, приятелей, поклонников.

Понятное дело, что такой человек и такого уровня актёр не мог быть простым. Он был сложный человек, но преданный профессии, сцене и качеству исполняемой им сценической работы. Я всегда видел его грустным, и всегда он был остроумным. Он запомнится мне как печальный человек, а печаль часто бывает признаком ума и чувствительности души.

Он сыграл много замечательных ролей, вкус его не подводил...

Театр «Школа современной пьесы» осиротел, русский театр осиротел. Не представляю никакого другого артиста вместо него в спектаклях, в которых он играл.

Сегодня он должен был выйти на сцену в моей самой первой, довольно наивной пьесе «Записки русского путешественника». Он играл её пятнадцать лет, играл всегда смешно, остроумно и кристально точно. Больше не сыграет. В сегодняшнем вечернем московском театральном репертуаре зияет пустота несыгранного спектакля. В моей жизни теперь зияет пустота, которую никем невозможно заполнить, поскольку ушёл неповторимый человек и удивительный артист.

21 апреля

Было удивительное и радостное маленькое событие на спектакле в Оренбурге, до сих пор вспоминаю и улыбаюсь. Такие моменты случаются, но они редки... Играл спектакль «Шёпот сердца» и уже в начале второго часа пребывания на сцене почувствовал что-то странное, почти неуловимое. Я почувствовал, что внимание зрительного зала переключилось с меня на что-то. Я не могу проанализировать это ощущение. Видимо, сказывается обострение всех органов чувств во время сценической работы и ещё, конечно, колоссальный опыт пребывания на сцене в одиночку... Но я именно почувствовал что-то неуловимое. Продолжая произносить текст, не останавливая исполнения роли, я постарался оглядеться по сторонам и увидел, что справа от меня, вровень с головой, порхает маленький мотылёк. Малюсенькая бабочка или довольно крупная моль. И она ярко светится в лучах прожекторов. В этот момент я понял, что зритель, разумеется, смотрит не на меня, а на это существо. Я махнул рукой, чтобы прогнать мотылька, но он взял и облетел вокруг меня по довольно близкому радиусу. В зале послышался смех. Я ещё раз попытался его прогнать, но он вернулся и прочь не полетел. В зале засмеялись активнее. Тогда я сказал публике, что этот мотылёк мною в спектакле не задуман и что он местный. Радостный смех усилился. После этого я замахал уже обеими руками. Мотылёк облетел меня ещё раз по большему радиусу и скрылся с глаз, вылетев из света прожекторов...

В этот момент мне прилетели в голову неожиданные слова. Они прилетели так же, как прилетел этот мотылёк. Когда приходят во время спектакля точные и весёлые слова, это чудесные моменты. Я сказал публике: «Простите, я прогнал его только по той причине, что на афишах указано, что это моноспектакль». Зрители и я вместе посмеялись и почувствовали то самое, что так редко случается в театре.

Сейчас я в Минске. Вечером спектакль. За последнее время было много переездов. Неделю назад был в Салехарде, маленьком северном городе на берегу огромной реки, с маленькими-маленькими деревьями и огромными сугробами... Сыграл спектакль с огромным удовольствием. В городе нет и никогда не было своего театра, но благодаря усилиям буквально нескольких людей там проходит театральный фестиваль. Многие люди впервые узнаю́т, что такое театр, впервые получают театральные впечатления. Это удивительно.

Из Салехарда перелетел скачком, через Москву, в Оренбург, два года не был в этом степном городе. Утром вылетел из снегов, вечером прилетел в пыль. Очень пыльно в это время года в Оренбурге. Побывал в Первом президентском кадетском корпусе, впечатления самые светлые и прекрасные. Совершенно не ожидал такой правильной атмосферы и приверженности благородной идее, не ожидал столь неформального и недемагогического отношения к военному воспитанию мальчиков. Проще говоря, там всё очень здорово придумано и сделано.

Я посмотрел, как и где они учатся, как и где живут. Поскольку я не военный чин и не государственный чиновник, меня принимали вполне неформально, с интересом и любопытством, а мне было ещё любопытнее.

Мне ужасно понравилось, как там всё организовано и как мальчишки там живут, сосуществуют, учатся, как смотрят, говорят... Но это отдельный разговор.

Посещение кадетского корпуса даёт глоток воздуха и смысла. Похожие ощущения у меня были во время посещения в Комсомольске-на-Амуре предприятия, на котором делают самолёты «Сухой Суперджет-100». Затерянный бог знает где город, в котором всё так-сяк и наперекосяк, — и вдруг такое потрясающее производство, и на нем достойные и осмысленные люди. Я был счастлив в Северодвинске, общаясь с людьми, которые делают атомные подводные лодки. Я был счастлив находиться в самой большой в мире подводной лодке проекта «Акула» и общаться с людьми, которые на ней служат. С не меньшим счастьем я вспоминаю посещение Ломоносовского фарфорового завода, где люди делают дивные вещи... Когда выпадает счастье встречаться с такими людьми, которые делают что-то выдающееся, возникает радость и вполне естественная гордость...

Такое же ощущение было и в кадетском корпусе в Оренбурге.

Но стоило выехать за пределы кадетского корпуса в сам город — ощущение радости и гордости закончилось моментально. Чудовищные дороги, пыль и общая унылая неухоженность. Оба вечера, которые провёл в Оренбурге, я видел драки. В драках зло было наказано, и милиция появилась молниеносно, но сами драки были. Была жестокость, ничем не оправданный гнев, агрессия и ненависть нескольких людей друг к другу, людей, которые живут в одном городе.

Да, в Оренбурге на сцене летал мотылёк, но ездить на машине по городу ужасно. И дорога из Оренбурга в Самару ужасная, а в Самаре дороги ещё хуже.

Несчастный город Самара! Много лет этому большому городу на берегу матушки Волги катастрофически не везёт с властью. В каком не просто ужасном, а позорном и даже постыдном состоянии находится город! По поводу дорог должны были звонить президенту в первую очередь не из Омска, а из Самары... Да что там Самара, не так давно был в Кирове, оттуда обязательно должны были звонить президенту! Из Кирова я ехал на машине в Ижевск, между ними четыреста двадцать километров. Ехали мы это расстояние почти девять часов: периодически приходилось останавливаться и ждать, чтобы нас обогнал и проехал вперёд грузовик или джип. Почему? А невозможно было понять глубину луж. И это была не просёлочная дорога, а государственная трасса, на которой во многих местах асфальт попросту отсутствует... На въезде в Ижевск нам пришлось вообще разворачиваться и почти объехать город, потому что перед нами оказалась яма, в которой «Нива» застряла и погрузилась в воду по двери. В самом городе царила такая грязь, что брызги от проезжавших машин долетали до домов...

Вчера прилетел в Минск. В Самаре аэропорт находится довольно далеко от города, дорога не просто плохая, а отвратительная, а вдоль неё царит убожество. Хороши будут впечатления у людей, которые прилетят в Самару на чемпионат мира по футболу. Надежда только на то, что будет лето и листва деревьев это убожество прикроет. После самарских дорог дороги в Белоруссии выглядят как что-то из американского кино. Да, в Белоруссии очень хорошие дороги, особенно по сравнению с тем ужасом, который творится в области дорожного строительства в Поволжье, на Южном Урале и в прочих местах российской совсем даже не глубинки.

Я для себя перефразировал выражение про то, что Россию погубят дураки и дороги. Россию погубят не дураки — те, кто содержит наши дороги в таком ужасном состоянии, совсем не глупые люди — Россию погубят дороги и демагоги.

Однако я видел мальчишек десяти-одиннадцати лет в кадетском корпусе Оренбурга, видел людей, которые строят атомные подводные лодки, общался с теми, кто делает самолёты. Лица этих людей прекрасны. Жаль, что им всё приходится делать не благодаря, а вопреки.

26 апреля

Пару часов назад пересёк российско-белорусскую границу и приехал в город Смоленск. По дороге из Витебска задремал, но как только въехали в Россию, проснулся, потому что стало трясти: качество дороги изменилось радикально, а окружающий пейзаж изменился полностью...

Отыграл спектакль «Шёпот сердца» в Минске и впервые побывал со спектаклями в Гомеле и Витебске. Впечатлений много, разных, отчасти неожиданных.

В Минске всё было, как обычно: хорошо, нарядно, дружелюбно. Полный зал. Много разговоров с друзьями-приятелями... Разумеется, были разговоры об Украине. За год взгляд из Беларуси на происходящее в Украине у многих сильно поменялся, настолько сильно, что я не хочу даже приводить какие-то высказывания и цитировать своих белорусских знакомых, коллег и давних приятелей. Не хочу, потому что украинцам свойственно на всё реагировать слишком чувствительно и нервно, а у меня в последнее время наметился слабенький диалог с рядом украинских моих визави.

Забавно то, что в самом начале спектакля в Минске появился мотылёк. Он покружил надо мной и улетел. Я сам его не увидел, о нём мне сказали зрители, потому что читали предыдущую запись. Многие повеселились по этому поводу, решив, что я вожу его с собой.

В Минске, конечно, всё очень хорошо выглядит, нарядно, дружелюбно, но многие весьма деликатно говорили о том напряжении, которое острее всего чувствуется в столице. Напряжение связано с арестами многих бизнесменов и вообще заметных людей. Меня же откровенно раздражало в гостинице большое количество весьма вольготно себя ведущих турецких мужиков, которые определённо приехали на уик-энд поиграть в казино и отдать должное прелестям минских барышень. Ведут они себя в Минске привычно и по-хозяйски...

Но это так, мои ощущения. Хотя для того, чтобы эти ощущения получить, нет нужды внимательно приглядываться и прислушиваться к происходящему.

После спектакля в Минске я поехал в Гомель. Это был мой первый выезд с гастролями за пределы белорусской столицы. Я вообще по Беларуси давно не ездил: до 2000 года я часто ездил поездом «Калининград — Москва» и обратно, а также несколько раз проезжал белорусскими дорогами на машине, но это тоже было в прошлом веке. Белорусскими дорогами и пейзажами я удивлён и восхищён. В бывшем Советском Союзе дорог лучше, чем в Беларуси, нет. В бывший Советский Союз в данном случае входят и три прибалтийских страны.

Гомель мне понравился с первого взгляда. Он в основном послевоенной постройки, так что его дома на центральных улицах мало отличаются, а то и совсем не отличаются от домов в центре Кемерово или Барнаула, вот только в Гомеле они содержатся в идеальном состоянии. Гомель — это город, в котором следует снимать кино про шестидесятые, семидесятые и восьмидесятые годы, стоит лишь убрать или прикрыть немногочисленную рекламу и новые вывески. Театр в Гомеле в точности такой же, как кемеровский. Люблю этот общесоветский проект. Таких театральных зданий по СССР после войны построили многие десятки. Удобное, хорошее и очень толковое здание. Гомельская публика оказалась в самом лучшем смысле этого слова голодной: очень внимательной и весьма щедрой на реакцию, то есть на аплодисменты, смех и, что особо ценно, на звенящую тишину.

Два вечера, один в день приезда, другой после спектакля, провёл в любимом горожанами баре «Квартирник». Очень точное название, поскольку атмосфера этого заведения более всего напоминает питерскую атмосферу вчерашнего или даже позавчерашнего дня.

Оба вечера в баре играли группы, в первый вечер я не отрываясь прослушал практически весь концерт украинской группы «Ласковые усы». К сожалению, пришёл не к самому началу, но до конца концерта от музыки не отрывался.

«Ласковые усы» — ребята свежие, играют рок-н-ролл, поют на русском языке и, что самое главное, совсем не играют каверы. Наоборот, исполняют только свой материал. Это уже удивительно, потому что в маленьких городах и в маленьких барах ребята с гитарами в основном исполняют суперхиты мирового рок-н-ролльного наследия, а под конец выступления, увидев, что люди уже достаточно набрались, поют, как могут, основные шедевры группы «Ленинград». «Лабутены» я уже слышал даже в мужском исполнении. Это было чудовищно, но люди плясали.

«Ласковые усы» — совсем другое дело. Они играют модно, чертовски современно используют матёрую электронику, которую можно было бы принять за ретро, но она остро-сегодняшне звучит. Тексты у них лихие, весёлые, жизнерадостные. Периодически солёные, но не пересоленные. Лидер группы — вполне уверенный в себе артист, но не самоуверенный, драйвовый, забавный и очень любящий играть и петь.

Вообще по ребятам видно, что они готовы играть где угодно, когда угодно и сколь угодно много. Это сейчас такая, в сущности, редкость. К тому же ясно, что если бы они играли каверы и группу «Ленинград», работы у них было бы, скорее всего, больше, но они гордо настаивают на своём.

А судьба у них непростая. Сами они из Донецка, но по многим известным причинам вынуждены жить и работать в Киеве. В России их пока не знают, точнее знают только по Интернету. Думаю, что при удачном стечении обстоятельств, а также если ребята проявят упорство и настойчивость, ещё нас всех порадуют, потому что играют такую музыку, какую в Питере, Екатеринбурге, а также Челябинске и Новосибирске очень хорошо понимают, знают, но в последнее время ничего свежего в этом направлении в этих городах не появляется.

Вообще в Гомеле атмосфера намного более живая и свободная, чем в Минске. Люди свободнее говорят и даже свободнее дышат... Может быть, из-за того, что Гомель находится в стороне от всевидящего ока.

На прошлой неделе в субботу наблюдал субботник. Субботник наблюдал в Гомеле, но, как я понимаю, он был общегосударственным. После субботника страна засверкала как свежевымытая хрустальная ваза, она и до субботника-то была чиста, а тут прямо засветилась.

Из Гомеля ехал в Витебск довольно долго: белорусский водитель не склонен был спешить, и другие водители на трассе тоже были неторопливы. Наш водитель ворчал, что дорога, по которой мы едем, не очень хорошая. Я спросил его, чем она нехороша. Он ответил: тем нехороша дорога, что полосы движения не разделены и что в одну сторону только одна полоса. А ещё она идёт через деревни... Я бы очень хотел, чтобы жители Иркутской области, Алтайского края, Новосибирской области, Омской, а также всего Урала и всего Поволжья имели дороги, хоть сколько-нибудь напоминающие ту, по которой мы ехали. Идеальная разметка, обочины в изумительном состоянии, безупречные остановки, указатели и знаки новенькие... А какие деревни! Деревни небогатые, но главное — в них совершенно нет того убожества, которое видим мы, проезжая по нашим родным деревням... Новые заборы все покрашены, дома все покрашены, скамейки, сараи, все надворные постройки покрашены. Аккуратные магазинчики, здания деревенских контор, почтовые отделения, дома культуры — всё в хорошем состоянии, без признаков ветшания и алкоголизма проживающих и работающих там людей. Поля и сады восхитительны. Такой чистоты и порядка вы не увидите нигде в Молдавии, Украине, и даже в Литве и Латвии. Я глазам своим не верил.

А главное — это не результат субботников и распоряжений... Никаким административным ресурсом, никакой самой ужасной или прекрасной президентской властью невозможно навести такого порядка. Просто людям нравится жить в чистоте, аккуратности и всё подряд красить. Красить по каким-то своим, только им понятным законам красоты.

В Гомеле, в этих деревнях, в Могилёве, через который мне довелось проехать, а также в Витебске есть ощущение, что все большие и в основном страшные мировые процессы происходят где-то далеко-далеко... Людям в Беларуси очевидно нравится то, что они живут и видят мировые процессы как процессы сторонние. Возможно, я ошибаюсь, но им приятно верить в свою невовлечённость в эти процессы. И как бы это забавно ни звучало, в этом европейскости больше, чем в сегодняшней Европе.

Ещё в Гомеле побывал на концерте и познакомился с группой «Navi». Они совсем другие, чем украинские задорные ребята. Они светлые, им нравится петь про солнце, и это у них вполне искренне получается. Это группа из Минска, поют на белорусском и русском языках. С мелодизмом и певучестью у них просто роскошно... Но о них, пожалуй, скажу позже. К тому же их легче найти в интернете, и материала у них тоже достаточно...

В Витебск приехал позавчера вечером. Я очень ждал встречи с Витебском. Город Марка Шагала. Город, о котором во всей Беларуси люди говорят с придыханием как о самом культурном городе в стране.

Погода не позволила погулять и осмотреть его — только совсем немного, из окна автомобиля. Зрителей в Витебске собралось немногим больше половины зала. Публика собралась прекрасная, но большое количество свободных мест, а потом мои разговоры со зрителями сообщили мне, что город к числу театральных отнести невозможно. В Витебск мало кто приезжает с театральными гастролями, город живёт вдали от театральных информационных потоков.

А так называемый фестиваль «Славянский базар», который одну неделю в году сотрясает довольно сонный, тихий, староукладистый и милый город... Этот фестиваль, конечно, никакого отношения к культуре не имеет. Он не имеет отношения ни к белорусской культуре, ни к какой другой. На неделю в маленький город съезжаются монстры в основном российской эстрады, на концерты которых собираются те, кто этих монстров хочет видеть живьём. В Витебск под это дело съезжается много-много народу, чтобы окунуться в атмосферу этого странного мероприятия. Всё на этом фестивале на широкую ногу, всё с размахом... А как может быть иначе, когда это любимая игрушка президента. В Беларуси и самом Витебске люди искренне «Славянским базаром» гордятся, это вполне понятно и нормально: к ним съезжается такое количество известных исполнителей известных песен.

Вот только на то время, пока происходит этот, с позволения сказать, фестиваль, дух Шагала покидает родной город, поскольку он там неуместен. Когда в Витебск приезжает Стас Михайлов, дух Шагала тихонечко и скромно, как персонажи его дивных картин, улетает на время из города.

Зрители в Витебске мне подарили море цветов, а утром сегодня я поехал в Смоленск...

30 апреля

Завтра Пасха, радостный, чудесный праздник. Всегда любил крашеные яйца, а их у нас дома красили даже в те времена, когда слова «Пасха» и «кулич» никак не были связаны в моём детском понимании с Иисусом Христом. Атеисты дедушка и бабушка красили яйца на Пасху, и верба была дома на Вербное воскресенье. И яблоки на Яблочный Спас. А ещё была радость... Прекрасный праздник. Дети его очень любят, и я его люблю...

Но завтра для меня и моего брата, для моей мамы и для моих детей главным будет не Иисус Христос и даже не Пасха...

Причина простая — завтра моему папе исполняется семьдесят лет, так уж совпало в этом году и на его юбилей... Потому что папа — любимый отец и любимый дед... Насчёт того, какой он муж, может судить только мама.

Я уже как-то писал, но повторюсь, что в детстве, лет до шести, я был абсолютно уверен, что первомайская демонстрация на центральной площади города Кемерово проходила в честь моего отца, и я страшно гордился тем, что множество людей приходили поздравить моего папу. Когда мне исполнилось шесть, мы на три года уехали в Ленинград, и уже первомайская демонстрация в Ленинграде заставила меня засомневаться в том, что она устроена в честь моего отца. Я понимал, что мы недостаточно прожили в этом славном городе, чтобы у папы появилось так много любящих его друзей и знакомых... А завтра на его семьдесят лет совпадает не только Первое мая, но и светлый праздник Пасхи! Везучий он человек!

Я всегда считал отца очень красивым, сильным, мужественным. А также упрямым, безрассудно смелым, взрывным

452

и даже вспыльчивым. Гордым, а частенько слишком гордым, но при этом преданным и в своей преданности бескомпромиссным. Чем дальше, тем чаще вижу, что становлюсь всё больше похож на отца. Не внешне и не характером, а скорее жестами, движениями, походкой, взглядом, голосом. Помню, что какие-то характерные отцовские жесты меня не то что раздражали, но удивляли, а тут я их отчётливо обнаружил у себя, и мне это нравится.

Отец всю жизнь меня поддерживал, даже тогда, когда не соглашался или не понимал того, что я делаю, или того, что хочу. Мы часто спорили до крика, смертельно друг на друга обижались, и всё равно он меня поддерживал, помогал и, когда я был беззащитен, — защищал.

Театр «Ложа» в городе Кемерово, мой первый театр, не прожил бы так долго, не устоял бы без отцовской административной поддержки и помощи, а также без его финансового участия. Отец не считал то, что я делал в театре в Кемерово, профессией и тем делом, которое может меня и мою семью прокормить, но помогал. Без волевого решения отца мы не смогли бы все вместе переехать в Калининград. Без него у меня не было бы того жилья, в котором родилась моя первая дочь. Без его терпеливой поддержки у меня не было бы времени на создание спектакля «Как я съел собаку». И я не забуду отцовскую сдержанную гордость и радость, когда он смотрел, как мне вручают «Золотые маски» в 2000 году. В качестве поздравления он сказал тогда одно: «Ну вот, наконец-то у тебя есть работа».

Отцом всегда восхищались и продолжают восхищаться люди, которые с ним работали, и его студенты. А я, в сущности, и не знаю, чем таким они в моём отце восхищались, потому что не знаю сути его работы и того, что он давал студентам в виде образования. Но я точно знаю, что Валерием Борисовичем Гришковцом восхищаться нетрудно, он классный. Он остроумный, азартный и красивый. Правда, для людей он обычно был более классным, весёлым и остроумным, чем для нас, его домочадцев. Но что тут поделаешь, это наша семейная черта, мы любим нравиться.

Отец непросто перенёс тот момент, когда фамилия Гришковец стала ассоциироваться в первую очередь не с ним, а со мной, но так случилось. А теперь я знаю, что он очень гордится и внимательнейшим образом следит за тем, что со мной происходит. Это его внимание, а главное — его гордость удерживает меня от многих глупых, безответственных, а то и неправедных поступков и шагов. Я не позволю себе струсить или спасовать, даже если испытываю страх: перед отцом стыдно, потому что он точно не трусит, никогда.

Папа завтра не собирается праздновать юбилей, маме тоже в этом году семьдесят. Может, они решат объединить свои семидесятилетия, всё-таки они со школы вместе.

А я не знаю, что ему подарить, никак не могу придумать подарок. Но что-нибудь обязательно придумаю.

Папе семьдесят! Мне на следующий год пятьдесят. Какие странные цифры! У меня есть ощущение, что они на нас не похожи. Во всяком случае, семьдесят точно не похоже на моего отца.

Сегодня буду играть в Москве спектакль «Как я съел собаку» и во время выступления по кемеровскому времени наступит первое мая. В спектакле много про детство, много жизнерадостности и надежды. Вся моя жизнерадостность и упорная любовь к жизни ощущаются мною как полученное от моего папы.

13 мая

Пишу из Новосибирска, скоро спектакль в любимом «Красном факеле», а ещё позавчера был в Греции, слетал на майские, чтобы погреться. В итоге мёрз там неделю, и только на три дня удалось подставить бледное туловище под солнечные лучи, дважды решился искупаться в весьма свежей воде. Когда вернулся в Москву, в нашей столице оказалось теплее, чем в Афинах. В итоге привёз на родину из Греции лёгкое похолодание.

Из Москвы до Афин лететь ровно столько, сколько из Москвы до Новосибирска. Минута в минуту, но какая огромная разница! А можно из Москвы лететь и в Иркутск, и в Хабаровск... Те же деревья, те же запахи, те же нравы, еда, городской пейзаж, одежда на людях и сами люди. А прилетаешь в Грецию — всё по-другому, всё без исключения, кроме часового пояса: в Греции московское время.

Вчера успел сняться в короткометражном фильме студентки, которая учится на режиссёра. Когда бывает возможность помогать совсем молодым, я стараюсь это делать. Получится из неё режиссёр или не получится, а если получится, то какой, сейчас неизвестно. Но если есть возможность помогать, надо помогать. Сценарий был симпатичный, а ещё это большое удовольствие — работать с начинающими, волнующимися, ещё совсем никем и ничем не ангажированными. В них есть вера в людей, а главное — в кинематограф.

Мне радостно в эти майские дни прилететь в родные края! В понедельник буду играть в Кемерово, приеду же в родной город в воскресенье. Та книга, которую я сейчас затеял писать, бо́льшая её часть, посвящена юности и молодости в Кемерово. В этот раз буду с особой пристальностью во всё всматриваться, вслушиваться и внюхиваться.

Осенью 2014 года участвовал в съёмках документального фильма из цикла «Я — местный». Одна из серий посвящена городу Кемерово, и я в ней ведущий персонаж... Получилось очень хорошо. Мне самому, что случается редко, понравилось. К тому же основные съёмки проходили в день рождения моей мамы. И вот, по иронии судьбы, этот фильм покажут завтра, буквально к моему приезду. Очень хочу, чтобы земляки посмотрели.

Хотел ещё что-то написать, но уже первый звонок. С Москвой три часа разницы, с Калининградом четыре. Летел в Новосибирск ночью, потом спал. Сейчас в очередной раз, как это обычно в Сибири и на Дальнем Востоке, есть ощущение утренника. Пойду играть «Шёпот сердца». Это второй мой сибирский тур с этим спектаклем. Как же мне нравится его исполнять, особенно после хоть и короткого, но отдыха!

20 мая

Вернулся в Москву из тура по родной Западной Сибири. Насколько устал, настолько же и воодушевлён. Я уже играл «Шёпот сердца» в родных краях, но и в Новосибирске, и в родном Кемерово, и в Томске были полные залы. А когда я сильно уставший, исполнение спектаклей происходит на каком-то странном, самому мне непонятном кураже.

В Кемерово был 16 и 17 мая. А прибыл вечером 15-го. Как всегда, по дороге из Новосибирска совершил ритуал — обед в деревне Болотное, там отличная придорожная столовая. Неоднократно уже писал про это, но повторюсь: Болотное находится строго посередине между Кемерово и Новосибирском, рядом с поворотом на Томск. В этом месте когда-то было чисто поле. Междугородние автобусы останавливались именно здесь, чтобы страждущие могли сбегать в кусты. Девочки налево, мальчики направо. Потом там появился общественный туалет системы сортир, а теперь там целый фудкорт и вообще всё, что хочешь.

Даже если я не голоден, даже если на какой-нибудь диете, я всегда останавливаюсь в Болотном и что-то ем. Но в этот раз, впервые, ко мне подошла барышня-официантка, поставила передо мной пластмассовую чашечку с пластмассовой палочкой и с растворимым кофе с молоком и пирожным «Картошка» в виде ёжика. «Это вам от заведения», — сказала она... Мне не раз в разных заведениях презентовали бутылки шампанского или не шампанского, частенько угощали благодарные зрители... Но этот кофе и ёжик в придорожной столовой деревни Болотное от владельцев-армян меня очень тронули.

Вечером 15-го в кемеровском Доме актёра почитал пару глав из романа, над которым сейчас работаю. Эти главы посвящены моим первым ужасным впечатлениям школьной поры от посещения областной драмы. Пришли актёры. Я читал не без волнения, но, слава богу, обид не случилось, всё-таки я пишу художественное произведение. Так вот — художественное победило.

В Кемерово спектакль прошёл с особым драйвом, а ночью после спектакля я покатался по городу, совсем пустынному, чистенькому: в ночь с понедельника на вторник кто ж будет гулять по Кемерово. Постоял у родильного дома, в котором родился. В пьесе «Весы», которую недавно написал, всё происходит в роддоме некоего провинциального города. И тут мне пришла в голову мысль: «Сейчас ночь на 17 мая, родился я 17 февраля, аккурат в этом здании... А ведь в эти ночи, пятьдесят лет назад, я был здесь зачат. Удивительно».

...В Москве дождь. Сейчас выезжаю в аэропорт, долечу до Нижнего Новгорода и к ночи прибуду в Саров. Город закрытый, чтобы туда попасть, мы получали пропуска. Это было похоже на получение визы в визовую страну. Мои приятели из Казани хотели приехать на спектакль, но в пропусках им было отказано. В Сарове никогда не был. Однако знаю, что отчим моего прадеда по материнской линии был из Сарова, он был царским гвардейцем и воевал в Русско-японскую войну. Очень жду каких-то особенных впечатлений. Все закрытые научно-технические и военно-научно-технические города содержат особенную атмосферу, этой атмосферой дышать интересно.

28 мая

После затяжных гастролей, начатых 11 апреля, вернулся домой... Самым сильным впечатлением за последнее время оказалось посещение Сарова, не оглушительное, не яркое, не мощное, как ядерный взрыв. Это сотканное из многих ощущений и наблюдений глубокое впечатление. Мне посчастливилось побывать в более или менее закрытых городах и на весьма закрытых производствах. Но в таком закрытом городе я прежде не бывал. Ни Североморск, ни Глазов не имеют такой степени закрытости. Разрешение на посещение Сарова мы получали за два месяца до нашего приезда. Получили одноразовое, то есть раз заехал, выехал, и больше въехать нельзя. Причём въехать и выехать мы должны были в течение одних суток, поэтому пришлось прилететь в Нижний Новгород и ехать в сторону Сарова, а потом заночевать, не въезжая в город. Пересекли мы границу, именно границу Сарова уже после полудня.

Пропускной пункт, способ проверки паспортов и прохождение на территорию города — это всё гораздо серьёзнее, чем, например, на российско-литовской или российско-польской границе. У меня даже не возникло желания что-то сфотографировать на этом КПП. Лица и взгляды военных, осуществляющих пропуск и контроль, не предполагали такой возможности и не допускали никаких шуток. Чувство юмора на этом объекте нужно забыть, а лучше утратить. Мне даже показалось, что птицы не решаются пролетать над КПП.

При этом, должен отметить, там царит порядок, спокойствие и деловитость.

Перед въездом в Саров мы решили заехать в Дивеево и посетить Дивеевский монастырь.

Монастырь меня потряс. Помимо бесспорной поразительной архитектурной красоты храмов там восхитило всё: как размах монастыря, так и удивительный порядок, там царящий. Нигде я не видел такого порядка — ни в России, ни в Европе. Ни во Франции, ни в Италии я не видел такого безупречного устройства территории и, с позволения сказать, монастырского хозяйства... И это с учётом куда более сложного климата...

Хотелось бы мне посмотреть на садовников, которые работают в Дивеевском монастыре. Всё не просто безупречно, но прекрасно, демонстрирует восхитительный вкус и безусловное знание садоводческого искусства и науки. Жилые здания и подсобные помещения не просто ухожены, но находятся в гармонии и украшают пространство. Нигде не торчат провода, нигде нет на много слоёв закрашенных лепных украшений, ни в чём не видно безалаберного или нерадивого отношения, нет ни одной несущественной детали.

Для меня объяснение этому чуду только одно — это женский монастырь.

К сожалению, времени было мало, всё осмотреть и посетить не удалось. Только у мощей преподобного Серафима Саровского я задержался. В этом храме, кроме мощей, хранятся разные предметы почтенного Святого... Одежда, обувь, рукавицы. Отдельно лежит мотыга, которой он работал в саду и огороде. Возле неё я постоял дольше всего. Рабочий инструмент Святого... От него действительно исходили и сила, и умиротворение.

С уверенностью могу сказать, если будет время и вы захотите безупречной красоты, а также сильного религиозного переживания, посетите Дивеево, получите всё сполна.

С самого начала гастролей, с 11 апреля, меня везде преследовала плохая погода. В Салехарде было слишком холодно, сразу после Салехарда, в Оренбурге, — слишком жарко и ветрено. Во время гастролей по Белоруссии я замёрз так, как давно не замерзал, не мог потом отогреться несколько дней, хоть и сами гастроли, и белорусская провинция меня очень порадовали. В майские праздники я тоже мёрз и был под непрерывным дождём... За день до посещения Дивеева лил дождь... А в этот день погода была дивная! Воздух был ясный-ясный, прозрачный и недвижимый, в небе летели большие, белые, причудливые и очень толстые облака. Они летели быстро, часто закрывая солнце, поэтому освещение садов и церковных куполов постоянно менялось. И всё это ещё было наполнено запахом сирени, свежескошенной травы... А как там поют птицы!

Саров я не буду рекомендовать посетить только по той причине, что это бессмысленная рекомендация. Посетить его могут лишь немногочисленные близкие родственники тех, кто живёт и работает в городе, а также специалисты, которые туда допущены.

Когда я поинтересовался, могу ли я купить сувенир на память о посещении Сарова, на меня посмотрели как на дурачка и сказали: «Евгений Валерьевич, какие сувениры?! Вы что, полагаете, что здесь бывают туристы?»

Первое, что бросается в глаза и, безусловно, город красит, — почти полное отсутствие рекламы, всех этих билбордов, растяжек, расклеек и прочей ужасной и пёстрой чепухи. В городе мало современных вывесок и вообще немного каких-то контор, заведений и других явных признаков второй половины второго десятилетия двадцать первого века. Зато сохранилось несколько так называемых «стекляшек», явно начала семидесятых годов. Их почти не осталось по всей огромной стране, а в этих «стекляшках», в которых когда-то были то кафе, то магазины, оказывается, есть архитектура и слышна та эпоха, в которую они были построены. Просто в Сарове «стекляшки» находятся в идеальном состоянии, как будто их только в прошлом году открыли.

Весь город так аккуратен, неспешен и так негусто населён, машин так немного и они такие чистые, что Саров производит впечатление уменьшенного макета большого идеального города, а ещё он похож на городок для изучения правил уличного движения.

Времени на осмотр достопримечательностей было совсем мало. Я, конечно, в первую очередь попросил подвезти меня к дому, в котором жил и работал академик Сахаров. От этого домика исходило то же, что я ощутил, когда стоял возле мотыги преподобного Серафима Саровского.

Мы пытались погулять, но комаров в городе такие тучи, а сами комары такие ядрёные, сочные, экологически чистые и какие-то старорежимные, что от прогулки пришлось отказаться.

Что ещё я увидел в Сарове? Довольно странный драматический театр. Странный потому, что он большой для такого маленького города, а ещё в этом здании архитектор воплотил, по-моему, все возможные свои идеи и мечты. Однако театр чистый и аккуратный, как и всё в Сарове.

Никаких объектов, из-за которых у города та степень секретности, какую он имеет, я не видел: мне не показали, а я и не попросил. Зато к семи вечера в театр пришли люди, которые и являются самым большим секретом и военной тайной.

Публика в Сарове прекрасная! Я с упоением играл для них. В подмосковных наукоградах я тоже играл с упоением. Играл и понимал, почему Высоцкий так любил выступать, а потом общаться и выпивать с физиками-ядерщиками.

В Сарове, в отличие от Подмосковья, люди были определённо рады тому, что спектакль проходит у них в городе, в их театре, что они могут быть в зале все вместе, а не где-то во время отпуска в Москве или Питере.

Эти умные люди улавливали каждый смысл, слышали каждое удачное слово. Я исполнял «Как я съел собаку», и спектакль лился так, что мне обидно было, я много раз за спектакль подумал: «Как жаль, что именно этот спектакль не будет заснят!»

А в зале сидели люди, которые обладают совершенно непостижимыми и непонятными мне знаниями. Их работа не только является тайной, но она ещё и таинственна для меня, гуманитария. Они делают то, что требует не только огромных и очень специальных мозгов, но ещё и особенной мощной ответственности.

Я немного пообщался с некоторыми из этих людей, кому-то поставил автографы. Это весёлые, жизнерадостные, современные люди, живущие жизнью всего мира и не ощущающие себя изолированными, хотя каждый из них прекрасно знает, знал с самого начала, с молодости, что никогда не побывает за границей. Но их работа, их профессия, очевидно, дают им полноценное ощущение настоящей жизни... Я тут же вспомнил многие скучающие рожи тех, кто уже не знает, в какую страну поехать, или большую часть жизни проводит то на Французской ривьере, то на горнолыжных курортах.

Обязательно ещё поеду в Саров. Хочу с ночёвкой, хочу пообщаться и выпить с физиками-ядерщиками.

Однако сувенир из Сарова у меня всё-таки есть: из местного музея мне принесли и подарили майку. Это крутая майка, сделана она без всякой иронии и без малейшей доли юмора. Принт на ней — образец чёткости и ясности мысли. Дизайн такой, что комар носа не подточит. А с комарами в Сарове, как я уже писал, всё в порядке. Я буду надевать эту майку только в том случае, если буду в компании понимающих людей, а не каких-нибудь вечно стебущихся над всем зубоскалов.

Это суперлимитед эдишн, и мало кто может такой похвастать. Раз-два и обчёлся. А у меня есть.

1 июня

На днях впервые поучаствовал в, с позволения сказать, кулинарной программе канала НТВ «Поедем поедим». Программу сложно назвать кулинарной. Весёлый англичанин Джон Уоррен ездит по разным городам, осматривает достопримечательности, слегка вникает в местный колорит и что-то готовит. На днях он был в Калининграде, мне предложили поучаствовать, я тут же согласился.

От остальных предложений приготовить что-то с милейшим Ваней Ургантом или ещё с кем-нибудь я всегда отказываюсь. Отказываюсь исключительно потому, что не умею готовить. Терпеть не могу наблюдать за тем, как готовят, и никогда не готовлю, даже если очень и очень голоден. Не готовлю яичницу, даже стараюсь не участвовать в заливании кипятком каш и супов быстрого приготовления.

А вот есть люблю.

Почему же я согласился на участие именно в этой программе? Да потому что была возможность с удовольствием поговорить о Калининграде, показать его, порекомендовать любимые места и просто проявить гостеприимство. То, что мы готовили, совершенно не важно. Главное — мы сделали это весело. Джон очень весёлый, забавный, жизнерадостный человек, который нешуточно любит Россию. Я убедился в том, что он весьма любопытен и неутомим в своём любопытстве, я был рад пригласить его домой. И именно я выбрал место, в котором мы готовили еду. Ещё раз повторю, какая еда — совершенно не важно, а вот место — чудеснейшее.

Как же я люблю говорить о Калининграде и показывать его! Мне всегда обидно, что в самое дивное время для Калининграда, то есть апрель—май и октябрь, я постоянно на гастролях, а летом мы уезжаем в совсем тёплые места, поскольку семейство-то моё весь год находится в чудесном Калининграде и хочет смены обстановки и пейзажа.

Вчера улетал из Калининграда... Как же там чудесно!

В основном всё уже отцвело, яблони, сливы, алыча... Падают последние цветы с магнолий, осыпается бульдонеж, только немногочисленные рододендроны покрыты мощными шарами цветов. Весь город зелёный, свежий, в самом разгаре буйства жизни. Птицы поют как сумасшедшие, аж надрываются, и их много. В море вода уже подбирается к 18 °C, самые отчаянные уже купаются, но до комфортного купания, конечно, ещё далеко. Зато море сейчас такой красоты, и такая от него исходит свежесть, такие дуют с него ветерки, так бегут над ним облака... Я не раз говорил, что Балтика — самое элегантное море в мире.

Если кто-то ещё ни разу не был в Калининграде и подумывает, не съездить ли — бросайте всё и езжайте. Какой Краснодарский край, какая Анапа?! Какой Крым?!.. Калининград! Светлогорск! Куршская коса! Невероятные пляжи у посёлка Янтарный! Цены вас порадуют, а не ужаснут, как в Сочи. Поесть вкусно и очень вкусно вариантов много, разнообразно выпить — тоже.

Я, например, фанат калининградского стрит-фуд-фестиваля. Несколько симпатичных парней, на вид хипстеров, купили оборудование и готовят еду. Выезжают в разные места города или к морю... Ну надоело людям в уличном режиме есть шашлыки, чебуреки и прочий узбекско-армянский набор. А тут совсем молодые, очень весёлые, чертовски симпатичные ребята делают хорошие бургеры, первоклассную китайскую лапшу, вкусные бутерброды, багеты, тапасы, варят отличнейший кофе, горячий шоколад, делают сладости, безалкогольные коктейли, даже хот-доги у них какие-то сочные, вкусные и весёлые. От их готовки не воняет на всю улицу подгоревшим жиром и прогорклым маслом, в их деятельности есть какая-то романтика, и это очень калининградская тема, поскольку калининградцы страсть как любят погулять, побродить и как можно вкуснее и дешевле поесть.

Дети от уличной еды всегда в восторге. И вот кружат по городу эти весёлые парни, останавливаются в каких-то приятных местах и весьма шустро кормят всех желающих. Совсем-совсем недорого.

В Калининград надо ехать! Провести целый день в Музее Мирового океана. Он занимает большую часть набережной, по нему можно гулять как по парку, заходить на корабли, которые являются частью музея, заглядывать в разные павильоны. Дня на музей не хватит, захочется прийти ещё. Есть форты, которые, конечно, впечатляют любого мужчину, особенно если ему лет двенадцать-тринадцать. За пределами Калининграда масса всего, и всё это близко и удобно. В «Круассан-кафе», если вы ни разу не были во Франции, сможете съесть круассаны такие, какие не везде вам подадут в Париже. В начале августа будет джазовый фестиваль — на открытом воздухе, с прекрасным звуком. Совсем-совсем недорого будут играть отличнейшие музыканты. И сами калининградцы как принимающая сторона вам понравятся.

К сожалению, аэропорт Калининграда таков, что в нём можно снимать взятие Рейхстага, и дороги во многих местах напоминают о том, какому государству принадлежит сейчас древняя прусская земля. Но всё равно не знаю места во всей огромной России, где можно было бы в любую погоду так комфортно провести недельку, а то и дней десять, не утруждая себя вопросами типа «А чем сегодня заняться?», «Куда бы пойти?» и «Когда же наконец этот отпуск закончится?».

Не хотел вчера улетать. Долго-долго, прижавшись носом и щекой к иллюминатору, смотрел на остающийся внизу и позади город, в который всегда рад возвращаться.

8 июня

Вчера играл спектакль в Костроме — в концертном зале, чего обычно не делаю. Редко-редко мне приходится выступать на сценах Домов культуры, филармоний или концертных залов. Такое со мной случается в тех городах, в которых театр не дают, либо театр очень маленький, либо его попросту нет. В Костроме театр очень маленький, а концертный зал очень большой, так что шестьсот человек моих зрителей в нём казались немногочисленными. Для меня и для публики, которая пришла именно ко мне, территория костромского концертного зала оказалась не совсем нашей. Я попал в другой мир...

Гримёрка костромского концертного зала — это нечто. Эта гримуборная предназначена для больших эстрадных российских артистов и звёзд, я в неё попал случайно и сбоку припёка.

Та гримёрка, в которой я готовился к спектаклю в Костроме, оказалась волшебными чертогами, о которых я не мечтал, потому что не могу о таком мечтать. Убранство гримёрки говорит о том, что люди, которые думают, что эстрадные звёзды живут в чудесном волшебном мире, совершенно правы.

Судя по тому, что многие артисты выступают в костромском концертном зале по несколько раз в год, в отличие от меня они, скорее всего, имеют гораздо большую зрительскую аудиторию.

Костромская публика оказалась очень яркой, внимательной и остро реагирующей. В прошлый раз я был в Костроме три года назад, и всё никак не удавалось снова приехать. Когда после спектакля давал автографы, подписывал книги и диски, многие костромские зрители жаловались, что к ним ничего хорошего не приезжает или приезжает крайне редко. Вот им и приходится ездить на спектакли в ближайший Ярославль или выбираться в Москву.

И в Вологде, и в Ярославле было ужасно холодно. Плохая погода преследует меня. Вчера в Костроме было +4°. Сегодня в Москве играю спектакль «+1», и вчера мне даже подумалось, что название моего спектакля является чуть ли не прогнозом... Однако когда летом плохая погода, спектакли играть и вообще работать лучше. И людям не так обидно идти на спектакль, когда в июньский вечер льёт дождь и холодно.

11 июня

Сегодня играю «Шёпот сердца» в Нижневартовске. Уже скоро на сцену, а за окном яркое солнце, жарко, весь город на улице. Прилетел сегодня из холодной, пронизанной дождём Москвы и обалдел. Всю весну на всех гастролях я мёрз и мёрз, вечно не угадывалась погода. В этот раз тоже не угадал — летел же на севера, взял с собой одежду потеплее, а надо было брать шорты и солнцезащитные очки. Кстати, солнцезащитные очки здесь пригодятся и ночью.

В первый раз я в этих краях в такую погоду и летом. Подлетал к Нижневартовску и просто примёрз к иллюминатору, не мог оторваться. Если бы Тарковский видел то, что видел утром я, он, наверное, виды Соляриса не стал бы делать на, как это было написано в титрах, «фотоэлектронном синтезаторе». Виды Соляриса можно было снимать здесь. И какие-то сцены «Звёздных войн» тоже можно было бы снимать здесь. Да и для фильма «Властелин колец» тут нашлись бы места, каких в Новой Зеландии, где, как известно, снималась эта сага, нет и в помине.

13 июня

Я понял, какой праздник для меня является нелюбимым, — это праздник 12 июня, когда люди не понимают, что празднуют, и теряют человеческий облик.

Праздновать начали наши болельщики в Марселе накануне самого праздника и моментально испортили радостное ощущение от игры с англичанами. Я не болельщик, но был рад хорошему и интересному матчу, рад был спасительному голу — и тут же все эти новости про наших идиотов. Мы и так пугало для всей Европы, а тут ещё уподобились английским болельщикам. Именно уподобились — это же не наш конёк... Лучше бы наши футболисты попытались уподобиться английскому футболу. Короче, праздник День России начался ещё в Марселе...

Выезжал вчера из Нижневартовска в Сургут, перед выездом зашёл купить себе в дорогу какой-то снеди. В магазине и в маленьком кафе стояла страшная духота: здесь аномально жарко, вчера и сегодня температура днём поднималась выше тридцати градусов. Так вот, и в магазине, и в кафе уже в два часа дня было много пьяных. Они были ещё непросохшими с субботы, но успели выйти, чтобы продолжить. Когда мы приехали в Сургут, увидели ту же картину. Уже вечерело, и по городу бродили немногочисленные, утомлённые солнцем и алкоголем люди. В заведениях было немноголюдно и совсем не празднично. На добавленный выходной у граждан России очевидно не хватило сил, жизненных ресурсов и средств.

Решил сходить в кино. Опасаясь, что в праздничный день с перспективой ещё одного выходного в кинотеатре будет много народу, заранее заказал себе билет. В большом восьмизальном мультиплексе народу не оказалось совсем. В зале, в котором я смотрел кино, довольно большом, сидели четыре зрителя, включая меня.

После отвратительного фильма, который сняла всеми любимая Джоди Фостер, мне захотелось перекусить и посмотреть футбол, поболеть за украинскую сборную. К вечеру люди в Сургуте повыходили в заведения. Я увидел довольно много красивых и очень нарядных женщин с совсем не нарядными мужчинами, которые восприняли жару как приказ надеть шорты и безобразные майки.

Когда я ужинал, ко мне подошёл молодой человек лет тридцати, пьяный, но вежливый. Поздравил с праздником, а потом спросил, как я отношусь к Путину. Я поинтересовался у него, почему он именно меня об этом спрашивает. Он ответил, что спрашивает именно меня потому, что ему очень нравится фильм «Сатисфакция» и Путин. Я искренне удивился и спросил, какая у этого связь, а он сказал, что ему важно знать моё мнение. Тогда я поинтересовался: скажите, а если я не очень люблю Путина, вам будет меньше нравиться фильм «Сатисфакция»? Он подумал и утвердительно кивнул. Тогда я как можно более искренне поздравил его с праздником и попросил не мешать мне ужинать. Он тут же вежливо извинился и так же вежливо ретировался.

А рано утром, практически ночью, когда я сладко-сладко спал, мне позвонил с Дальнего Востока друг и радостно поздравил с прошедшим праздником. По голосу было слышно, что друг продолжает праздновать и забыл поинтересоваться, в каком я часовом поясе. Тут уже я не выдержал и буквально прокричал в трубку: «Дорогой мой! С чем ты меня поздравляешь?! Ты хоть знаешь, что это за праздник, о чём он и почему? Я вот лично не очень хорошо знаю... Но это точно не тот праздник, с которым нужно меня поздравлять и при этом будить. Я не твой начальник, не твой знакомый генерал, не твой приятель прокурор...»

Мой слегка протрезвевший от натиска друг промямлил, что он тоже не знает, что празднует. «Просто погода хорошая и выдался лишний день для пьянки», — сказал он.

Мой безмятежный и на редкость хороший сон был испорчен, удалось хоть как-то забыться только к утру, и вот сейчас я, разбитый, готовлюсь к спектаклю. Надеюсь, что зрители в лучшей кондиции, чем я.

P.S. Только что отыграл спектакль в Сургуте. Сургутская публика прекрасная — вылечила меня. Такая синергия возможна только в театре...

25 июня

На днях видел в новостях репортаж о том, как спускают на воду очередной наш очень важный корабль. Не помню точно, какого он назначения и на какой это было верфи... Смотрел и подумал, что если бы спускали на воду флагман Российского флота, или самую новую нашу подводную лодку, или самый мощный ледокол, назвал бы я его очень просто: «Виталий Мутко». В таком случае это было бы самое непотопляемое в мире судно. Оно могло бы не соответствовать своим техническим характеристикам, вряд ли выполняло бы поставленные задачи, далеко не все члены экипажа возвращались бы к родным берегам... Но оно точно ни за что бы не утонуло, как наш неуязвимый и непотопляемый министр спорта и глава футбола.

Он, конечно, молодец! Я не знаю людей, которые с таким спокойствием и даже жизнерадостностью демонстрируют своё невежество, хотя бы в области иностранных языков, которые так весело путали бы откровенную ложь с полуправдой, которые так улыбчиво ни в чём не сомневаются.

Перед наглостью в России прогибается пространство, и перед ней расступаются люди. Виталий Мутко — ярчайший тому пример. Он всегда прекрасно выглядит, всегда загорелый, белозубый, с блестящими глазами, у него всегда готов быстрый ответ, он не заморачивается по поводу того, что сегодня сообщает что-то диаметрально противоположное тому, что говорил вчера. Он очарователен в этом. Он, очевидно, не злой, не подлый. Его эпоха связана с самыми большими провалами, скандалами, неудачами в спорте, с полной деградацией и без того убогого отечественного футбола. А он улыбается, прекрасно выглядит и остаётся на месте.

Его наглость очаровательна, она, можно сказать, восхитительна.

Мне непонятна преданность многих моих друзей и знакомых отечественному футболу. Ладно бы они, мои друзья, любили футбол только для того, чтобы попить пива, поорать. Нет! Это умные, тонкие люди. Многие из них интеллектуалы, настоящие учёные или блестящие деятели культуры. И вот они, считая себя глубокими знатоками футбола, страшно его любят и с непостижимым упрямством, а также с фантастической наивностью и сумасшедшей (на грани психиатрии) надеждой чего-то ждут от российской национальной сборной.

Этого я совершенно не понимаю! Мне непонятно, как умные, прекрасные и выдающиеся люди могут так внимательно смотреть и болеть за таких бездарных, глупых, неинтересных людей, которые, с позволения сказать, играют за нашу сборную по футболу. Как они могут всерьёз прислушиваться к словам очередного тренера этой проклятой сборной. Что это? А главное, когда это кончится? Когда наконец закончится этот странный массовый сон?..

Забавно было в Ханты-Мансийске. Спектакль там начинался в 19:00, а матч Россия—Словакия в 18:00 по местному времени. Минут за десять до начала спектакля было куплено около пятидесяти билетов. Покупали, конечно же, мужчины, которые решили матч не досматривать, а пойти в театр. Скорее всего, составить компанию своим жёнам.

Редкий случай. В театр люди покупают билеты всегда заранее, некоторые даже за пару месяцев, а тут... Город маленький, компактный, посмотрели мужики первый тайм и подумали: «А не посмотреть ли нам что-нибудь беспроигрышное?»...

Уже второй день, как у меня начался отдых. Устал так, что совершенно не могу расслабиться, настолько трудный был сезон. Не могу поверить, что мне не надо куда-то ехать, кому-то звонить, и вечером в 19 часов не прозвенит третий звонок, зовущий на сцену.

В последние дни сезона было много интересного. Были Сургут и Ханты-Мансийск в абсолютно непривычную и неуместную в этих регионах жару, был ненастный и прекрасный Санкт-Петербург и юбилей любимого Игоря Золотовицкого... Под это событие я даже в первый раз за двенадцать лет вышел на сцену спектакля «Осада». Так захотел юбиляр. Но об этом позже.

Много разрозненных и сильных переживаний, а ещё шум в голове — от обрушившейся на меня тишины каникул. Переживаний очень разных... Великобритания проголосовала за выход из ЕС. Кто бы мог подумать! Все были уверены, что не проголосуют, а потом скажут, что результаты референдума — это серьёзный сигнал, важный знак и прочее, и всё пойдёт своим прежним демагогическим, без учёта и видения реальности, вялым путём.

Мне эта ситуация интересна.

Выпустили на свободу и восстановили в должности горячо мной уважаемого ректора ДВФУ Сергея Иванца. Я переживал, когда его так громко обвинили и так же громко задержали. Я ни секунды не верил в его виновность, потому что знаю и видел, что он про университет, студентов, науку, а не про махинации и деньги. Задержали его громко, отпустили довольно тихо. Ну, это как обычно... Главное — он на свободе, на работе, я с ним говорил, он молодец. Голос его звучал вполне уверенно, без раздражения и гнева, а, наоборот, оптимистично и даже весело.

Это для меня радостная новость.

Арестовали Никиту Белых. С ним я знаком существенно меньше, общались несколько раз. Он бывал у меня на спектаклях, вручал мне премию Салтыкова-Щедрина. Беседовали. Смеялись. Хочется верить в его невиновность, потому что он человек симпатичный.

Да и вообще, хочется верить людям и не хочется верить обвинениям.

27 июня

Один день пребывания в Ханты-Мансийске в середине июня и спектакль в этом городе оказались весьма показательными. В городе я не был пару лет, а впервые оказался в нём в 2003 году на фестивале «Дух огня». Тогда только и разговоров было, что о Ханты-Мансийске. Все, кто в нём бывал, рассказывали чудеса о самом лучшем в России аэропорте, об игрушечном городе, в котором живут счастливые, богатые люди, о картинной галерее, которая может сравниться разве что с Эрмитажем, и даже о здании военкомата, которое больше похоже на дворец великого князя.

Первое посещение Ханты-Мансийского кинофестиваля «Дух огня» врезалось в память как мероприятие разухабистое, хлебосольное, безудержно щедрое, весёлое, сытое, пьяное и к кино имеющее весьма косвенное отношение.

Город впечатлял: новыми домами, крышами из металлочерепицы и стеклопакетами, которые тогда были в диковинку и говорили о состоятельности их владельцев.

Жители Ханты-Мансийска тогда были пресыщены непрерывным хороводом артистов, музыкантов и прочих известных людей. На любое мероприятие, любой день рождения в Ханты-Мансийск приезжали «звёзды» первой величины. У каждого водителя, который обслуживал фестиваль, были совместные фото с артистами, от Пугачёвой до Жириновского.

Город горделиво жил в ощущении, что кормит всю огромную страну и что если бы не приходилось делиться, Арабские Эмираты нервно курили бы в сторонке.

В этот раз я впервые был в Ханты-Мансийске летом и в экстремальную для этих мест жару. Из Сургута ехали часа три. Дорога нормальная. Когда-то она считалась роскошной, а сейчас дорога как дорога. Хотя, конечно, для жителей Удмуртии, Хабаровского края или Саратовской губернии это чудо, а не дорога.

Меня удивило, что мы ехали, ехали и кругом был прекрасный белый песок, как в каких-то южных или даже пустынных местах. Песок, песок, песок. Я раньше этого не видел, потому что всегда бывал в этих краях, когда снег, снег и снег.

Ехал я в Ханты-Мансийск с тяжёлым сердцем и в плохом настроении. После Сургута, где был аншлаг, и Нижневартовска, где был почти полный зал, в Ханты-Мансийске было куплено совсем мало билетов, так мало, что организаторы просили отменить спектакль: в случае отмены потери организаторов меньше, чем в случае исполнения спектакля для малого количества зрителей.

Я долго думал и всё же решил спектакль не отменять. За шестнадцать лет профессиональной работы мне пришлось отменить, точнее, перенести спектакль лишь однажды, да и то по требованию руководства страны. Тогда меня совершенно неожиданно, приказным образом вызвали на встречу с президентом по случаю годовщины со дня рождения академика Лихачёва. Я категорически не хотел ехать и намерен был играть спектакль в Тюмени, но тюменский театр, как и все театры, государственный, и его дирекция не могла ослушаться указания свыше запретить мне проведение спектакля. До сих пор помню свой стыд и ужасное чувство вины перед тюменской публикой, но сделать я ничего не мог.

В этот раз в Ханты-Мансийске в зал на 1300 мест было куплено меньше трёхсот билетов, хотя в прежние времена в этом крошечном городе всегда находилось достаточно публики.

Короче, я отказался отменять спектакль, а также отказался от гонорара, чтобы спектакль всё же прошёл и чтобы от моего решения никто из организаторов финансово не пострадал.

Обидно работать бесплатно. А ведь для того чтобы спектакль состоялся, нужно не только мне выйти на сцену, но ещё многим людям провести предварительную работу... Мы привезли полноценные декорации...

Спектакль прошёл очень хорошо. Перед началом я сказал публике следующее: «Дорогие мои немногочисленные ханты-мансийские зрители! Знайте, что сегодня я для вас буду работать бесплатно, хотя это совершенно не значит, что вы будете смотреть бесплатно спектакль. Вы купили дорогие, как и всё в Ханты-Мансийске, билеты, тем самым оплатили мой приезд сюда и непомерно дорогую аренду зала, в котором мы собрались. Поверьте, аренда этого зала существенно дороже, чем аренда любых выдающихся театров по стране, и местная дирекция не идёт ни на какие уступки. В вашем городе по этой причине отменяется большинство концертов и спектаклей, и если так пойдёт дальше, скромные артисты вроде меня вообще не смогут к вам приезжать. Мне пришлось отказаться от гонорара только для того, чтобы не попасть в число отменённых исполнителей. Я сочувствую вам, сочувствую тому, какие непомерные цены вам приходится здесь платить за всё, но поскольку я играю сегодня бесплатно, буду это делать для вас с удовольствием. Однако по той же причине буду требовать от вас внимания, поддержки и любви».

Люди смеялись, аплодировали, спектакль прошёл чудесно, без единого телефонного звонка.

Ханты-Мансийск по-прежнему аккуратный, но абсолютно остановившийся в развитии. Всё то, что восхищало двенадцать лет назад, теперь выглядит обычным и даже начинающим ветшать. В городе, очевидно, пропала, исчезла идея быстрого и активного развития. У людей улетучилась гордость за свой особенный город, они утратили спесь жителей самого продвинутого, богатого и лихого региона, им больше нечем хвастаться, а именно эта гордость, спесь и возможность хвастаться давала им возможность радостно жить в их крайне суровом и весьма враждебном для человека краю и климате.

Люди в Ханты-Мансийске жаловались, вспоминали прежние сытые времена. Все они хотят уехать, многие особо внимательно расспрашивали про Калининград. Однако они тяжело вздыхали, говоря о том, что в ближайшее время им не удастся продать своё безумно дорого некогда купленное жильё.

В Ханты-Мансийске наиболее наглядно и выпукло видны процессы, настроения и смятение, царящие в стране, а также неуёмная жадность тех, кто привык к денежным цифрам прежних сытых времён и неспособен, не в силах от них отказаться в пользу блага других людей, благоразумия и реальности сегодняшнего момента.

Улетал из Ханты-Мансийска грустный. Улетал из аэропорта, который когда-то поражал воображение, а теперь — просто ничего особенного.

28 июня

Я не футбольный болельщик, я вообще не спортивный болельщик. Мне спорт в известной степени безразличен как таковой. Если я за кого-то переживаю или болею, так только за людей. Давно я так не болел и не переживал, как за команду Исландии в матче с командой Англии. Очень

478

давно! С юности. С тех самых пор, когда весь мир восхищался и болел за легендарную команду Камеруна на давнем чемпионате мира.

Во время матча получал множество сообщений от друзей, приятелей и даже от брата с папой. Общий смысл был таков: как замечательно, как круто, какое чудо! Болею, как за своих не болел.

Я что-то отвечал, стараясь не отрываться от экрана, и вдруг понял, что болеем-то мы как раз все *за своих*! Потому что болеем за нормальных и понятных нам людей. Людей, от нас, по своей сути, не отдельных.

Всем хочется чуда! Всем хочется знать, что чудо возможно. Пусть не с нами, но с кем-то. А ещё очень хочется чудо видеть. Радостно, когда в сказке чудо происходит с Иванушкой-дурачком, просто хорошим, добрым человеком, не более, но с ним раз — и произошло чудо. Увлекательно читать романы Вальтера Скотта, особенно те эпизоды, когда невесть откуда появляется никому не знакомый безымянный рыцарь в скромных доспехах и, конечно же, побеждает. Азартно читать про то, как из лесу, в бедном плаще с капюшоном, прячущем лицо, выходит лучник, которого никто не знает, и побеждает знаменитых рыцарей в состязании по стрельбе из лука. В таких случаях вельможи переживают, а народ ликует, радуясь за *своего*.

Когда вся наша страна и все болельщики в Европе (думаю, даже английские) болели за сборную Исландии, они болели за *своих*. Они болели за чудо и за игру в футбол. Не за шоу звёзд, не за тренерские разработки и даже не за блестящее выступление, технику и мастерство. Они болели за людей, которые играют... Играют азартно, жизнерадостно, с восторгом от происходящего и даже удивляясь самим себе, мол, ничего себе, вот это да, эвон как у нас получается!

Всякий футбольный болельщик Читы, Сыктывкара, Прокопьевска, Благовещенска или Магадана болел за Исландию, понимая, что эта страна такая же или чуть больше его города, и ему, конечно, хотелось бы, чтобы у его города была такая футбольная команда, которая показывала бы чудеса на глазах у всего мира, а он бы знал всех игроков, потому что он с ними либо учился в школе, либо когда-то играл за школьную команду, либо он его сосед, либо приятель соседа, либо сын маминой коллеги, либо парень дочери. И тогда бы он не пожалел денег и, как огромное количество (от общего числа) исландцев, поехал бы болеть за свою команду. Поехал бы хоть за океан. И там, гордясь своими футболистами, был бы самым очаровательным, весёлым и всем интересным человеком, поскольку он причастен к чуду.

Так что мы, болея за команду Исландии, болели за своих, болели за футбол как за игру, болели за чудо, которое случается.

А наша сборная были *не свои*. Кому могут быть своими люди, живущие непонятно где, непонятно как. Живущие в странных, неведомых чертогах неведомой жизнью. Люди, про которых говорят в основном не о том, как они сыграли, а о том, сколько им платят. Как можно своими считать людей, которые давно оторвались не только от своих городов, от своей Родины, но и от футбола как от игры, в которых нет азарта, у которых не блестят глаза. Я удивляюсь рекламодателям, которые используют наших футболистов в рекламных целях. Неужели не понятно, что такая реклама будет исключительно антирекламой? Разве наши футболисты свои? Разве могут быть своими люди, которые не любят своих болельщиков, не любят друг друга и не любят футбол?

Наши футболисты на нынешнем чемпионате Европы выглядели как люди, которые вынуждены делать что-то такое, что делать не хочется, а хочется, наоборот, зажмуриться и чтобы всё поскорее закончилось. Они выглядели как люди, которые страшно жалеют, что вписались в это дело, которых вынудили, обязали, заставили, как люди, которые вообще ни на что не надеются. Разве за таких можно болеть? Разве это наши? Разве они свои? Они никому не свои.

Наверное, они когда-то любили футбол, подавали надежды, ими гордились родители. Но то, как живёт футбол у нас, сделал из них то, что сделал. Я сочувствую родителям, ближайшим родственникам и жёнам всех членов нашей национальной сборной по футболу. Нет ничего больнее, чем наблюдать позор своих детей, презренное отношение к ним со стороны всех, даже не болельщиков, и видеть, что их своими в своей стране не считают.

Выиграют исландцы у французов или не выиграют — не важно, они уже герои не только у себя дома, они герои футбола. Они — Робины Гуды и рыцари в скромных доспехах, весёлые викинги, которые на маленьких лодочках переплыли океан. Они наши герои, поскольку очевидно живые, нормальные и очень желающие выиграть люди.

Когда шли последние, самые напряжённые минуты матча, я сказал: «Если они выиграют, я поеду в Исландию». Убеждён, что в ближайшее время поток туристов на этот вулканический остров возрастёт в разы. Почему? А потому, что всем интересно увидеть место, где родились и живут герои. Всем хочется увидеть печку, на которой лежал Илья Муромец, и лес, в котором жил Робин Гуд. Но в Исландии можно будет этих героев с большой вероятностью повстречать лично, потому что они не из чертогов, их адреса известны. Ну а уж если самого Илью Муромца там встретить не удастся, можно будет выпить с его соседом, одноклассником или тестем. Главное — прикоснуться к чуду — человеческому, земному и в этом смысле нашему.

А кто на этом чемпионате Европы проиграл, провалился и оказался дураком и в дураках — так это Рональдо, который не поменялся майкой с игроком сборной Исландии, отказался отдать свою бородатому парню. Теперь понятно, что он глупо и надменно упустил шанс получить майку исландского Ильи Муромца или Ахиллеса, не захотел взять майку героя. Очень зря. Если бы взял, было бы что показать внукам, если таковые будут. Рональдо, конечно, великий игрок, бесспорный мастер и красавчик, но исландскую сборную будут вспоминать дольше, а главное — любить сильнее. Так что Рональдо надо одуматься, пойти к Арону Гуннарссону и уже самому предложить обменяться майками. Уверен, Арон не откажет, он же герой. Он нормальный человек. Он наш.

4 июля

Вчера все болели за Исландию: греки, англичане, голландцы, даже франкофонные бельгийцы, ну и немногочисленные мы. В баре у моря собралось много людей, гораздо больше, чем на матч Италия — Германия.

Все болели за исландцев. Все, чьи команды вылетели, и все, чьи команды даже не дошли до чемпионата. Все хотели повторения чуда, прекрасно зная, что чудо неповторимо. Оно и не повторилось, просто осталось чудом, и всё.

Обычно при счёте 4:0 многие болельщики покидают трибуны. Тем более шёл дождь... Но из бара у моря никто не уходил, все общались друг с другом и, несмотря на разгромный счёт, были весёлыми, жизнерадостными.

Два гола в ворота Франции отозвались громкими радостными криками по всему побережью. А картинные поклоны, артистичные и отработанные победные кружева, исполняемые французами после забитых голов, воспринимались как неуместное кривлянье и избыточный кураж. Уверен, что в матче с Германией, если французам посчастливится забить гол-другой, их победные ритуалы и изящный кураж будет вполне уместен. Но не в случае с Исландией.

Не в том смысле, что французы куражились, — над детьми куражиться нехорошо. Исландцы не выглядели детьми. Они очевидно были командой совершенно другого класса, чем французы. Но просто исландцы играли, а французы устраивали шоу.

Интересно, когда наши болельщики идут на очередное заведомо провальное и позорное выступление нашей сборной, в которую они совсем не верят, что происходит? Люди же всё равно идут с надеждой, но при этом без веры в команду. Странная, ничем не объяснимая, можно даже сказать, глупая надежда у них есть, а веры нет.

В ситуации, когда все болели за Исландию, надежды, особенно после первого тайма, не было. А вера была! Простая вера в то, что те, за кого болеют, доиграют достойно, будут выглядеть мужественно, подтвердят, что полюбили их не зря, а главное — ещё раз продемонстрируют, что просто играют в футбол — как в великую, увлекательную, любимую миллионами игру.

Люди от исландцев этого ждали и получили сполна. Исландская сборная 2016 года останется в памяти всех, кто за неё болел, как когда-то команда Камеруна, как все, кто дерзнул, добился неожиданного, отчаянного, блестящего успеха, а потом, понимая свою обречённость, не отступил. Греки обожают миф об Икаре, а триста спартанцев до сих пор и навсегда их любимые герои. У всех свои герои. Нынешняя исландская сборная моментально ушла в мифологию вслед за бесстрашными викингами. Те викинги старались принять смерть с мечом в руках, до конца оставаясь воинами, исландские футболисты проиграли с мячом в ногах.

Июль только начался. Радостно от того, что впереди ещё много лета. Хотя... Как только лето разгоняется, оно, чёрт возьми, быстро заканчивается. Часто июнь кажется длиннее июля и августа вместе взятых.

Несколько коротеньких летних наблюдений...

На днях сидели вечером в таверне, рядом ужинали пожилые англичане. Три семейные пары пожилых людей, очень весёлых. Такие молодцы! Им нормально за восемьдесят, а они не окуклились, не засели дома, а приехали в Грецию, с удовольствием пьют и едят, нарядно одеты. У мужиков (дедов) штаны ярко-зелёного, жёлтого и бирюзового цветов. Жалкие, вялые хипстеры просто курят в сторонке. Дамы были в бусах и мощных серьгах. Одним словом — молодцы! Когда принесли счёт, одна леди, самая весёлая за столом, спросила официанта:

— Это что?

Тот ответил:

— Это сто восемьдесят евро.

— Какие евро? Что это такое? Унесите! Мы уже не члены Евросоюза, — и вся компания тут же засмеялась.

Молодые англичане, лет тридцати, посмотрели на них из-за соседнего столика неодобрительно, даже осуждающе. Мол, старикам легко куражиться на эту тему, а им — молодым — непонятно, что делать дальше. Старикам же было весело от того, что хоть что-то произошло и что-то будет происходить с ними или уже без них...

Греки радуются тому, что Эрдоган извинился перед Россией и Путиным. Им это очень важно. Тем, как Турция шантажировала Европу, по сути, торговала беженцами и творила что хотела, греки были лично оскорблены и унижены. Они-то лучше остальных знают, что туркам верить нельзя, а тут этот визгливый Эрдоган извинился, они теперь в восторге от Путина. Что с них взять? Тоже по-своему наивные люди.

Видел, как днём к пляжу подъехал большой туристический автобус, из него вышли люди, которые говорили по-русски, их было человек тридцать. В основном от тридцати до сорока, с детьми. Их привезли на отдалённый пляж с хорошей таверной, они быстро расположились, купались, загорали. Услышав, что мы тоже говорим по-русски, заинтересовались, откуда мы. Я сказал, что из Калининграда, из России. Ничего больше они не спрашивали, всё было вполне сдержанно и дружелюбно. Я поинтересовался, откуда они. Люди были из Запорожья и Днепропетровска. Мы мирно соседствовали на пляже, а ближе к вечеру, когда они уже грузились в автобус, у них случилась перепалка. Сначала, видимо, кто-то возмутился тем, что кто-то слишком медленно шёл к автобусу. Слово за слово — и все, кроме детей, слились в общую жуткую, сначала гневную, а потом просто ненавистную брань. Женщины орали, мужики чуть ли не кидались друг на друга. Это было ужасно и буквально на грани мордобоя... Эта сцена, эта ситуация самым наглядным образом демонстрировала, что внешних врагов у Украины нет. Собственно, как и не было.

Ко мне на следующей неделе в гости приедет мой знакомый профессор юриспруденции из Харькова, очень его жду. Он не только умный, но ещё остроумный и хитроумный, к тому же весьма и весьма артистичен, как многие матёрые украинцы. Жду его с нетерпением, давно не виделись... Будем выпивать и беседовать, мы это умеем.

Но на сегодняшний день отчаянно рад тому, что никто в этом году пока в гости ко мне не собрался. Как же хорошо без гостей...

6 июля

Я сейчас на тихом греческом острове, но и сюда, разумеется, докатились информационные волны с Лазурного берега про брызги шампанского вокруг наших двух футболистов. Позор...

Позор, заслуженно осмеянный. Даже если бы два этих высокооплачиваемых бедолаги из нашей национальной сборной сыграли на чемпионате Европы чуть-чуть получше, хоть что-то бы сделали на поле — и то этот фейерверк из шампанского выглядел бы дурновкусием, барством и чем-то мерзким, чего, собственно, все от русских ждут, а русские регулярно отчебучивают.

Сейчас уже говорится о том, что шампанское заказывали не они, что это их частное дело, что обсуждать частную жизнь нехорошо... Всё, наверное, так, вот только позора и мерзости от этого не становится меньше.

На острове за зиму мощной техникой кто-то снёс целую скалу, вырубил прекрасную оливковую рощу, срубил вековые кипарисы, которые неизвестно как долго отражались в водах дивной бухты... Всё местное население убеждено, что делает это богатый русский, хотя устроил это небедный англичанин. Как только кто-то начинает тут что-то выкупать, ломать, вырубать, а потом строить на том месте, где испокон росли деревья и скалились скалы, все сразу думают, что это делают русские.

Позавчера, часов в пять вечера, услышал неподалёку разносящиеся над морем и островом громкие характерные звуки настраиваемой аппаратуры и музыкальных инструментов. Сначала подумал, что поблизости готовится большой рок-концерт. Но прислушавшись к тому, как настраиваются барабанщик, гитарист, а особенно — бас-гитарист, я понял, что ситуация другая. Все инструменты звучали кондово, так играют и звучат только кабацкие музыканты-лабухи. Такие звуки на нашей почве говорят о том, что поблизости готовится свадьба или юбилей купца-промышленника, депутата или, на худой конец, заместителя прокурора.

Эти звуки были неожиданны для многовековых олив и смолкнувших цикад, они так же были неожиданны и для меня — в местном контексте.

Музыканты быстро настроились и устроили небольшую репетицию, за время которой успели сыграть весь классический набор, от Гарри Мура до «You in The Army Now», слегка проскочили «Пинк Флойд» и «Дип Пёрпл». У меня не было никаких сомнений в том, что поблизости будет праздновать какой-то наш человек (из Казахстана, России, Белоруссии, Украины или Молдавии) лет сорока-пятидесяти. Судя по манере исполнения, музыканты были не местные, а привезённые откуда-то из Казахстана, России, Белоруссии, Украины или Молдавии.

В девять тридцать вечера музыканты врезали на полную, вздрогнули даже яхты на рейде. Начали, разумеется, с «Дыма над водой». Громко было далеко. Минут сорок грохотали известнейшие рок-баллады и рулады семидесятых, а после перерыва, тоже минут на сорок, зазвучал репертуар Элвиса, что-то из «Би Джиз» и даже «No Woman No Cry».

Звук определённо был рассчитан на то, чтобы вся округа, все, кто решил переночевать на своих лодках и яхтах поблизости и даже пассажиры и экипажи проходящих мимо круизных лайнеров, подумали словами незабвенной песни: «Что за богач здесь чудит?»

И, конечно, неведомый юбиляр был уверен, что все останутся довольны — как были уверены в том, что делают мир счастливее, те, кто в летние выходные выставлял колонку на окно своей комнаты в общежитии.

Третье отделение началось ближе к одиннадцати, и я уже всерьёз стал ожидать песни «Я люблю тебя до слёз», но она всё не звучала, а звучали, наоборот, кондово исполненные хиты «Бони М» и Донны Саммер.

А я представлял себе пьяненького счастливого юбиляра, который подходил к кому-то из приглашённых и, обводя рукой с сигаретой происходящее, спрашивал: «Игорёк, ну как тебе?» — а в ответ получал: «Ну что ты, Володя... Молодчина, молодец! Вот можешь же всё-таки!» Тогда юбиляр многозначительно кивал, сдержанно улыбался и говорил: «Вот, дружище, не зря вкалывали!» Ходил среди гостей со стаканчиком, счастливый, но с грустью в улыбке, чокался со всеми, принимал поздравления, а потом подозвал кого-то из помощников и сказал: «Музыкантов накормите по-человечески...»

Всё это мне виделось, всё это мне представлялось...

Было понятно, как раздражает эта музыка желающих уснуть англичан, немцев, французов, проживающих поблизости, как обидно яхтсменам, которые пришли в местную бухту за тишиной и ночной благодатью, и как костерят они про себя виновника торжества, не сомневаясь, что это, конечно же, русский (казах, белорус, украинец, молдаванин — это им неведомо, русский — и всё).

Я также был уверен, что кто-то из местных жителей посматривал на часы, думая, что если это безобразие продлится за полночь, впору будет вызывать полицию.

Благо всё закончилось до полуночи. Но в конце я ждал тостов, произнесённых в отобранный у певца микрофон, и они прозвучали... Но на непонятном мне языке! Я был ужасно удивлён. Язык был определённо славянский, но не украинский, не болгарский, не польский, не сербский, не белорусский...

Сегодня я узнал, что, оказывается, неподалёку живёт в большой вилле богатый словак...

Словак! А ничто русское ему не чуждо. Гулял словак, а остров подумал — русские веселятся.

Так-то! Мы в ответе за всех, кто был с нами в одном лагере!

Что уж говорить о двух богатых молодых бессмысленных бедолагах, которые выступили с шампанским на Лазурном берегу! Чепуха это! Мелочи! Малая толика всей той барской пошлости и мерзости, которая, кажется, никогда не будет нами изжита по-настоящему, осмыслена и отвергнута как пошлость и мерзость.

Я ведь тоже в первую очередь подумал, что по соседству веселится и ликует мой соотечественник...

Противно, конечно, что под шампанское футболистам включили наш национальный гимн. С другой стороны, что им могли ещё включить? Боюсь, эти ребята такие дремучие, что, кроме гимна, никаких других песен со словами не знают, да и его им пришлось выучить, чтобы петь перед матчем или хотя бы шевелить губами. Ну а после матча им его петь не приходилось, разве что только в клубе, во Франции, на Лазурном берегу.

12 июля

Я рад, что выиграли португальцы, не знаю почему. Никогда не был в Португалии, ничего особенного про Португалию не знаю, очень люблю их заунывные и печальные песни фадо, язык у них забавный — шепелявый, но благозвучный.

Когда у меня нет особых предпочтений, я болею за команду — не фаворита. Французы играли у себя дома, Франция — большая страна, вся из себя, а Португалия — маленькая, бедненькая. К тому же французская команда этого года какая-то уж очень несимпатичная, на мой вкус, без настоящих героев команда.

Ещё меня радует в ситуации с победой Португалии то, что исландцы сыграли с теперешними чемпионами вничью.

К сожалению, финальный матч я видел смутно: прилетел мой долгожданный украинский друг, тот самый профессор, который обещал — и приехал. Мы давно не виделись и вцепились друг в друга с разговорами. Разумеется, с любимым греческим вином. Друг мой его прежде не пивал, а мне хотелось продемонстрировать глубокие в нём познания. Короче, к матчу мы были уже не в состоянии внимательно следить за мячом и игрой.

Однако чудо, которое произошло почти в самом начале матча, на моё нетрезвое сознание произвело сильнейшее впечатление. Я имею в виду маленькую бабочку, мотылька, который слетел на лицо Криштиану Роналду в тот момент, когда его травмировали и он сидел на траве, растерянный и страдающий. Как это случилось? Зачем эта бабочка залетела на многотысячный стадион и не стала виться у прожекторов и других ламп, а спустилась на поле и коснулась лица ключевого игрока матча в то мгновение, когда он из матча выбыл? Это видели сотни миллионов человек. Я глазам своим не поверил и сразу понял, что португальцы выиграют.

Меня, в отличие от Криштиану, за прошедшую неделю дважды ужалили шершни. Прежде кусали комары, кусучие мошки-мушки, пару раз — собака, жалили пчёлы и осы, неоднократно жгли медузы... А вот шершни — впервые в жизни.

В сибирском детстве и юности шершней у меня не было, они попросту там не водятся. Но миф о шершнях был. Этот миф гласил, что укус шершня страшно болезненный — и не приведи господь!

Всякое летающее существо, напоминающее осу — а были такие длинные, с острыми задницами, — назначались нами в детстве шершнями. От них мы стремглав убегали с громкими криками: «Шершень!» Мне часто казалось, что шершни гонятся за мной, хотя я не могу припомнить, чтобы кто-то из моих знакомых был хоть раз укушен или ужален этими странными длинными осами. Но боялись мы их ужасно.

Точно так же, как дико боялись больших длинноногих комаров, странных, медлительных тварей, которых дворовая мифология окрестила малярийными, и эта же мифология гласила, что укус такого комара чудовищно болезненный, а в некоторых случаях — смертельный.

Чаще всего этих комаров можно было увидеть в подъезде, где они либо бились в стекло, либо, утратив силы, тоскливо умирали, сидя под потолком. Когда в подъезде обнаруживался такой комар, мы с опаской подымались по лестнице, чтобы на него глянуть, ужаснуться и убежать. Мы были уверены, что эти комары только и ждут нас, чтобы напасть и укусить. Насмерть.

С настоящим шершнем всё было иначе. Я стоял в майке и шортах на палящем солнце, не размахивал руками, не двигался и даже не разговаривал, как вдруг получил в затылок сильнейший разряд острой боли, такой сильной и неожиданной, что громко закричал. Было ощущение, будто меня ударили по голове увесистой электрической дубинкой. Ударили сокрушительно, так, что я буквально подался вперёд и чуть не упал на колени. А это крупное, красивое полосатое насекомое запуталось в моих коротких волосах и продолжало жалить.

После укуса пчелы или осы больно, место укуса опухает. Но всё же после удаления жала боль проходит довольно быстро. Шершень жала не оставляет, а боль держалась два дня, сильная, саднящая, пульсирующая, непрерывная.

Как только боль от укуса прошла, почти через три дня после инцидента, я получил ещё один укус, гораздо более болезненный и ещё более обидный. Я шёл по стриженому газону, чтобы взять холодненькой водички и с удовольствием её попить. У меня было прекрасное настроение, хороший аппетит, а в голове прокручивались планы на ужин и интересную прогулку по древней крепости, в которую я давным-давно хотел попасть. И вдруг... Мне показалось, что я наступил на самый раскалённый в мире уголь. Наступил средним пальцем правой ноги, ощущение было, будто обжёгся я всем телом. Упал как подкошенный. Больно было так...

Но обидно было даже сильнее: сразу рухнули все планы, пропал аппетит, а древняя вожделенная крепость исчезла из планов как мираж. К вечеру правая нога у меня была как у хоббита, и не было обуви, в которую она могла бы поместиться. Три дня я был хоббитом на правую ногу. Нога пульсировала, болела, а палец болел, как самый больной зуб.

А я ведь этих шершней прежде не опасался, старался жить с ними добрососедски, вежливо открывал окна, отдёргивал шторы, чтобы они могли вылететь из помещения, неоднократно спасал из бассейна. Сволочи!

Будьте с ними осторожней! Они, конечно, красивые, но жалят. Жалят, как выясняется, ни с того ни с сего, исключительно из-за того, что могут.

Сейчас много обсуждений и пересудов по поводу запрета нашим легкоатлетам участвовать в Олимпиаде. Эти пересуды бессмысленны. Обидно, конечно, и спортсменов очень жаль, но рассуждать, почему так поступили с нашими легкоатлетами, бессмысленно. Почему поступили? Да потому, что могут! Что могут, то и делают.

В Киеве переименовали Московский проспект в проспект имени Степана Бандеры. С чего вдруг? Название города Москва никаким образом не может подпадать под процесс декоммунизации, проходящий в Украине. Зачем они это сделали? Ведь всё равно же придётся когда-нибудь снова переименовывать, не обязательно обратно в Московский, но не может в Киеве долго или очень долго просуществовать проспект, названный именем...

Для чего это было сделано? Да просто могут! Могут и сделали. И сделали не для кого-то вообще, не в угоду национальным настроениям и уж, конечно, не для большей европейскости, а исключительно для того, чтобы кому-то в России от этого стало обидно и противно. Мне определённо стало, так что цель достигнута. Могли и сделали.

А президент Украины Порошенко скорбно опускался на одно колено перед памятником жертвам Волынской резни, буквально на следующий день после переименования проспекта в Киеве, кланялся жертвам того персонажа, чьим именем назвали некогда Московский проспект.

Почему он это сделал? А потому, что не мог не встать, должен был коленопреклониться. Мог бы не кланяться — ни за что бы не поклонился. Но в данном случае не мог. Противно? Очень!

P. S. После укуса шершней всё узнал про них в интернете. Практический совет: если вас укусит шершень, необходимо, как и в случае укуса змеи, отсосать из места укуса попавший в ранку яд, если, конечно, сама ранка доступна, если она не на голове или... Много у нас для самих себя недоступных мест. Далее нужно как можно скорее приложить лёд и выпить антигистаминное средство. Вот такой практический совет. Лёд лучше держать как можно дольше, а также быть готовым к тому, что боль быстро не пройдёт.

Осторожнее с этими тварями.

16 июля

Горюю и негодую.

В четверг вечером решил написать в дневник весёлую заметку о том, что лето дошло до середины, и описать приятные летние мелкие радости. Написал. Включил телевизор и понял, что писал я всё это зря и публиковать написанное поздно, хотя закончил буквально минуты назад... В новостях я увидел срочные репортажи из Ниццы и забыл про летние мелкие радости.

Как точно было выбрано время и место этого страшного нападения! Франция. Ницца. День взятия Бастилии. Всё продумано, и тёмные бесчеловечные силы могут отмечать очередную ужасную победу.

Конечно, они должны были нанести удар именно во Франции, в стране, где уже нанесены бесчеловечные удары и где руководство страны наговорило массу обещаний и надавало кучу торжественных клятв бороться с терроризмом, где с зимы действует чрезвычайная ситуация, где заявлено, что все силовики и спецслужбы извлекли жестокие уроки из прежних терактов, и новых не допустят. Разумеется, удар нужно было наносить именно в этой стране, чтобы показать, что все обещания, клятвы и спецслужбы не имеют никакого значения.

День взятия Бастилии — главный праздник свободы не только Франции, но и всей демократической Европы. Символ торжества свободы, равенства и братства. Лучшего дня просто не сыскать.

Ницца — самое сердце Французской ривьеры, середина Лазурного побережья. Авиабилет в Ниццу — это не что иное, как билет в высшую лигу летнего отдыха. По Английской набережной, на которой случилось в четверг кровавое месиво, ежеминутно проезжают суперкары с супербогатыми людьми. Мимо неё в обе стороны идут и идут суперъяхты, самые дорогие и роскошные игрушки. И всё это — клубок, квинтэссенция, максимальная концентрация того, что мы называем буржуазными ценностями. Вот туда и нанесён был удар. В самое яблочко. Метко, точно и смертельно.

В пятницу президент Франции в очередной раз сделал брови домиком, скроил скорбную физиономию и сказал всё то же самое, что говорил зимой и осенью прошлого года: что их не запугать, что они едины, что не прекратят борьбу, что обязательно победят и что их обществу объявлена война. Ничего нового.

Ритуал отработан! Все уже знают, что говорить и что делать. Во Францию полетели слова соболезнования, к посольствам и консульствам Франции люди понесли цветы, свечи, записки, на проходящих сейчас саммитах, встречах, конференциях, заседаниях стоя коротко помолчали, и многие-многие вялые европейские очкарики и не очкарики в дорогих чёрных костюмах и галстуках, скроив скорбные рожи, что-то сказали по поводу того, что Европе объявлена война, что они живут в состоянии войны, но что их, конечно же, ни за что не запугать и ценности их общества останутся незыблемыми.

Это отчаянно горько и в то же время противно слышать.

Горько оттого, что в момент радости и счастья люди, которые потратили немалые деньги, чтобы побывать, отдохнуть и порадоваться на Лазурном берегу, были самым ужасным образом убиты, раздавлены, растерзаны. А противно оттого, что все те слова, которые в пятницу были сказаны с больших трибун, в штаб-квартирах, конференц-залах, парламентах, — всё это окажется очередной демагогией, не имеющей никаких последствий. Точнее, последствиями демагогии будут очередные, ещё более изощрённые и хитроумные теракты.

Я устал слышать то, что в пятницу было сказано много раз, устал от идиотских и демагогических заявлений о том, что терроризм не имеет национальности и религии. Эта заученная наизусть европейскими, американскими, да и нашими демагогами мантра говорит только о трусости и безответственности тех, кто её произносит. Каждый террористический акт, каждая бесчеловечная кровавая акция имеет национальность, имена и фамилии, имеет географию, имеет под собой совершенно определённый религиозный экстремизм, имеет происхождение, организаторов, конкретных спонсоров и абсолютно реальные деньги. Имеет чёткую цель, продуманную стратегию и быстро развивающуюся и постоянно обновляющуюся тактику.

Лжецы и демагоги, которые сейчас у власти в Европе, конечно, суетятся. Они будут изображать деятельность, выделять дополнительные средства на спецслужбы, отправят в берегам Сирии один или пару кораблей, кого-нибудь обязательно накажут, изобразят, что делают очередные выводы. Пресс-службы европейских лидеров наверняка сейчас пишут им пламенные речи. Но больше всего сейчас эти деятели думают о том, как бы не взять на себя ответственность, как бы не принять серьёзные меры и решения, которые должны быть непопулярны. А непопулярные решения и меры абсолютно необходимы, потому что, если они говорят, что находятся в состоянии войны, что им объявлена война, этому серьёзному слову нужно придать соответствующее значение и начать соответственно действовать.

Но эти демагоги на такие действия не способны. Прежде всего по той причине, что они не доверяют, да и боятся своих сограждан, которых, в сущности, оставляют беззащитными и беспомощными перед врагом, про войну с которым так много говорят.

В сущности, все так называемые военные действия и всё противостояние терроризму свелись к тому, что последние пятнадцать лет мы имеем ряд неудобств при прохождении контроля и досмотра в аэропортах. Периодически эти неудобства усиливаются, потом снова ослабевают. Все здравомыслящие люди относятся к этому спокойно и даже приветственно. Здравомыслящие люди готовы потерпеть бо́льшие неудобства ради гарантии безопасности полётов. Здравомыслящие люди в сегодняшнем мире готовы многое перетерпеть, многое понять и на многое решиться, а вот политики не готовы, во всяком случае, во время своего правления и руководства. Они не посмеют прикоснуться к священным европейским ценностям. И слово «война» они произносят уже так легко, так заученно, будто исполняют любимую песню в караоке.

Смешно смотреть на всех этих европейских генералов, адмиралов в красивых фуражках и погонах... На всех этих жандармов, карабинеров, полицейских, гвардейцев, морпехов, военных моряков, лётчиков, танкистов, смешно смотреть на корабли, танки и самолёты, смешно смотреть на нашивки, флаги, ордена и медали. Вся эта униформа, вся эта военная техника, воинские звания, ритуалы, строевая подготовка, парады и марши — всё это из прошлого века и никак не для объявленной террористами войны.

Военные, принявшие воинскую присягу, люди в униформе живут, служат и могут действовать только по давно принятым уставам, правилам и инструкциям. А те, кто взрывает машины, самолёты, расстреливает людей на улицах, в кафе, клубах, давит их грузовиками и всем, чем можно задавить, — для них никаких правил, норм, уставов, законов, а главное — никаких в нашем понимании человеческих ограничений не существует. Им эти генералы, полковники в расшитых мундирах и фуражках с золотыми кокардами просто смешны. Для них брутально и дорого экипированные французские полицейские, жандармы и спецназ — это ряженые. Я думаю, что они смеются, глядя на них, смеются и делают в Европе, конкретно — во Франции, то, что задумали. И побеждают.

Помню, однажды я нарвался на жуликов, был жестоко и цинично обманут и обворован. Я долго потом мучился и никак не мог понять, как меня так легко и ловко обманули. Меня! Я же точно знаю, что я не глупый человек, что разбираюсь в людях и у меня серьёзный, сложный жизненный багаж и довольно суровый опыт. У меня хорошее образование, в конце концов. А меня обманули. Легко. Только потом я понял, почему жулики, аферисты практически всегда побеждают в ситуации аферы и обмана: мы, нормальные люди, общаемся с жуликом, полагая, что перед нами человек, и мы говорим и поступаем с ним по-человечески. Для него же, афериста и преступника, мы — не люди, для жуликов мы — не отдельные личности с мамами, папами, детьми, чувствами и переживаниями. Мы для них даже не живые существа, но цель и объект, а часто просто инструмент. Поэтому мы проигрываем. А если справедливость всё-таки торжествует, к жуликам применяется закон, и для закона они уже являются не людьми, а набором нарушений закона, не более того.

Так же и для тех бездонно тёмных и бесчеловечных сил, которые осуществляют терроризм: для каждого отдельного террориста мы, нормальные люди, людьми не являемся. Мы не являемся детьми и взрослыми, мужчинами и женщинами. Мы для них цифры, число жертв.

Необходимо отбросить и забыть высказывание о том, что у терроризма нет национальности. У террористов есть национальность, потому что мы до сих пор их очеловечиваем, мы считаем их хоть и ужасными, но людьми, и наши общества пытаются противостоять им человеческими методами. А вот для террористов жертвы не имеют национальности, религии, происхождения, географии, они — никто.

Неужели не понятно всем этим вялым, дорого одетым мужчинам и женщинам в европейских парламентах, комиссиях, альянсах, этим мужчинам и женщинам с холёными руками и начищенной обувью, что если они сказали слово «война», это слово надо осознать, понять его значение и начать действовать. Нужно принимать непопулярные, неприятные и очень дорогостоящие меры, нужно положиться на своих здравомыслящих сограждан, заручиться их поддержкой и, наконец, проявить волю.

Пора понять, что если есть постоянная террористическая угроза — а она есть, — нет ничего зазорного бояться за своих сограждан, за самих себя. Нет ничего зазорного в том, чтобы даже на беспечном, роскошном и в высшей степени буржуазном Лазурном берегу были приняты непривлекательные для туристов, владельцев суперкаров и яхт меры. Нет ничего стыдного в том, чтобы в состоянии объявленной террористами войны отказаться от салютов и праздников в честь взятия Бастилии или проводить их при таких мерах безопасности, чтобы здравомыслящие граждане понимали, что опасность постоянно существует и руководство её не скрывает.

Нужно признать совсем простую вещь: *реальность* происходящего.

А реальность сразу же многое продиктует.

Когда одна сторона сделала танк, подводную лодку, самолёт, другая была вынуждена, чтобы сражаться, сделать танк, самолёт и подводную лодку. Сейчас оружие террористов таково, что против него нет действенной защиты. И уж тем более нет средств не только победы, но и возмездия. Эти средства и методы, это оружие необходимо немедленно создать!

Усовершенствовать и принять новые законы. И необходимо, в конце концов, включить волю, гораздо более мощную, чем та, которая объявила войну. Воля нужна для того, чтобы отбросить всякие химеры, всякие глупости с расширением НАТО в разные стороны, с постоянными демонстрациями и заявлениями.

Мир нынешний страшен. Мы и наши дети беспомощны и беззащитны. Погибшие, растерзанные и раздавленные люди неповторимы и невозвратимы. Новые жуткие теракты неизбежны.

Когда я в пятницу смотрел, как президент Франции прилетел в Ниццу, как он долго сначала не выходил из самолёта, видимо, готовя особо скорбную физиономию, потом смотрел, как он выходил и его встречали генералы в расшитых золотом мундирах и фуражках, мужчины в дорогих костюмах с серьёзными физиономиями, как он произносил речь на фоне флага Пятой республики... Когда я слышал, что он говорит, всякие остатки надежды на то, что в ближайшее время мы увидим что-то серьёзное, мужественное и решительное в направлении защиты нормальных людей и борьбы с бесчеловечным и тёмным злом, полностью улетучились.

Осталась страшная горечь признания того, что террористы снова победили, ужасная скорбь по убиенным, постыдное чувство страха и глубочайшее ощущение полной беспомощности.

P. S. Закончил писать этот текст, включил телевизор — а в то время, пока я его писал, в Турции чуть не произошёл военный переворот. Вот в таком мире мы живём.

25 июля

Прошла ещё одна летняя неделя. Очень надеюсь, что для многих она была сладостная, наполненная летними радостями и без серьёзного подключения к международным новостям, поскольку в смысле новостей неделя была ужасной. Очередная ужасная, перегретая страшными событиями июльская неделя. Однако все, у кого сейчас отпуск, у кого каникулы, у кого хорошие и погожие летние деньки, очевидно старались не впускать в себя переживания по поводу того, о чём кричали новостные выпуски.

Произошёл кровавый спектакль в Турции. Многие не отрываясь смотрели переворот в прямом эфире, но до утра у телевизоров наверняка просидели не все. А когда проснулись, выяснилось, что военный переворот подавлен, на сцену вышел главный режиссёр и главный исполнитель спектакля... Сегодня же тема турецкого путча даже не на первых полосах. Почему? А потому, что после путча произошло много всего, к тому же про господина Эрдогана и его действия всем всё понятно.

Мировые лидеры стран, для которых Турция — исторический стратегический партнёр, сочлен по НАТО и прочее,

502

отделались высказываниями, что они обеспокоены происходящим в Турции, но это внутреннее дело страны... Скорее всего, партнёры Турции только и думают о том, что делать и говорить, если Эрдоган начнёт казнить заговорщиков и их пособников. Тогда с формулировками и заявлениями будет посложнее. В остальном же про случившееся всем всё понятно.

В автомобиле в центре Киева взорвали журналиста Павла Шеремета. Паша был не самый простой, не самый последовательный, не самый симпатичный на свете человек, но за это точно не убивают. И он был весьма и весьма заметным журналистом...

Ну что ж — взорвали и взорвали. Уже успели похоронить. Про его убийство если и есть информация в сегодняшних новостях, то тоже к концу выпуска. Я писал, звонил некоторым своим украинским знакомым вечером в день его гибели — они узнали о произошедшем от меня. Вполне понятно: лето, все постарались поразъехаться. Отдыхают люди.

Убийство, кто бы что ни говорил, резонансным не стало. Общество не всколыхнулось. Негодование и скорбь по случаю гибели Шеремета оказались вялыми и формальными, как формально скорбящей была на панихиде физиономия украинского президента. Года полтора тому назад такой дерзкий, жёсткий способ убийства, как и само убийство известного журналиста, всколыхнули бы украинское общество, а теперь всем всё понятно.

Здравомыслящим украинцам давно понятно, что за государство у них получилось. Возможно, ещё кому-то кажется, что то, что представляет собой сегодняшняя Украина, — только некое начало сложного процесса, и нельзя говорить, что получилось совсем не то, ради чего стоял Майдан. Кто-то ещё старается думать, что получится что-то другое...

Но большинству уже понятно, что получилось. Понятно про руководство, про депутатов, про военных, да и про самих себя всем в Украине всё понятно. Реакция на убийство Павла Шеремета отчётливо показала, что Украина дошла до состояния апатии. Всё всем понятно, чего дёргаться-то?

Восемнадцатилетний парень в Мюнхене, немец иранского происхождения, расстрелял девять человек. Сначала всем стало всё понятно. Но потом выяснилось, что он не связан с исламизмом и мировым терроризмом и старался убивать тех, кто похож на мусульман. Были сообщения, что этот молодой гражданин Германии — поклонник норвежского убийцы Брейвика, человека, который убил бы этого отпрыска иранских эмигрантов не задумываясь, только по причине цвета волос, глаз, кожи и характерного профиля. После таких сообщений стало непонятно...

Люди же в Мюнхене, как до этого в Ницце, Париже и так далее, понесли на место трагедии цветы и свечи... Я уже недавно писал: ритуал отработан и хорошо известен.

Потом СМИ сообщили, что подросток-убийца был психически ненормальным, и всем сразу стало всё понятно. Поэтому к концу наступившей недели о мюнхенской трагедии в новостях не будет сказано уже ни слова.

Наших легкоатлетов всем скопом не пустили на Олимпиаду. А лёгкая атлетика — это вообще основа, фундамент спорта. Не представляю себе состояние этих людей... Каково человеку, который, к примеру, бегает на дистанцию восемьсот метров, занимается этим с самого детства, ничего толком не видел, готовился к Олимпиаде и участие в ней стало бы важнейшим и ярчайшим событием в его недолгой спортивной жизни, а потом и в жизни после спорта. И вот такого человека решают не пускать на главные спортивные состязания. На состязания, которые принадлежат ему по праву, а право это заработано тем, что человек положил на это всю свою жизнь... Ужасно!

Как же надоел этот бесконечный, пошлый, крайне нервный и при этом бездарный допинговый сериал! Но и с ним всем всё понятно. Понятно, что нет дыма без огня и просто так, без реальных причин и серьёзных нарушений никто не смог бы так жёстко вцепиться в наш спорт. Понятно и то, что обвинения в том, будто в России есть государственная система, покрывающая всё, что связано с допингом, и имеющая целью выдающиеся результаты российских спортсменов — это лучшая иллюстрация и убедительное доказательство того, что в России царит жуткий тоталитаризм, ведь именно тоталитарные режимы и диктатуры стремились демонстрировать спортивные достижения и успехи... С этим всё понятно.

Общую сборную России на Олимпиаду пустили. Соизволили. Смилостивились... С этим тоже всё понятно. Всё-таки не могли не пустить!

Вот только совершенно не понятно, почему министр спорта Виталий Мутко всё никак не уходит в отставку. Не понятно, зачем он возглавляет российский спорт. Или, напротив, слишком хорошо понятно... А ведь ему давно пора уйти. И теперь это просто необходимо — ради спортсменов, ради российского спорта.

Я не обвиняю Виталия Леонтьевича в том, что это он организовал допинг-махинации, я ничего про это не знаю. Я также ничего не знаю про коррупцию в спорте. Я даже не очень понимаю, чем, собственно, занимается наш министр спорта и глава российского футбола. Вполне возможно, что он милый, наивный, добрый и весёлый человек, всегда белозубо улыбающийся, идеально причёсанный и качественно загорелый. Возможно, он даже не ведал о безобразиях, в которых обвинили наш спорт. Но ему надо уходить — хотя бы по той причине, что при его руководстве отечественному спорту катастрофически не везёт. Виталий Мутко стал не просто символом неуспеха России в области спорта, но символом его деградации. Он стал символом беспрерывных провалов, олицетворением всех нелепых и часто непоследовательных, а главное — безрезультатных оправданий.

Я не большой любитель спорта, но даже для меня этот символизм уже невыносим. Из всего спорта я обожаю только биатлон. Страшно переживаю, болею... И что стало с нашим биатлоном в эпоху Мутко?!

Повторяю: возможно, он не виноват, но он чертовски невезучий руководитель. Не фартовый. А в спорте важен фарт, важна удача. Нужен ли на такой должности столь невезучий человек?

При этом у самого Мутко с везением, по-моему, всё в порядке. Непотопляем, крепок нервами...

Всем понятно, что серьёзные международные спортивные организации, спортивные функционеры, от которых, как выяснилось, очень многое зависит, вряд ли будут вести содержательный и необходимый нашему спорту диалог с нынешним министром. Почему? Да потому, что он и для них является символом скандалов, связанных с нашим спортом. Поэтому — ради российского спорта — ему надо уходить. Срочно! Но всем понятно, что сам он не уйдёт. Потому что, видимо, не сам решает.

А ещё всем понятно, что на случай, если наши спортсмены на Олимпиаде будут выступать не очень, у нашего министра и Министерства спорта есть вполне убедительная отговорка, а точнее, реальный аргумент, что они готовились к Олимпиаде в невыносимых психологических условиях. И всем всё будет понятно.

Вот такими событиями была наполнена сладостная погодой, летним зноем и отпускными настроениями неделя. И совсем не хотелось мне писать то, что написал. А хотелось, наоборот, написать про то, как на прошедшей неделе в Калининграде, во время подводных работ по реконструкции моста через реку Преголю (у немцев она называлась Прегель), в самом центре города водолазы нос к носу столкнулись в мутной воде с гигантским сомом.

По их приблизительной оценке, сом оказался более двух метров в длину и весом свыше двухсот килограммов. Водолазы сома обижать не стали, но сом стал мешать проведению подводных работ, полагая их нарушением его территории: он отталкивал водолазов и даже пытался их кусать. И из-за действий сома работы, которые, кстати, проводятся в рамках подготовки Калининграда к проведению чемпионата мира по футболу, были ненадолго приостановлены.

Вот это я понимаю! Хорошая летняя новость, которую интересно читать и хочется пересказать друзьям-приятелям. Но увы! В мире доминируют другие новости.

31 июля

У меня паническое ощущение конца лета. Закончился июль. А август... Он всегда быстро-быстро скользит, летит, как санки с горы. Ещё буквально позавчера ощущения конца

507

лета не было. Но июль закончился, теперь в каждом тяжёлом облаке на небе, в каждом прохладном ветерке вечером, в каждом всё более и более раннем закате будут видеться признаки и дыхание осени.

Не люблю, когда День Военно-Морского Флота выпадает на 31 июля. Люблю этот праздник, но 31 июля не люблю. А теперь это нелюбимое мной число стало датой смерти любимейшего Фазиля Искандера. Его давно было не видно и не слышно. Он не появлялся на передачах и литературных событиях, не давал интервью... Но он был. Сам факт его живого присутствия в этом мире давал силы и живую творческую энергию. Мне легко было отвечать на вопрос журналистов, кто ваш любимый современный русский писатель. Я, не задумываясь, говорил: «Фазиль Искандер». Теперь мне так же нетрудно будет отвечать на этот вопрос, только ответ будет горьким: любимого современного русского писателя у меня теперь нет.

С уверенностью могу сказать, что без Фазиля Искандера, без впечатлений, которые я довольно рано получил от прочтения его рассказов о Чике, тема детства не стала бы для меня магистральной, главной, важнейшей.

Стопроцентный, чистейший и даже кристальный гуманизм, любовь к человеку и к жизни — суть всего его творчества и, думается, суть его жизни. Такой гуманизм был и остаётся феноменом, неповторимым своеобразием подлинной русской литературы, русского искусства. Всё остальное в нашей культуре было либо больным, либо случайным и временным, либо вторичным и заимствованным.

Он умер 31 июля, в день, когда всякий чувствительный человек острее всего ощущает наполненность жизни, её полноту и щедрость, её летнее тепло, радость... и её скоротечность. В этот день многие чувствуют себя детьми, которые в разгар игры, летнего веселья, неги вдруг вспоминают про Первое сентября и что школа неизбежна. Вспоминают и вздрагивают, словно пронзённые холодной молнией.

Для Искандера детство всегда было раем, а взрослые люди — людьми, рай потерявшими. Он жил как утративший рай человек, среди таких же, как он, людей.

Гуманизм Искандера отличается тем, что его герои, кроме детей, — люди, рай потерявшие, а не изгнанные из него, как у подавляющего большинства ныне пишущих авторов.

Искандер подробно запомнил рай своего детства, постоянно к нему обращался, а главное — щедро, как подлинный гуманист, давал возможность потерявшим и забывшим рай взрослым в него возвращаться. Для этого возвращения необходимо было лишь открыть его книгу и отыскать в себе не растраченную до конца, не исчезнувшую живую чувствительность.

Он прекрасный, удивительный и безусловно интересный писатель. Если кто-то вовсе не читал Искандера или ему не довелось прочесть рассказов о Чике, пусть его уход послужит поводом для того, чтобы взять его книжку и прочитать — или перечитать — несколько рассказов о мальчике Чике. Август — лучшее время для такого чтения. В этих рассказах будет солнце, море, детское ощущение неподвижности времени, упругое ощущение своего чудесного, детского тела, яркий вкус фруктов, который тоже возможен только в детстве...

Тем, кому в этом году не удалось попасть к морю, у кого погода не очень, у кого отпуска не получилось, эти рассказы многое дадут вспомнить и даже ощутить, без огорчения, тоски и обиды на то, что лето не удалось. А тем, кто в данный момент нежится у моря, у кого прекрасная погода и роскошные окрестности, рассказы Искандера дадут возможность точнее, глубже и острее разобраться с собственными чувствами и ощущениями. Благодаря его рассказам море станет солонее и приятнее, зной перестанет раздражать, тени южных деревьев станут более кружевными, жужжание насекомых обрадует, да и фрукты, самые привычные, покажутся слаще. А ещё удастся что-то понять, что-то увидеть незамеченное, услышать себя... Для того и существует великая литература, значительной и невероятно светлой частью которой является Фазиль Искандер. Навсегда.

Содержание

Все права защищены. Книга или любая ее часть не может быть скопирована, воспроизведена в электронной или механической форме, в виде фотокопии, записи в память ЭВМ, репродукции или каким-либо иным способом, а также использована в любой информационной системе без получения разрешения от издателя. Копирование, воспроизведение и иное использование книги или ее части без согласия издателя является незаконным и влечет уголовную, административную и гражданскую ответственность.

Литературно-художественное издание
ГРИШКОВЕЦ ЕВГЕНИЙ. СОВРЕМЕННАЯ ПРОЗА

Гришковец Евгений

ЛЕТО – ЛЕТО И ДРУГИЕ ВРЕМЕНА ГОДА

Ответственный редактор *В. Ахметьева*
Младший редактор *П. Рукавишникова*
Художественный редактор *Р. Фахрутдинов*
Технический редактор *О. Лёвкин*
Компьютерная верстка *А. Щербакова*
Корректор *Т. Кузьменко*

ООО «Издательство «Э»
123308, Москва, ул. Зорге, д. 1. Тел. 8 (495) 411-68-86.
Өндіруші: «Э» АҚБ Баспасы, 123308, Мәскеу, Ресей, Зорге көшесі, 1 үй.
Тел. 8 (495) 411-68-86.
Тауар белгісі: «Э»
Қазақстан Республикасында дистрибьютор және өнім бойынша арыз-талаптарды қабылдаушының
өкілі «РДЦ-Алматы» ЖШС, Алматы қ., Домбровский көш., 3«а», литер Б, офис 1.
Тел.: 8 (727) 251-59-89/90/91/92, факс: 8 (727) 251 58 12 вн. 107.
Өнімнің жарамдылық мерзімі шектелмеген.
Сертификация туралы ақпарат сайтта Өндіруші «Э»

Сведения о подтверждении соответствия издания согласно законодательству РФ
о техническом регулировании можно получить на сайте Издательства «Э»

Өндірген мемлекет: Ресей
Сертификация қарастырылмаған

Подписано в печать 14.12.2016. Формат 70x108 $^1/_{32}$.
Гарнитура «Петербург». Печать офсетная. Усл. печ. л. 22,4.
Тираж 8 000 экз. Заказ № 7615.

Отпечатано с электронных носителей издательства.
ОАО "Тверской полиграфический комбинат". 170024, г. Тверь, пр-т Ленина, 5.
Телефон: (4822) 44-52-03, 44-50-34, Телефон/факс: (4822)44-42-15
Home page - www.tverpk.ru Электронная почта (E-mail) - sales@tverpk.ru

ISBN 978-5-699-93499-7

В электронном виде книги издательства вы можете купить на www.litres.ru

ЛитРес:
один клик до книг